Polacy pracujący
w czasie COVID-19

Juliusz Gardawski

Adam Mrozowicki

Jacek Burski

Jan Czarzasty

Mateusz Karolak

Polacy pracujący
w czasie COVID-19

Wydawnictwo Naukowe SCHOLAR
Warszawa 2022

Recenzje:
    prof. dr hab. *Jacek Sroka*
    dr hab. prof. Collegium Civitas *Paweł Ruszkowski*

Redaktor prowadząca:
    Hanna Raciborska

Redakcja:
    Marek Szczepaniak

Korekta:
    Adrian Siarkiewicz

Projekt okładki:
    Katarzyna Juras

Na okładce wykorzystano zdjęcie: Senior woman looking out of window at home, autor: pikselstock, Adobe Stock#356649791

Książka powstała w oparciu o badania prowadzone w ramach projektu NCN OPUS „COV-WORK: Świadomość społeczno-ekonomiczna, doświadczenia pracy i strategie radzenia sobie Polaków w kontekście kryzysu post-pandemicznego". Projekt COV-WORK jest finansowany przez Narodowe Centrum Nauki, nr umowy UMO-2020/37/B/HS6/00479. Wydanie publikacji zostało zlecone przez Instytut Socjologii Uniwersytetu Wrocławskiego i Kolegium Ekonomiczno-Społeczne Szkoły Głównej Handlowej w Warszawie

ISBN 978-83-66849-90-7

Wydawnictwo Naukowe Scholar Spółka z o.o.
ul. Obożna 1, 00-340 Warszawa
tel. 22 692 41 18; 22 826 59 21; 22 828 93 91
dział handlowy: jak wyżej, w. 108
e-mail: info@scholar.com.pl
www.scholar.com.pl

Wydanie pierwsze
Skład i łamanie: WN Scholar (*Jerzy Łazarski*)
Printed in Poland

SPIS TREŚCI

Kryzys pandemiczny a świat pracy: Wprowadzenie

Od przełomu 2019 i 2020 r. pandemia koronawirusa przenika do wszystkich sfer życia społecznego zglobalizowanego świata. W szeroko rozumianych naukach społecznych (od antropologii przez socjologię po filozofię, ale też nauki polityczne, ekonomiczne, psychologię czy etnografię)[1] podejmuje się próby zrozumienia społecznego, politycznego i gospodarczego znaczenia kryzysu (Agamben, 2021; Arak, 2021; Delanty, 2020; Kossowska i in., 2021; Lupton, 2022). Oddawana do rąk czytelnika monografia stawia sobie za cel poszerzenie istniejącego stanu wiedzy na temat społecznego znaczenia pandemii COVID-19 jako specyficznego rodzaju kryzysu o charakterze zdrowotnym i społecznym, o potencjalnie przynajmniej doniosłych konsekwencjach gospodarczych[2]. Monografia powstała na podstawie analizy danych zebranych w ramach finansowanego przez Narodowe Centrum Nauki projektu „COV-WORK: Świadomość społeczno-ekonomiczna, doświadczenia pracy i strategie radzenia sobie Polaków w kontekście kryzysu post-pandemicznego".[3]

W książce, podobnie jak i w całym projekcie, stawiamy sobie za cel wieloaspektowe zbadanie konsekwencji pandemii COVID-19 dla świata pracy z perspektywy pracowniczej, panelowej, z wykorzystaniem metod mieszanych, jakościowo-ilościowych. Perspektywa „pracownicza" nawiązuje zarówno do tradycji socjologii interpretatywnej, jak i krytycznej. Oznacza położenie nacisku na procesy subiektywnego i intersubiektywnego nadawania znaczeń zjawiskom i procesom w sferze pracy, na świadomość społeczną i strategie życiowe samych pracowników, przy uwzględnieniu ich szerokiego kontekstu społeczno-ekonomicznego, instytucjonalnego i kulturowego. „Krytyczność" tej perspektywy odnosi się natomiast do tych tradycji badań nad światem pracy, które analizują doświadczenia pracowników z perspektywy ich uwikłania w relacje władzy i podporządkowania

---

[1] W książce z przyczyn oczywistych pomijamy dyskusję toczącą się w polu nauk ścisłych na temat zagrożenia epidemiologicznego (czy szerzej pandemicznego).

[2] W książce posługujemy się terminami COVID-19 (jako nazwy choroby) oraz wirus SARS-CoV-2.

[3] Projekt COV-WORK realizowany jest w latach 2020–2024 przez konsorcjum Uniwersytetu Wrocławskiego (Instytut Socjologii, Wydział Nauk Społecznych – lider) oraz Kolegium Ekonomiczno-Społecznego Szkoły Głównej Handlowej w Warszawie (partner). Finansowanie: Narodowe Centrum Nauki, nr umowy UMO-2020/37/B/HS6/00479.

w miejscu pracy, biorąc pod uwagę krzyżujące się nierówności społeczne (m.in. ze względu na klasę, płeć, wiek, etniczność) w społeczeństwie późnego kapitalizmu. Panelowość wskazuje wreszcie na odejście od „socjologii gorącej" pandemii[4] na rzecz spojrzenia bardziej systematycznego, z wykorzystaniem kolejnych pomiarów w miarę oddalania się w czasie od jej wybuchu. W badaniach zaplanowanych na lata 2021–2024 przewidziano kilka etapów (por. nota metodologiczna), a książka jest podsumowaniem części wyników z pierwszego z nich.

Przyjęte w badaniach podejście teoretyczno-metodologiczne pozwala na uwzględnienie wielu nakładających się na siebie i wzmacniających kryzysów, w tym zdrowotnego, gospodarczego, społeczno-politycznego, migracyjnego, a nawet ekologicznego czy wywołanego agresją Rosji na Ukrainę (Tooze, 2021; Zeitlin i in., 2019). O ile w momencie projektowania naszych badań kryzys pandemiczny zdawał się nieść ze sobą fundamentalne zmiany dla niemal wszystkich sfer życia społecznego w Polsce i na świecie, o tyle teraźniejszość (jesień 2022 r.) przynosi ze sobą kolejne typy zjawisk kryzysowych. Trwa kryzys uchodźczy (od lata 2021 r. na granicy polsko-białoruskiej), a rosyjska agresja na Ukrainę w lutym 2022 r. uruchomiła kolejną falę uchodźstwa do Polski i zdestabilizowała sytuację polityczno-gospodarczą w Europie i na świecie. Co więcej, gospodarki europejskie, w tym Polska, borykają się z szybko rosnącą inflacją o źródłach zarówno egzogennych (wojna w Ukrainie, rosnące ceny paliw i żywności), jak i endogennych (postpandemiczny wzrost popytu, efekt transferów społecznych na programy pomocowe w pandemii, problemy przerwanych łańcuchów dostaw i in.). Pojawiają się również symptomy kryzysu politycznego, związanego z erozją demokracji parlamentarnej w krajach europejskich. Innymi słowy, mamy do czynienia z sytuacją narastającego polikryzysu, o którym jeszcze w 2016 r. mówił Jean-Claude Juncker. Różnego rodzaju zagrożenia „podsycają się nawzajem, tworząc poczucie wątpliwości i niepewności w umysłach ludzi" (za: Zeitlin i in., 2019: 573).

Oddawana do rąk czytelników monografia nawiązuje swoim tytułem do wydanej w 2009 r. monografii *Polacy pracujący a kryzys fordyzmu* (Gardawski red., 2009). Nie jest to przypadek, ponieważ postawiliśmy podczas rozpoczynania badań w 2021 r. hipotezę, że pandemia COVID-19, podobnie jak trwający od lat siedemdziesiątych XX wieku kryzys fordyzmu, oddziaływać będzie na świadomość społeczno-ekonomiczną, sytuacje pracy i strategie życiowe Polaków, stanowiąc istotny etap narastającego kryzysu (neo-)liberalnego modelu kapitalizmu (por. Tooze, 2021). Przyzwolenie polityczne na wydatki publiczne i interwencje

---

⁴ Pojęcie „socjologii gorącej" stosowane było do opisu analiz wydarzeń związanych z powstaniem NSZZ „Solidarność", m.in. badań zespołu A. Touraine'a, J. Staniszkis czy I. Krzemińskiego. Jak zauważa Małgorzata Molęda-Zdziech (1999), odnosiło się ono do socjologii „tworzonej „na żywo", tu i teraz, która stawiała sobie za cel pomoc uczestnikom wydarzeń w zrozumieniu złożoności rzeczywistości społecznej".

antykryzysowe w pandemii, nawet kosztem wzrostu długu publicznego (Arak, 2021; Natali, 2022), niespotykane w wielu krajach inwestycje w zdrowie publiczne (Crouch, 2022), a także wprowadzane w wielu krajach europejskich instrumenty antykryzysowe chroniące sprekaryzowane kategorie pracowników, np. samozatrudnionych (Müller, Schulten, 2022) – to tylko niektóre z działań, które świadczyć mogą o jakościowej zmianie w polityce gospodarczej[5]. Jednocześnie, jak zauważa Adam Tooze (2021), bezprecedensowe interwencje banków centralnych i polityki antykryzysowe miały przede wszystkim na celu stabilizację globalnego systemu finansowego, a ich beneficjentami stali się w głównej mierze najbogatsi.

W prezentowanych w monografii badaniach interesuje nas jednak nie tyle polityczno-instytucjonalny aspekt działań antykryzysowych, ile oddziaływanie pandemii na świadomość społeczno-ekonomiczną (w tym normatywne wizje gospodarki), sytuację i jakość pracy Polaków pracujących. W monografii oddawanej do rąk czytelników, a jest to pierwsza książka z naszych badań, skupiamy się w szczególności na prezentacji wyników I fali badań kwestionariuszowych na reprezentatywnej próbie ogólnopolskiej osób dorosłych (liczebność N = 1400). Omawiamy również wstępne wyniki 15 zogniskowanych wywiadów grupowych z pracownikami w edukacji, ochronie zdrowia, opiece społecznej i logistyce oraz – sygnalnie – wnioski z analizy dyskursu dotyczącego sytuacji pracowników niezbędnych (*essential workers*) w Polsce. Kolejna monografia poświęcona będzie całościowemu podsumowaniu wyników projektu COV-WORK.

KRYZYS PANDEMICZNY: REFLEKSJE TEORETYCZNE

Zanim przejdziemy do prezentacji wyników badań w zasadniczej części książki, chcielibyśmy przybliżyć przyjęte w badaniach ujęcie kryzysu pandemicznego. Kryzys rozumiemy tutaj szeroko jako sytuację naruszenia porządku społecznego w wyniku splotu – zwykle trudnych do kontrolowania – wewnętrznych lub zewnętrznych procesów i zdarzeń, które wymuszają indywidualne i (lub) zbiorowe działania społeczne skutkujące odtworzeniem lub przekształceniem sytuacji sprzed kryzysu (Wielecki, 2012: 391). Pandemia spełnia definicję takiego typu kryzysu: nie była ona, jak zauważa Tooze (2021), „czarnym łabędziem", wydarzeniem zupełnie niespodziewanym i nieprawdopodobnym. Była ona raczej „szarym nosorożcem" (Wucker, 2016), zjawiskiem przewidywanym przez wirusologów od lat, ale w znacznym stopniu zignorowanym przez elity polityczne (por. również Arak, 2021: 20).

---

[5] Piotr Arak (2021, s. 25) odwołuje się do kategorii „pandemonii" dla określenia „zestawu niestandardowych norm i reguł, które zostały zastosowane do produkcji, dystrybucji i konsumpcji dóbr oraz usług podczas pandemii COVID-19".

Niektórzy traktują pandemię jako przypadek durkheimowskiego faktu społecznego, tj. „powiązanych działań zbiorowych, które narzucone zostają [*impose themselves* – AM] na jednostki z zewnątrz [*epi-demia,* literalnie, coś, co spada na demos [ludzi – AM]) i regulują ich sposoby myślenia, odczuwania i działania" (Vandenberghe, Véran, 2021: 172). Pisze się o końcu neoliberalizmu czy kapitalizmu w ogóle (Kılıç, 2021) oraz o kryzysie antropocenu (Tooze, 2021). Wskazuje się, że obserwujemy coraz bardziej wyraźny kryzys instytucji państwa i stojącej za nim sfery publicznej, którego wyrazem były problemy państw narodowych z koordynacją działań antykryzysowych w pandemii oraz skuteczną współpracą na poziomie ponadnarodowym (Thorpe, 2022). Zdaniem Stephena Turnera (2021) kryzys ujawnił „nagie państwo" odarte z niewidzialności (czego przykładem jest egzekwowanie kwarantann i zamknięcia granic państwowych przez policję i wojsko), w którym każdy z elementów układu zaczyna mieć własne problemy, wchodząc w konflikt z innymi. W tym kontekście pisze się również o ryzyku stojącym za wprowadzaniem radykalnych rozwiązań mających na celu powstrzymanie rozprzestrzeniania się wirusa, które przez krytyków (w tym m.in. przedstawicieli ruchów antyszczepionkowych czy w przypadku protestów przedsiębiorców przeciw „zamykaniu" poszczególnych branż) przedstawiane są jako narzędzia ograniczenia swobód obywatelskich (Agamben, 2021). Podkreśla się wreszcie, że kryzys pandemiczny może być momentem przełomowym, mającym potencjał destrukcyjny, ale też będącym szansą na zupełne przewartościowanie współczesnego systemu społeczno-ekonomicznego i nadejście ery prawdziwego komunizmu (Žižek, 2020). Odpowiedzi na kryzys szuka się również w propozycji restytucji socjaldemokratycznej wizji państwa i jego instytucji (Walby, 2021).

Epidemia koronawirusa to jednak przede wszystkim zagrożenie o charakterze biologicznym, wyróżniające się określonym sposobem rozprzestrzeniania, wysoce zaraźliwe i trudne w leczeniu. Koronawirus wiąże w sobie wszystkie kluczowe elementy potencjalnego zagrożenia, które nie tylko są zdrowotnie niebezpieczne, ale poprzez wysokie ryzyko przenoszenia skrajnie negatywnie oddziałują na funkcjonowanie współczesnych zglobalizowanych społeczeństw. Pandemia stanowi duże wyzwanie z perspektywy systemów ochrony zdrowia. Na szczepionkę, która i tak została opracowana wyjątkowo szybko, czekaliśmy prawie rok[6]. Na skuteczne leki i terapie czekamy nadal. Stąd konieczność podejmowania drastycznych kroków prewencyjnych polegających na różnych stopniach dystansowania fizycznego,

---

[6] Czas potrzebny na opracowanie szczepionki (od momentu pojawienia się na nią zapotrzebowania) standardowo jest znacznie dłuższy. Osobną kwestią jest rosnące znaczenie ruchów antyszczepionkowych i kwestia efektywności polityk społecznych, w ramach których wprowadzane są szczepionki.

wprowadzania lockdownów[7], wyłączania z pracy części gospodarek czy przechodzenia na pracę i naukę online. Głównym celem tych działań była ochrona systemu zdrowotnego i zapewnienie jego funkcjonalności na jak najwyższym poziomie w momencie wzrostu liczby chorych.

Raport Komisji Europejskiej i OECD podsumowujący zdrowotne zmagania Europy z pandemią w okresie 2020–2021 pokazał, że nawet najlepiej przygotowane na kryzys systemy ochrony zdrowia nie zdołały sobie z nim poradzić (European Commission – OECD, 2021). Na tle innych krajów europejskich sytuacja polskiej ochrony zdrowia wygląda wręcz dramatycznie. Forsowana od lat prywatyzacja, komercjalizacja i liberalizacja usług zdrowotnych niezależnie od dowodów na negatywny wpływ tych procesów na ich jakość (Kozek, 2011), a także niedofinansowanie systemu ochrony zdrowia doprowadziły do sytuacji, w której mniej niż gdzie indziej lekarzy i pielęgniarek, gorzej niż w wielu europejskich krajach opłacanych, walczyło (i nadal walczy) ze skutkami największego kryzysu zdrowotnego XXI wieku. W wyniku infekcji SARS-CoV-2 zmarło do sierpnia 2022 r. 117 tys. osób w Polsce; 6,07 miliona zostało zakażonych. Pod względem liczby zgonów nasz kraj znajduje się w chwili pisania tej książki na 15. miejscu na świecie w liczbach bezwzględnych i na 22. w liczbie zmarłych na 1 mln mieszkańców[8].

Trudniejszą do podsumowania sprawą jest społeczna strona kryzysu pandemicznego. Pandemia łączy w sobie dwa pozornie przeciwstawne porządki: przednowoczesny i ponowoczesny. Pierwszy bezpośrednio związany jest z miejscem czy też przestrzenią kulturową, z której wirus pochodzi. Chińskie prowincje (jak również kraje południowej i południowo-wschodniej Azji) od lat są badane i opisywane jako potencjalne i groźne źródło wirusów odzwierzęcych (por. Afeltowicz, Wróblewski, 2020). Niski poziom higieny i kontroli instytucji sanitarnych, wysoki poziom zaludnienia, ekstensywna gospodarka środowiskowa – wszystko to zwiększało ryzyko pojawienia się groźnych chorób zakaźnych pochodzenia odzwierzęcego. Drugi, ponowoczesny aspekt pandemii wiąże się z globalizacją, globalnymi kanałami transportu i komunikacji, które umożliwiły – również zgodnie z przewidywaniami epidemiologów – przyspieszone rozprzestrzenianie się wirusa.

Wirus spowodował pierwszą globalną pandemię, w której to człowiek i jego działania odgrywają kluczową rolę, świata hiperzmediatyzowanego, a jednocześnie silnie rozdartego zarówno politycznie, ekonomicznie, jak i społecznie. Hipermediatyzacja pandemii przekłada się m.in. na stan pandemicznej debaty publicznej; mówi się czasami o stanie infodemii (*infodemics*) (Colombo, 2022)

---

[7] W książce używamy terminu *lockdown* (zamknięcie) i zamknięcie społeczeństw i gospodarek wymiennie dla określenia szeregu działań mających na celu ograniczenie przemieszczania się i bezpośrednich kontaktów międzyludzkich w warunkach pandemii.

[8] Źródło: https://ourworldindata.org/covid-cases; Johns Hopkins University CSSE COVID-19 Data [dostęp: 4.08.2022].

i wytworzeniu się określonych podstawowych narracji na temat kryzysu i kategorii służących do opisu i uporządkowania zupełnie nowej sytuacji (m.in. nadanie nowych treści w ramach dyskursu o pracy niezbędnej – *essential work*, ale też np. masowa dezinformacja dotycząca negatywnych konsekwencji szczepień). Jednak pytaniem, które wysuwa się na plan pierwszy, jest to, co dzieje się ze społeczeństwem postawionym w obliczu kryzysu dotykającego każdej (albo prawie każdej) sfery jego funkcjonowania.

Biorąc pod uwagę, że rozprzestrzenianie się wirusa bywa postrzegane jako niezamierzona konsekwencja podejmowanych przez nowoczesne państwa i instytucje zdrowia publicznego prób uodpornienia społeczeństw na choroby zakaźne (Afeltowicz, Wróblewski, 2020), kryzys pandemiczny może być rozumiany jako doskonały przykład „niekontrolowalności" późnonowoczesnego świata (Rosa, 2020b: ix). Inaczej jednak w dyskursie medialnym, w którym pandemia prezentowana była jako zjawisko przełomowe (por. rozdział 2), istniejące badania pozwalają przypuszczać, że kryzys pandemiczny charakteryzować się będzie raczej wzmocnieniem i przyspieszeniem trendów obecnych już przed pandemią. Dotyczy to m.in. analiz świata pracy, w przypadku którego mówi się o przyspieszeniu cyfryzacji gospodarek i organizacji pracy (Śledziewska, Włoch, 2021), wzroście znaczenia pracy za pośrednictwem platform internetowych przy utrzymaniu skrajnie niestabilnych warunków pracy (Polkowska, 2021), ekspansji na nowe branże pracy zdalnej i hybrydowej (Felstead, 2022), ale także wzroście nierówności na rynku pracy i zasięgu pracy sprekaryzowanej[9] w sytuacji lockdownów i załamania gospodarki światowej (Bambra i in., 2021). W analizach konsekwencji pandemicznego kryzysu zwracaliśmy zatem szczególną uwagę nie tylko na głębokie zmiany i nowe obszary ryzyka, ale i elementy ciągłości, zależności od ścieżki (*path-dependency*) i kontynuacji. Podobną hipotezę odnajdujemy w pracach, które podkreślają znaczenie zróżnicowanego kontekstu instytucjonalnego dla odpowiedzi politycznych na kryzys pandemiczny np. w obszarze zbiorowych stosunków pracy (Meardi, Tassinari, 2022).

Jeśli próbować pogodzić tezy o głębokim, nieodwracalnym wpływie pandemii z dyskusją na temat szeroko rozumianej ciągłości w zmianie, można formułować przypuszczenia o oddziaływaniu pandemicznego kryzysu na rzeczywistość społeczną. Z jednej strony może być on postrzegany jako wzmocnienie wcześniejszych tendencji ciągłego przyspieszenia technologicznego, zmian społecznych i życia społecznego, o którym pisze Hartmut Rosa (2020a). Jest to teza o pandemii

---

[9]　Mianem pracy sprekaryzowanej określamy formy aktywności zarobkowej, które są „niepewne, nieprzewidywalne i ryzykowne z punktu widzenia pracownika"(Kalleberg, 2009: 2), wiążąc się z niskimi wynagrodzeniami, niepewnymi formami zatrudnienia (np. umowami cywilnoprawnymi w Polsce), ograniczonym dostępem do zabezpieczeń społecznych i reprezentacji interesów zbiorowych (np. w postaci możliwości przystąpienia do związków zawodowych).

jako akceleratorze czy też „katalizatorze" zachodzących zmian. Z drugiej strony pandemia bywa rozumiana jako wyłom we wskazanej tendencji, „od-spieszenie" (Szlendak, 2021) za sprawą zamknięcia gospodarek, przerwania łańcucha dostaw i haseł wzywających do „pozostania w domu". W szerszym ujęciu możemy sformułować hipotezę o pandemii jako momencie przełomowym, który doprowadzić może – podobnie jak kryzys fordyzmu w latach siedemdziesiątych ubiegłego wieku – do swoistej zmiany paradygmatu na poziomie polityk publicznych i sposobów organizacji i zarządzania pracą. „Zmiana paradygmatu" musiałaby objąć również, co istotne, impuls na rzecz przemian instytucji społecznych w wymiarze regulacyjnym (prawnym), normatywnym i kulturowo-kognitywnym (Scott, 2008), obejmującym głęboko zakorzenione sposoby myślenia i działania w świecie.

W niniejszej monografii oraz prezentowanych w niej badaniach ten ostatni wymiar, obejmujący kulturę ekonomiczną i świadomość społeczno-ekonomiczną, doświadczenia i strategie życiowe w warunkach kryzysu (post-)pandemicznego, stanowi główny przedmiot analiz. Do ich przeprowadzenia wykorzystano dane zebrane za pomocą różnorodnych, opisanych w kolejnym podrozdziale metod i technik badawczych.

RAMY METODOLOGICZNE BADAŃ EMPIRYCZNYCH

W projekcie COV-WORK, którego pierwsze wyniki stały się podstawą przygotowania monografii, wykorzystywane są różnorodne typy danych empirycznych, zarówno pierwotnych, jak i wtórnych (zastanych), w celu uzyskania odpowiedzi na podstawowe pytanie badawcze. Dla celów niniejszej monografii, która przedstawia jedynie część wstępnych wyników badań, przyjęło ono następującą postać: jakie są uwarunkowania jakości pracy Polaków pracujących oraz ich świadomości społeczno-ekonomicznej (w tym normatywnych wizji gospodarki jako specyficznego aspektu kultury ekonomicznej) w warunkach kryzysu społeczno-ekonomicznego wywołanego pandemią COVID-19? Mianem jakości pracy (*job quality*) określamy – za Muñoz de Bustillo i in. (2009: 150) – wybrane aspekty stosunku pracy (*employment quality*), które „mają wpływ na dobrostan pracowników" (w tym formy zatrudnienia, czas pracy, wynagrodzenie, możliwości rozwoju kariery), jak i warunki wykonywania pracy (*work quality*, w tym autonomię, intensywność, otoczenie fizyczne i społeczne pracy) oraz możliwości partycypacji i reprezentacji interesów pracowniczych[10].

---

[10] Szerzej o kategorii jakości pracy piszemy w rozdziale 1.

Odwołując się do kategorii świadomości społecznej, mamy natomiast na myśli, zgodnie z propozycją Marka Ziółkowskiego (2000a), takie przekonania indywidualne, które:

> spełniają przynajmniej trzy idealizacyjnie pojęte kryteria: (1) są to przekonania wspólne dla jakiejś zbiorowości czy kategorii społecznej; (2) przekonania te są uświadamiane (bądź zakładane) jako wspólne przez członków tej zbiorowości; (3) stanowią one przesłanki czy korelaty tych samych działań indywidualnych występujących na skalę masową, a zwłaszcza wspólnych działań zbiorowych (Ziółkowski, 2000a: 76).

Definicja taka ma charakter typu idealnego, co interpretować można w ten sposób, że w drodze przyjęcia założeń idealizacyjnych nadaje zjawiskom realnym, zawsze płynnym, mniej lub bardziej chaotycznym, racjonalną postać, jak pisał Weber – narzuca zjawiskom społecznym pewien wymiar utopii (tym różni się typ idealny od typu przeciętnego czy statystycznego). Nawiązując dalej do Maxa Webera (2004) można stwierdzić, że świadomość ekonomiczna jest pewnym aspektem świadomości społecznej, która odwołuje się do wymiarów życia społecznego „*stricte* ekonomicznych", „ekonomicznie uwarunkowanych" i „ekonomicznie relewantnych" (Gardawski 2021: 14). Biorąc pod uwagę, że Weber uznawał za te ostatnie „warunki życiowe utrwalonej historycznie kultury", kluczowe znaczenie dla badań świadomości ekonomicznej ma pojęcie kultury ekonomicznej. W ujęciu Mirosławy Marody i Jacka Kochanowicza (2007): „na kulturę ekonomiczną składają się, po pierwsze, nie zawsze uświadamiane wartości, schematy poznawcze i wzory postępowania, oraz po drugie, poglądy na temat tego, jak powinno być zorganizowane życie gospodarcze", nazwane przez autorów „ideologiami gospodarczymi". Ideologie te są wzorami wartości, zawierającymi postulat, jak powinien być urządzony ekonomiczny segment życia społecznego (por. Gardawski 2021: 16). Przedmiotem naszych badań był w szczególności wyróżniony aspekt kultury ekonomicznej – normatywne wizje gospodarki, które traktowaliśmy jako swoisty barometr postaw wobec gospodarki rynkowej i wskaźnik kryzysów społeczno-ekonomicznych. Taką też rolę wyznaczyliśmy analizom normatywnych wizji w odniesieniu do kryzysu związanego z pandemią COVID-19.

W fazie projektowania badania w czasie I fali pandemii w 2020 r. postawiliśmy hipotezy, że kryzys (post-)pandemiczny charakteryzować się będzie (1) wzmocnieniem nierówności społecznych oraz prekaryzacji w świecie pracy, które obecne były już przed pandemią – por. rozdział 5; (2) sprzyjać będzie pogorszeniu jakości pracy Polaków pracujących i ich dobrostanu ogólnego, co odbije się szczególnie na dobrostanie grup usytuowanych niżej w hierarchii stratyfikacyjnej – por. rozdziały 4 i 7; (3) wzmocni komponenty propracownicze oraz oczekiwania poprawy jakości pracy w świadomości społecznej – por. rozdział 4.

Na dodatek w monografii podjęliśmy również problem doświadczeń pracowniczych i dyskursu wokół „pracy niezbędnej", stawiając pytania o jakość pracy pracowników niezbędnych w czasach COVID-19, ich wyobrażenia o postpandemicznej przyszłości pracy oraz sposoby dyskursywnego konstruowania „niezbędności" w polskich mediach. Mianem pracowników niezbędnych określa się zwykle osoby pracujące stacjonarnie w bezpośrednim kontakcie z innymi ludźmi na stanowiskach, które uznano za konieczne do funkcjonowania społeczeństwa w warunkach pandemii (m.in. w opiece zdrowotnej, służbach porządkowych czy w podstawowych usługach – Goldin, 2021). O ile w niektórych krajach (np. w USA) definicje pracy niezbędnej miały charakter prawno-administracyjny i dotyczyły pracowników zapewniających funkcjonowanie krytycznej infrastruktury społecznej (ibidem), w Polsce kategoria ta nie funkcjonowała powszechnie w dyskursie publicznym. W monografii przyjęliśmy, że „niezbędność" ma charakter szerszy i odnosi się do zapewnienia reprodukcji społecznej, w tym ochrony zdrowia, pomocy społecznej i edukacji (jako przygotowania do życia w społeczeństwie), a także zapewnienia i dostarczenia dóbr i usług koniecznych do zaspokojenia potrzeb biologicznych i podstawowych potrzeb społecznych w sytuacji pandemicznego kryzysu (por. rozdział 2).

W projekcie COV-WORK wykorzystujemy następujące źródła danych empirycznych: (1) panelowe badania kwestionariuszowe z wykorzystaniem wspomaganych komputerowo wywiadów telefonicznych (CATI) na reprezentatywnej próbie mieszkańców Polski: I fala (listopad 2021 r., liczebność próby N = 1400), II fala (zaplanowana na kwiecień–maj 2023 r., liczebność próby w panelu min. N = 600); (2) zogniskowane wywiady grupowe (fokusowe, FGI) z osobami zatrudnionymi w edukacji, opiece zdrowotnej, pomocy społecznej i logistyce (N = 15) zrealizowane w okresie luty–kwiecień 2022 r.; (3) biograficzne wywiady narracyjne (w realizacji, N = 90) w ww. branżach zaplanowane na lata 2021–2023; (4) wywiady eksperckie z kadrą zarządzającą i pracodawcami w ww. branżach (N = 15) oraz przedstawiciel(k)ami związków zawodowych, organizacji pracocawców i administracji rządowej (N = 30; w toku) w 2021 i 2023 r.; (5) korpus złożony z artykułów dotyczących pandemii i rynku pracy zebranych z internetowych wydań gazet: *Gazeta Wyborcza, Rzeczpospolita, Fakt, Gazeta Polska Codziennie* oraz portali internetowych: onet.pl, wpolityce.pl, money.pl, oko.press (2020–2023) – por. rozdział 2.

W niniejszej książce korzystamy jedynie z niewielkiej części zebranych dotąd danych badawczych. Przytaczamy całą gamę materiałów empirycznych, ponieważ ich dotychczasowa analiza wzbogaciła naszą „wrażliwość teoretyczną" (Glaser, 1978) o nowe kategorie i perspektywy. Głównym źródłem wykorzystanych danych są zrealizowane przez Pracownię Badań Społecznych (PBS) na zlecenie konsorcjum COV-WORK badania CATI (I fala) oraz badania fokusowe FGI. Korzystamy również z krytycznej analizy dyskursu, przeprowadzając jakościową i ilościową analizę przekazów medialnych na temat „pracowników niezbędnych". Ze względu na odrębność metodologii badań nad dyskursem, jej krótkie omówienie wraz z charakterystyką korpusu zawarto w rozdziale 2.

Badanie CATI zrealizowane zostało na reprezentatywnej, ogólnopolskiej próbie dorosłych (18+) Polaków. Kwestionariusz badań obejmował następujące zagadnienia: ocena dobrostanu indywidualnego przed i w trakcie pandemii; ocena polityk publicznych wobec pandemii; wybrane wymiary sytuacji badanych na rynku pracy; wskaźnik wizji gospodarki dobrze urządzonej; wskaźnik organizacyjnych i społecznych warunków pracy; wybrane oceny jakości pracy; doświadczenia i oczekiwania wobec pracy zdalnej; zmienne społeczno-demograficzne („metryczka").

Dla celów doboru próby w badaniach CATI wykorzystane zostały dwa operaty: baza danych składająca się ze wszystkich numerów telefonicznych (Urzędu Komunikacji Elektronicznej) oraz baza panelistów poznaj.to, składająca się ze 160 tys. osób, z którymi PBS utrzymuje stały kontakt poprzez zapraszanie ich do wzięcia udziału w badaniach. Pierwszy z operatów wykorzystany został do wylosowania 50% próby. W celu optymalnego doboru badanych zastosowano pytania rekrutacyjne w narzędziu badawczym oraz warstwowanie próby ze względu na województwo, wielkość miejscowości (I warstwa) oraz płeć i wiek (II warstwa). W drugim kroku, po skontrolowaniu kluczowych zmiennych (płeć, wiek, wielkość miejscowości oraz region), kwotowo dobrani zostali respondenci z panelu poznaj.to (50% próby). Uzyskane wyniki badania zostały doważone do struktury populacji dorosłych Polaków.

Badanie ankietowe z wykorzystaniem CATI zostało uzupełnione przez dane zebrane w ramach 15 zogniskowanych wywiadów grupowych z pracownikami szeregowymi w czterech branżach (edukacji, ochronie zdrowia, pomocy społecznej i logistyce). Wybór branż podyktowany był założeniem, że w warunkach pandemii okazały się one (w różny sposób) „niezbędne" dla reprodukcji życia społecznego[11]. W badaniach fokusowych (i biograficznych) skupiliśmy się na nauczycielach/nauczycielkach w szkołach podstawowych (edukacja), pielęgniarkach/pielęgniarzach i lekarzach/lekarkach w szpitalach (ochrona zdrowia), osobach zatrudnionych w domach pomocy społecznej (pomoc społeczna), a także pracujących w centrach logistycznych przy dostarczaniu jedzenia za pośrednictwem platform internetowych oraz w roli kurierów/kurierek (logistyka).

Dodatkowym argumentem na rzecz badań w ww. branżach była odmienność problemów, z którymi borykali się pracownicy w warunkach pandemii. Szkoły stały się swoistym poligonem eksperymentowania z pracą oraz nauczaniem zdalnym

---

[11] O kategorii „pracowników niezbędnych" piszemy bliżej w rozdziale 2.

i hybrydowym, ujawniając szereg problemów związanych z realizacją ich funkcji wychowawczo-edukacyjnych (Zahorska, 2020). Ochrona zdrowia i pomoc społeczna funkcjonowały w przeważającej mierze w warunkach stacjonarnych, dostarczając niezbędnych usług zdrowotnych i opiekuńczych kosztem znacznego przeciążenia pracą i wysokiego ryzyka zdrowotnego (Chemali i in., 2022). Pandemia ujawniła również kluczowe znaczenie szeroko rozumianej logistyki, która umożliwiła dostarczanie bezpośrednio do konsumentów istotnych dla nich dóbr w warunkach zamknięcia gospodarek i społeczeństw, a jednocześnie została wystawiona na nieznane wcześniej fluktuacje popytu i podaży w wyniku przerwania globalnych łańcuchów dostaw (Gereffi i in., 2021).

Warto dodać, że wskazane branże w Polsce miały częściowo wspólne, częściowo odmienne problemy strukturalne przed pandemią. Niedobory pracowników były szczególnie widoczne w przypadku ochrony zdrowia, choć dotykały w zasadzie wszystkich branż (Kubisa, Rakowska, 2021). Około ⅓ pracowników w edukacji, opiece zdrowotnej i pomocy społecznej oraz ponad 40% w przypadku magazynierów i kurierów zatrudniona była na kontraktach czasowych; w tym ostatnim przypadku powszechne było również samozatrudnienie[12]. Pracownicy pomocy społecznej i logistyki zarabiali przeciętnie wyraźnie poniżej średniej krajowej: 24% mniej w przypadku pracowników wsparcia rodziny, pomocy społecznej i pracy socjalnej, 25% w przypadku magazynierów i 18% w przypadku kierowców i aż 52% mniej niż średnia krajowa w przypadku kurierów w 2020 r.[13] Stagnację płacową zaobserwowano w przypadku nauczycieli (przeciętne płace o 4% niższe niż średnia w 2016 r. i 1% wyższe w 2020 r.). Wzrost płac w 2016–2020 r. odnotowano wśród lekarzy (68% ponad średnią w 2016 i 90% w 2020 r.) oraz dużo mniejszy u pielęgniarek (5% poniżej średniej w 2016 i 10% powyżej w 2020 r.). Warto zauważyć, że w przypadku zawodów medycznych wzrost był efektem cyklicznych protestów związków zawodowych (Kubisa, Rakowska, 2021), a strajk generalny nauczycieli w 2019 r. zakończył się bez widocznego sukcesu.

Badania fokusowe zostały zrealizowane w okresie luty–kwiecień 2022 r. i objęły łącznie 15 grup fokusowych. Scenariusz wywiadu fokusowego został opracowany przez zespół COV-WORK i obejmował tematy związane z (1) doświadczeniami pracy w pandemii; (2) wybranymi wymiarami jakości pracy (bezpieczeństwo zatrudnienia, możliwości rozwoju zawodowego, wynagrodzenia, czas pracy, stres i emocje związane z pracą, ryzyko zdrowotne, autonomia w pracy, środowisko i atmosfera w pracy); (3) technologiami pracy; (4) zbiorowymi

---

[12] Obliczenia własne na podstawie danych uzyskanych z Głównego Urzędu Statystycznego z badania *Struktura wynagrodzeń* realizowanego co dwa lata. Badanie ma charakter reprezentacyjny i obejmuje podmioty o liczbie pracujących 10 i więcej osób.

[13] W przypadku kurierów i kierowców realne wynagrodzenia były jednak zapewne wyższe ze względu na rozpowszechnione praktyki wypłaty części wynagrodzeń „na czarno".

stosunkami pracy; (5) prognozami dotyczącymi przyszłości grupy zawodowej, a także wybranymi (6) opiniami na temat gospodarki dobrze urządzonej oraz (7) stosunkiem do obowiązkowych szczepień w badanej grupie zawodowej. Wywiady były przeprowadzane z osobami mieszkającymi w Warszawie i poza Warszawą w województwie mazowieckim. Warunkiem rekrutacji do fokusów była praca w danej branży przynajmniej od stycznia 2020 r.

W przypadku edukacji zrealizowano fokusy z nauczycielami/nauczycielkami stażystami i kontraktowymi (2) oraz dyplomowanymi i mianowanymi (2). W ochronie zdrowia wywiady przeprowadzone zostały z lekarzami/lekarkami (2) i pielęgniarkami/pielęgniarzami (2) w szpitalach leczących pacjentów z COVID-19; ponadto zrealizowano jeden wywiad z lekarzami rezydentami. W logistyce do grupy badanej weszli: kurierzy i kurierki dostarczający paczki (1 FGI), kurierzy i kurierki dostarczający jedzenie w ramach aplikacji (Glovo, Uber, Pyszne.pl) (1 FGI) oraz pracownicy centrów logistycznych (2 FGI). Respondenci i respondentki zróżnicowani zostali ze względu na płeć; dążono również do tego, aby w wywiadach brały udział osoby przynależące do związków zawodowych.

Rozmowy odbywały się online za pośrednictwem aplikacji MS Teams ze względu na niechęć części badanych do spotkań na żywo w warunkach pandemicznych. Prowadzone były przez przeszkolonych przez zespół COV-WORK moderatorów PBS. Poza tym w każdym wywiadzie uczestniczyło dwóch członków zespołu będących w stałym kontakcie z osobami moderującymi, ale bez aktywnego zabierania głosu w prowadzeniu dyskusji. Grupy fokusowe liczyły od czterech (miało to miejsce jedynie w jednym przypadku) do dziewięciu osób, wywiady trwały pomiędzy 120 a 160 minut. Część zadawanych pytań, np. pytania o pierwsze doświadczenia pandemii czy stosunek do szczepień, okazała się szczególnie sprzyjać wymianie poglądów.

Wywiady zostały nagrane, a następnie dokonano ich transkrypcji i anonimizacji. Materiał został zakodowany z wykorzystaniem kodowania otwartego i selektywnego (Glaser, 1978) w programie Atlas.ti. W niniejszej książce materiał z wywiadów fokusowych ma charakter jedynie pomocniczy i zostanie wykorzystana jedynie niewielka jego część, która wiąże się z dyskusją na temat jakości pracy w pandemii i przyszłości pracy. Pozostałe dane z wywiadów grupowych stanowić będą w przyszłości przedmiot odrębnych opracowań.

STRUKTURA KSIĄŻKI

Oddawana do rąk czytelników książka składa się z siedmiu rozdziałów poprzedzonych niniejszym wprowadzeniem. W rozdziale pierwszym omówiona zostaje sytuacja na rynku pracy w Polsce w czasach COVID-19, w tym zasięg i społeczno-demograficzne charakterystyki pracujących zdalnie oraz wybrane problemy jakości pracy w pandemii. Drugi rozdział przynosi dyskusję nad kategorią pracy niezbędnej, obejmując kwestie takie, jak społeczna percepcja i dyskurs medialny wokół tej kategorii w Polsce. Trzeci rozdział dotyczy sposobów postrzegania przyszłości świata pracy i swojej grupy zawodowej przez wybrane kategorie pracowników niezbędnych. W rozdziale czwartym koncentrujemy się na warunkach organizacyjnych pracy w czasach COVID-19. Rozdział piąty zawiera wnioski z analiz świadomości społeczno-ekonomicznej Polaków pracujących, w tym przede wszystkim (odniesione do wyników wcześniejszych analiz (por. m.in. Gardawski, 2009) diagnozę podzielanych przez nich normatywnych wizji gospodarki (oczekiwanych modeli „gospodarki dobrze urządzonej"). W rozdziale szóstym omawiamy kwestie związane z położeniem strukturalnym i klasowym badanych w odniesieniu do wybranych problemów ich świadomości społecznej. Rozdział siódmy podsumowuje analizy opinii respondentów na temat ich dobrostanu w warunkach pandemii oraz cechy środowiska przeciwników szczepionki. W zakończeniu prezentujemy wnioski końcowe, w tym wkład badań w toczone dyskusje na temat wpływu pandemii na świat pracy i świadomość społeczną Polaków.

PODZIĘKOWANIA

Powstanie niniejszej monografii byłoby niemożliwe bez zaangażowania całego zespołu projektu COV-WORK, w skład którego wchodzą: Jacek Burski, Jan Czarzasty (kierownik po stronie partnera) Aleksandra Drabina-Różewicz, Juliusz Gardawski, Mateusz Karolak, Agata Krasowska, Adam Mrozowicki (kierownik po stronie lidera), Alicja Pałęcka, Szymon Pilch. Jesteśmy wdzięczni za owocną współpracę z redaktorami Wydawnictwa Naukowego Scholar, w tym z Państwem Jackiem i Anną Raciborskimi oraz Panią Lidią Męzińską. Dziękujemy recenzentom, dr hab. Pawłowi Ruszkowskiemu, prof. Collegium Civitas oraz prof. dr hab. Jackowi Sroce za pozytywne opinie o książce i uwagi, które przyczyniły się do jej udoskonalenia. Podziękowania należą się naszym respondentom i respondentkom w ilościowej i jakościowej części badań, a także zespołowi PBS, Paniom Marcie Jankowskiej, Monice Jagiełło, Blance Pawlak oraz Rafałowi Treichelowi za organizację badań CATI i FGI, oraz moderowanie wywiadów fokusowych. Dziękujemy wreszcie Prorektorowi ds. badań naukowych Uniwersytetu Wrocławskiego, dr. hab. prof. UWr Arturowi Błażejewskiemu, za wsparcie publikacji z funduszu na rzecz badań naukowych i komercjalizacji ich wyników, oraz Dziekanowi Kolegium Ekonomiczno-Społecznego Szkoły Głównej Handlowej w Warszawie, prof. dr hab. Piotrowi Błędowskiemu za dofinansowanie publikacji książki.

ROZDZIAŁ 1

PRACA W CZASACH COVID-19

WPROWADZENIE

Koncentracja prowadzonych w ramach projektu COV-WORK analiz na przemianach świata pracy skłania do poświęcenia szczególnej uwagi skutkom pandemii dla gospodarki i rynku pracy. Jak zauważa Adam Tooze (2021), w pierwszej połowie 2020 r. PKB na głowę zmalał w 95% krajów świata. Szacunki Międzynarodowego Funduszu Walutowego ze stycznia 2021 r. mówiły o oczekiwanej globalnej recesji w 2021 r. na poziomie 3,5% (Arak, 2021: 21). Jak pokazują dane Eurostat[14], w UE-27 spadek PKB w 2020 r. wyniósł –5,9%, a w Polsce –2,2%. Stopa bezrobocia wzrosła w UE-27 z 6,7% w styczniu do 7,8% w sierpniu 2020 r.; w Polsce wzrosty były stosunkowo niewielkie (z 2,9% w styczniu 2020 do 3,5% w sierpniu 2020 r.). Badania Eurofound (2021) sugerują, że w okresie I fali pandemii (kwiecień 2020 r.) 29,6% Polaków utraciło pracę, dla 49,4% zmniejszyły się godziny pracy, a 31% zaczęło pracować w domu. Rozbieżności między względnie niskim przyrostem bezrobocia a wysokimi deklaracjami dotyczącymi utraty pracy sugerują, że większość opuszczających rynek pracy nie robiła tego na stałe, korzystając z różnego rodzaju rozwiązań postojowych.

Już w rok po wybuchu pandemii okazało się, że przewidywania o skokowym wzroście bezrobocia nie sprawdziły się, a gospodarka zarówno w skali ponadnarodowej, jak i w Polsce zaczęła wyraźnie się ożywiać: w 2021 r. PKB w EU-27 wzrósł o 5,4%, a w Polsce o 5,9%, czemu towarzyszył niewielki wzrost bezrobocia w Polsce, gdzie wyniosło ono w 2021 r. 3,4% (wobec 3,2% w 2020 r.) i spadek w EU-27 (z 7,2% w 2020 r. do 7,0% w 2021 r.). Nie sposób w tym miejscu przeprowadzić analizy przyczyn tego stanu rzeczy, jednak z całą pewnością zadziałały szczodre pakiety pomocowe dla banków i przedsiębiorców, które przekroczyły wydatki na instrumenty wsparcia biznesu z okresu kryzysu finansowego 2008+ (Arak, 2021).

Co jednak istotne, jak pokazują wyniki istniejących badań w skali międzynarodowej (Bambra i in., 2021; Eurofound, EC, 2021), dane o bezrobociu

---

[14] Obliczenia własne na podstawie baz danych Eurostat. Pobrane z: https://ec.europa.eu/eurostat/databrowser/ [dostęp: 26.09.2022].

nie mówią zbyt wiele o rosnących w pandemii nierównościach na rynku pracy, a także o reprodukcji i intensyfikacji prekaryjności. W skali EU-27 pracownicy na umowach czasowych stanowili ponad ¾ tych, którzy utracili pracę w 2020 r., a prawdopodobieństwo bezrobocia było wyraźnie wyższe wśród ludzi młodych, kobiet zatrudnionych na niskopłatnych stanowiskach oraz pracujących w usługach i przy pracach prostych (Eurofound, EC, 2021: 1–2). W wielu krajach szczególnie narażeni na negatywne skutki pandemii, zarówno w sensie ryzyka zdrowotnego, jak i niestabilności zatrudnienia, niepewności wynagrodzeń, wzrostu poziomu stresu i intensyfikacji pracy (Loustaunau i in., 2021; van Barneveld i in., 2020), byli „pracownicy niezbędni".

Mówiąc ogólniej, dane o zatrudnieniu i bezrobociu przesłaniać mogą kluczowe wymiary przemian jakości pracy w warunkach kryzysu pandemicznego. Istniejące badania pozwalają przypuszczać, że kryzys pandemiczny, podobnie jak wcześniej globalny kryzys finansowy (Gallie, 2013) sprzyjać będzie pogorszeniu jakości pracy. Zmiany w inny sposób dotykać będą pracujących stacjonarnie (m.in. za sprawą wzrostu ryzyka zachorowań, intensyfikacji pracy czy większego narażenia na utratę pracy części tej kategorii), w inny zaś osoby skierowane do pracy zdalnej, gdzie kluczowe okazać się mogą nowe problemy z zachowaniem równowagi między życiem zawodowym i pozazawodowym, autonomią i kontrolą w miejscu pracy. Jak pokazują badania Eurofound (Eurofound, EC, 2021: 60), podział między pracą „niezbędną" a pracą, którą można wykonywać zdalnie (*teleworkable*), stanowi istotny wymiar postpandemicznych nierówności. Praca, którą można wykonywać zdalnie, jest zwykle wyższej jakości, lepiej płatna, wiąże się z mniejszym ryzykiem utraty zatrudnienia i, co oczywiste, mniejszym ryzykiem zdrowotnym (przynajmniej od strony epidemicznej) niż praca „niezbędna", szczególnie w przypadku tych jej obszarów, które wykonują nisko opłacani pracownicy sprekaryzowani. W tym ostatnim przypadku dodatkowym wymiarem nierówności jest utrudniony dostęp do systemu zabezpieczeń społecznych i ochrony zdrowia, który powiązany jest w wielu krajach, w tym w Polsce, ze stabilnym zatrudnieniem (por. Bambra i in., 2021: 65 i n.).

W niniejszym rozdziale przyjrzymy się bliżej wynikom badań kwestionariuszowych (CATI) na reprezentatywnej próbie dorosłych Polaków w odniesieniu do zmiennych opisujących ich status na rynku pracy, doświadczenia pracy wykonywanej z domu i oczekiwania w tym zakresie, a także jakość pracy w wymiarach takich jak: czas pracy, wynagrodzenia, bezpieczeństwo zatrudnienia, perspektywy rozwoju kariery, równowaga między życiem zawodowym i pozazawodowym. Interpretacja wzbogacona zostanie odniesieniami do danych zastanych (GUS, Eurostat) oraz do wypowiedzi badanych w wywiadach fokusowych w edukacji, ochronie zdrowia, pomocy społecznej i logistyce. Te ostatnie pełnić będą jednak jedynie rolę ilustracyjną, a zasadnicza część rozdziału skupi się na prezentacji ustaleń na bazie badań ilościowych.

PRACA, BEZROBOCIE, RUCHLIWOŚĆ NA RYNKU PRACY W PANDEMII

Systematyczny pomiar sytuacji na rynku pracy prowadzony jest w Polsce przez Główny Urząd Statystyczny na podstawie reprezentatywnego Badania Aktywności Ekonomicznej Ludności (BAEL). Polska wkroczyła w pandemię z niskimi wskaźnikami bezrobocia (3,3% w 2019 r.), które utrzymały się na tym poziomie w okresie 2020 (3,2%) i 2021 (3,4% – Eurostat LFS). Jak pokazuje wykres 1, sytuacja na rynku pracy była jednak dynamiczna, a pandemia szczególnie mocno dotknęła osoby na umowach cywilnoprawnych.

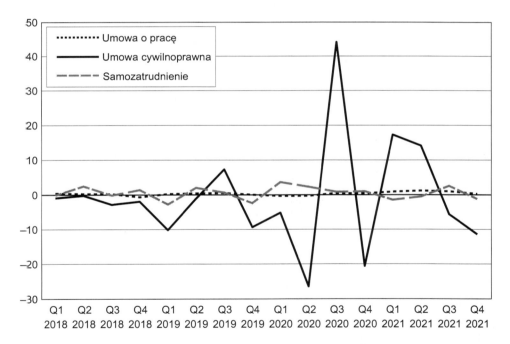

Wykres 1. Zmiana liczby pracujących wg kategorii zatrudnienia
(proc. zmiany kwartalnej)

Źródło: GUS, Aktywność ekonomiczna ludności Polski wg BAEL, archiwum (stat.gov.pl), obliczenia własne.

Dane GUS wskazują również na dynamiczną sytuację na rynku pracy w kolejnych falach pandemii. W odniesieniu do wykresu 1 warto zaznaczyć, że spadki liczby pracujących zauważyć można było nie tylko wśród osób pracujących na umowach cywilnoprawnych. Inne dane (GUS, 2021) sugerują, że spadek liczby pracujących był również wyraźny w kategorii osób na umowach o pracę na czas określony, która zmniejszyła się między II kw. 2019 a II kw. 2020 r. o 0,5 mln. Co więcej, w 2020 r. nastąpił wzrost odsetka osób, które miały pracę, ale jej nie wykonywały z powodu pandemii (w II kw. 2020 r. było to już 12,1% pracujących), a wśród niepracujących oraz bezrobotnych pojawiła się kategoria tych, którzy za przyczynę utraty wskazali COVID-19 (GUS, 2021).

Jak już pisaliśmy wcześniej, stosunkowo mocniej przez pandemię doświadczeni zostali w różnych krajach ludzie młodzi. Było tak również w Polsce, gdzie wśród osób w wieku 15–24 lata zaobserwowano spadek liczby pracujących (o niemal 18% w IV kw. 2020 w porównaniu z IV kw. 2019), wzrost liczby bezrobotnych (np. w IV kw. 2020 o 40% w porównaniu z IV kw. 2019), niższe wskaźniki zatrudnienia i wzrost liczby osób biernych zawodowo (GUS, 2021). Dane dla ogółu pracujących sugerują również niewielki spadek liczby osób zatrudnionych w kilku miejscach pracy w okresie pierwszego roku pandemii. Wzrósł odsetek osób pracujących krócej niż zwykle w swoim głównym miejscu pracy, szczególnie w I kw. 2020 r. (16,8% w porównaniu z 9,7% w I kw. 2019), co powiązać można z regulacjami dotyczącymi skróconego czasu pracy w przyjętych w Polsce rozwiązaniach antykryzysowych (Latos-Miłkowska, 2020).

Zmiana statusu na rynku pracy: zasięg i uwarunkowania

W badaniach COV-WORK pytaliśmy o status na rynku pracy badanych w trakcie pandemii (badania zrealizowano w listopadzie 2021) i ocenę jego zmian w porównaniu z okresem przed pandemią. Oczekiwaliśmy, że pandemia wzmocni trendy na rynku pracy związane z prekaryzacją zatrudnienia, na które w okresie przed pandemią narażeni byli ludzie młodzi (Mrozowicki, Czarzasty, 2020). Hipoteza H1 mówiła: im niższy wiek badanych, tym częstsze doświadczenie zmian na rynku pracy spowodowane pandemią COVID-19. Ze względu na długofalowo obserwowaną w Polsce tendencję do większej prekaryzacji kobiet na rynku pracy, w tym m.in. większe narażenie na bezrobocie (Kozek, 2013: 166), zakładaliśmy, że kobiety będą stosunkowo częściej doświadczały zmiany na rynku pracy w warunkach pandemii (H2). Przypuszczaliśmy (por. Eurofound, EC, 2021), że zmiana na rynku pracy obejmie w większym stopniu osoby o niższych zasobach edukacyjnych (wykształceniu) (H3). Z drugiej strony, ze względu na większe dotknięcie pracy poza rolnictwem przez reżimy lockdownów przypuszczaliśmy, że zmiany na rynku pracy częściej będą raportowane przez mieszkańców miast niż wsi (H4). Zakładaliśmy (por. Bambra i in., 2021), że osoby sprekaryzowane, zatrudnione w ramach umów czasowych i cywilnoprawnych, doświadczać będą zmian na rynku pracy stosunkowo częściej niż pracownicy w ramach stabilnych umów (H5). Sądziliśmy również, że przedstawiciele grup zawodowych o niższym statusie na rynku pracy będą częściej doświadczać zmian w wyniku pandemii (H6). Jeśli chodzi o zmienne organizacyjne, to przypuszczaliśmy, że zmiana na rynku pracy będzie raportowana częściej przez pracowników firm mniejszych niż większych (H7), prywatnych niż państwowych i publicznych (H8) i raczej nieuzwiązkowionych niż uzwiązkowionych (H9). Hipotezy te wypływają z obserwacji, że to właśnie te czynniki organizacyjne sprzyjają mniej stabilnemu zatrudnieniu (Kozek, 2013).

Przystępując do omówienia wyników analiz COV-WORK, warto na wstępie nakreślić obraz badanej zbiorowości. Większość badanych (52,4%) wskazała, że wykonuje pracę odpłatną, 8% uczyło się w szkole lub na uczelni, 9,1% było bezrobotnymi (w tym 2,7% nie poszukiwało pracy), 32,5% było na rencie lub emeryturze, a 15% wykonywało różne prace opiekuńcze. Część respondentów łączyła przynajmniej dwa statusy na rynku pracy, co zaburza interpretację uzyskanych wyników. Dotyczyło to 18,1% badanych. Najczęstsze w tej grupie sytuacje obejmowały łączenie pracy zarobkowej i pracy opiekuńczej (24,2% ogółu odpowiedzi), nauki i pracy (20,1%), pracy i pobierania emerytury lub renty (18,6%), a także bezrobocia i pracy opiekuńczej (14,6%).

Zmiana statusu na rynku pracy w porównaniu z okresem przed wybuchem pandemii została wskazana przez 30,1% osób badanych, 66,3% nie doświadczyło takiej zmiany, a 3,7% nie było pewnych. Pytanie o status na rynku pracy przed pandemią zadano jedynie badanym, którzy wskazali wcześniej, że ich status się zmienił. Interpretując wyniki, należy zaznaczyć, że pytanie dotyczyło jakiejkolwiek zmiany, zarówno w obrębie, jak i między kategoriami opisującymi status na rynku pracy. Zdecydowana większość badanych wskazała na reprodukcję swojego statusu na rynku pracy jako pracowników najemnych (52,7% odpowiedzi). Spośród badanych, którzy zmienili status na rynku pracy, najwięcej (8,4%) zostało bezrobotnymi, 7,2% przeszło na emeryturę, 4,2% zajęło się domem lub dziećmi, a 1,7% podjęło naukę w szkole. Pozostali respondenci (ponad 78%!) dokonali zmian w obrębie swoich statusów (np. zmieniło pracę najemną na inną pracę najemną), co świadczy o ograniczonej roli pandemii dla przepływów na rynku pracy.

Wśród osób, które wskazały na to, że ich sytuacja na rynku pracy uległa zmianie po wybuchu pandemii COVID-19, 54,4% wskazało na pandemię jako źródło tej zmiany. Oznaczało to, że COVID-19 wpłynął jakkolwiek na sytuację na rynku pracy jedynie wśród 16,3% ogółu respondentów, co można uznać za stosunkowo niski odsetek, biorąc pod uwagę skalę pandemii. Wśród innych przyczyn zmian, na które wskazywano, stosunkowo najczęściej były wymieniane problemy ze zdrowiem (6,8% badanych, których sytuacja się zmieniła), sytuacja rodzinna i osobista (6%), przejście na emeryturę, awans zawodowy czy zdobycie nowych kwalifikacji.

Spośród zmiennych z poziomu indywidualnego, takich jak płeć, wiek, wykształcenie, dochód na rękę i miejsce zamieszkania (tabela 1.1)[15], istotne statystycznie związki ze zmianą sytuacji na rynku pracy zaobserwowano jedynie
w przypadku wieku i miejsca zamieszkania. Potwierdziła się hipoteza H1: osoby
młodsze istotnie częściej niż osoby starsze doświadczyły zmiany sytuacji na rynku
pracy w okresie pandemii. Na zmianę taką wskazało 42,6% badanych w wieku 18–24 i 47% w wieku 25–30 lat, w porównaniu z 19,8% osób w wieku 60+.
Jednocześnie warto zauważyć, że to nie osoby najmłodsze, ale osoby w wieku
40–49 lat najczęściej (74,1%) wskazywały na COVID-19 jako przyczynę zmiany
ich sytuacji. Wynika to, jak sądzimy, z faktu, że osoby najmłodsze były (niezależnie od pandemii) stosunkowo bardziej ruchliwe na rynku pracy, zarówno
z powodu ich prekaryzacji, jak i fazy życia sprzyjającej zmianom zatrudnienia

Tabela 1.1. Zmiana sytuacji respondentów na rynku pracy w okresie pandemii
a wybrane zmienne wyjaśniające (indywidualne) (proc.)

	Zmiana P. sytuacji na rynku pracy w okresie pandemii		Przyczyna zmiany sytuacji na rynku pracy	
	Tak	Nie	COVID-19	Inne
	Wiek***		Wiek*	
18–24 lata	42,6	57,4	45,3	54,7
25–30 lat	47,1	52,9	57,9	42,1
31–39 lat	33,9	66,1	55,7	44,3
40–49 lat	34,8	65,2	74,1	25,9
50–59 lat	32,1	67,9	56,9	43,1
60 lat i więcej	19,8	80,2	57,1	42,9
Ogółem	31,3	68,7	58,5	41,5
	Miejsce zamieszkania***		Miejsce zamieszkania	
Wieś	23,3	76,7	50,0	50,0
Miasto do 20 tys.	33,0	67,0	53,8	46,2
Miasto 20 do 100 tys.	40,7	59,3	64,9	35,1
Miasto 100 do 500 tys.	34,7	65,3	61,5	38,5
Miasto powyżej 500 tys.	35,5	64,5	66,7	33,3
Ogółem	31,2	68,8	58,8	41,2

Uwaga: * $p < 0,05$; ** $p < 0,01$; *** $p < 0,001$; pominięto odpowiedzi „trudno powiedzieć" i brak odpowiedzi.
Źródło: badania własne, COV-WORK.

---

[15] Ze względu na ograniczone miejsce, w tabelach zaprezentowano jedynie związki między
zmiennymi istotne statystycznie, gdzie $p < 0,05$. Jeśli inaczej nie zaznaczono, wykorzystano test
chi-kwadrat po odpowiednim rekodowaniu zmiennych.

(Mrozowicki, Trappmann, 2021). Jeśli chodzi o miejsce zamieszkania, to najmniej na zmianę w okresie pandemii wskazywali mieszkańcy wsi (23,3%), najczęściej zaś mieszkańcy średnich miast (oraz miast w ogóle), co potwierdziło hipotezę H4. Nie potwierdziły się natomiast hipotezy H2 (brak związku zmian na rynku pracy z płcią) i H3 (brak związku zmiany statusu na rynku pracy z wykształceniem).

W analizach (hipoteza H6) zakładaliśmy, że przedstawiciele kategorii zawodowych o niższym statusie na rynku pracy (farmerzy, fizyczno-umysłowi pracownicy usług, robotnicy, pracownicy wykonujący prace proste) będą częściej zmieniali status na rynku pracy niż kategorie o wyższym statusie na rynku pracy (przedsiębiorcy, kadra zarządcza i specjaliści, urzędnicy). Okazało się, że istotne statystycznie zmiany miały jedynie miejsce w odniesieniu do pytania o przyczyny zmian na rynku pracy, nie zaś do pytania o samą zmianę. Potwierdziła się natomiast częściowo hipoteza H5, która wskazywała, że prekaryjne formy umów (umowy cywilno-prawne, umowy na czas określony) sprzyjać będą zmianom na rynku pracy. Okazało się, że ma to miejsce zarówno w odniesieniu do zmian w ogóle, jak i tych, których przyczyną miał być COVID-19. Osoby w ramach umów czasowych, umów-zleceń i innych form (umów o dzieło, stażowych, bez umowy) częściej doświadczały zmian na rynku pracy w okresie pandemii niż pracownicy zatrudnieni na stałe. Jednak, co ciekawe (i trudne do interpretacji), to ci ostatni respondenci najczęściej (71,4%) wskazywali na pandemię jako przyczynę zmian swojej sytuacji, częściej nawet niż osoby pracujące w ramach umów-zleceń (57,9%) i innych form (60%). Można tylko przypuszczać, że były to osoby, które bądź zmieniały pracę w pandemii, bądź uzyskały umowę na czas nieokreślony w tym okresie.

Tabela 1.2. Zmiana sytuacji respondentów na rynku pracy w okresie pandemii a wybrane zmienne wyjaśniające (sytuacja zawodowa) (proc.)

	Zmiana P. sytuacji na rynku pracy w okresie pandemii		Przyczyna zmiany sytuacji na rynku pracy	
	Tak	Nie	COVID-19	Inne
	Sytuacja zawodowa		Sytuacja zawodowa*	
Przedsiębiorcy	47,0	53,0	75,9	24,1
Farmerzy	40,0	60,0	70,6	29,4
Zarząd i specjaliści	31,7	68,3	61,0	39,0
Urzędnicy	36,5	63,5	56,4	43,6
Usługi (fizyczno-umysłowe)	41,0	59,0	69,6	30,4
Robotnicy	28,2	71,8	78,9	21,1
Prace proste	34,1	65,9	30,8	69,2
Ogółem	37,4	62,6	65,5	34,5

Tabela 1.2. – cd.

	Zmiana P. sytuacji na rynku pracy w okresie pandemii		Przyczyna zmiany sytuacji na rynku pracy	
	Tak	Nie	COVID-19	Inne
	Forma zatrudnienia***		Forma zatrudnienia*	
Czas nieokreślony	25,2	74,8	71,4	28,6
Czas określony	53,8	46,2	40,8	59,2
Umowa-zlecenie	54,9	45,1	67,9	32,1
Inne formy	69,4	30,6	60,0	40,0
Ogółem	35,5	64,5	61,7	38,3

Uwaga: * $p < 0,05$; ** $p < 0,01$; *** $p < 0,001$; pominięto odpowiedzi: „trudno powiedzieć" i brak odpowiedzi.

Źródło: badania własne, COV-WORK.

Na poziomie organizacyjnym wielkość przedsiębiorstwa, typ własności i uzwiązkowienie okazały się istotnymi statystycznie predyktorami doświadczeń zmiany na rynku pracy w okresie pandemii, co potwierdzało hipotezy H7, H8 i H9. Najczęściej zmiany takie raportowane były przez pracowników firm bardzo małych (poniżej 10 osób), prywatnych o kapitale mieszanym (42,7%) i nieuzwiązkowionych (39,4%). Jeśli chodzi o przyczyny zmian, to zależności między zmiennymi organizacyjnymi a odpowiedziami okazały się istotne statystycznie jedynie w przypadku wielkości przedsiębiorstwa, przy czym tym razem nie była to wyraźna tendencja: najrzadziej na COVID-19 wskazywali pracownicy firm średnich (48%), najczęściej małych (75%). Ponownie, na pandemię jako przyczynę zmian wskazali częściej pracownicy firm prywatnych niż przedsiębiorstw i instytucji publicznych, choć zależność nie była istotna statystycznie.

Tabela 1.3. Zmiana sytuacji respondentów na rynku pracy w okresie pandemii a wybrane zmienne wyjaśniające (organizacyjne) (proc.)

	Zmiana P. sytuacji na rynku pracy w okresie pandemii		Przyczyna zmiany sytuacji na rynku pracy	
	Tak	Nie	COVID-19	Inne
	Wielkość przedsiębiorstwa*		Wielkość przedsiębiorstwa*	
Poniżej 10 osób	46,3	53,7	66,7	33,3
10–49	38,3	61,7	75,0	25,0
50–249	34,9	65,1	48,0	52,0
250 i/lub więcej	31,1	68,9	66,7	33,3
Ogółem	38,1	61,9	64,6	35,4

Tabela 1.3. – cd.

	Zmiana P. sytuacji na rynku pracy w okresie pandemii		Przyczyna zmiany sytuacji na rynku pracy	
	Tak	Nie	COVID-19	Inne
	Typ własności***		Typ własności	
Państwowe, publiczne	22,3	77,7	53,1	46,9
Prywatne o kapitale polskim lub mieszanym, lub gosp. rolne	42,7	57,3	65,3	34,7
Prywatne o kapitale zagranicznym	36,1	63,9	65,4	34,6
Ogółem	37,6	62,4	63,7	36,3
	Uzwiązkowienie*		Uzwiązkowienie	
Tak	27,0	73,0	62,5	37,5
Nie	39,4	60,6	65,3	34,7
Ogółem	35,4	64,6	64,6	35,4

Uwaga: * $p < 0,05$; ** $p < 0,01$; *** $p < 0,001$; pominięto odpowiedzi: „trudno powiedzieć" i brak odpowiedzi.

Źródło: badania własne, COV-WORK.

Widać, że pandemia nie doświadczyła badanych tak wyraźnie, jak zakładaliśmy. Mamy do czynienia z reprodukcją statusów na rynku pracy sprzed okresu pandemii. Warto dodać, już poza stawianymi hipotezami, choć odmiennie od wniosków z literatury przedmiotu (Eurofound, EC, 2021; Rothwell, Crabtree, 2021), że o zmianie sytuacji na rynku pracy mówiły jednak częściej osoby, które zarówno przed pandemią (41%), jak i w jej trakcie (41%) pracowały w miejscu zamieszkania. Osoby pracujące w miejscu pracy przed (68,6%) i w trakcie pandemii (67,9%) wskazywały, że ich sytuacja nie uległa zmianie, co nasuwa przypuszczenie, że dla części osób samo przejście na pracę zdalną decydowało o uznaniu ich sytuacji za odmienną.

Oceny zmian sytuacji na rynku pracy pracowników niezbędnych

Wyniki badania ilościowego można zestawić z wnioskami płynącymi z analiz fokusów przeprowadzanych w ramach projektu. Rozmówcy byli pytani m.in. o kwestie oceny rynku pracy w ich branży i wpływu pandemii na bezpieczeństwo ich stanowiska. Dodatkowo pod uwagę wzięliśmy również odpowiedzi dotyczące kolejnych fal pandemii, które miały wpływ na intensywność pracy i decyzje o zmianie zatrudnienia bądź ograniczenia jego wymiaru.

W przypadku ochrony zdrowia ani pielęgniarki, ani lekarze nie byli zaniepokojeni bezpieczeństwem swojego zatrudnienia. Zgłaszano za to stałą, niezależną w opinii badanych od pandemii, potrzebę zwiększenia liczby pracowników w związku z nadmierną ilością pracy i obowiązków. Zdarzały się za to relacje o zmianie pracy w związku ze skalą kryzysu i sposobem zarządzania nim w danej jednostce, np. szpitalu, gdzie zmuszano pielęgniarki do nadmiernej pracy, grożąc zwolnieniami dyscyplinarnymi. W przypadku domów pomocy społecznej i edukacji sytuacja była podobna. Te branże również mają problemy ze znalezieniem wystarczającej liczby pracowników i oprócz wyjątkowych przypadków rozmówcy wprost oceniali, że są „niezastąpieni" ze względu na braki kadrowe. Jedynym problemem, który kontekstowo wpływał na kwestię mobilności, był zakaz pracy w kilku miejscach naraz w czasie pierwszych fal pandemii, co w przypadku pracowników ochrony zdrowia i pomocy społecznej znacząco wpłynęło na zarobki (o czym dalej w rozdziale).

Sytuacja komplikuje się w przypadku branży logistyki, choć ponownie trudno uznać, że rozmówcy w tej grupie oceniali swoją pozycję jako zagrożoną utratą pracy. Jednak osoby pracujące w tej branży na umowach-zleceniach i samozatrudnione były w trudniejszej sytuacji, co przekładało się m.in. na obserwowane przez rozmówców zjawisko unikania informowania o chorowaniu czy zakażeniu wirusem:

Ewa: Ja się nie przyznałam nikomu w pracy, że przechodzę [Covid], to już była końcówka i ja normalnie pracowałam. i później teraz, pół roku temu, cztery miesiące temu, zaczęłam się dowiadywać od ludzi: ja też, ja też, ja też, ja też. Gdzie ludzie normalnie w czasie covidu pracowali.

Ewelina: (…) Większość z nas pracuje na śmieciowych umowach i w tym momencie, jak kiedyś była kwarantanna, zamknęliby cię, to nie miałabyś pieniędzy, nie miałabyś za co żyć. (Kurierki, FGI)

Drugim wątkiem świadczącym o odmienności logistyki od pozostałych badanych branż jest wpływ pandemii na wymiar świadczonej pracy. W przypadku pracowników centrów logistycznych (zarówno pracujących na halach, jak i w administracji) dochodziło do zmniejszania etatu do ¾ w początkowym okresie pandemii (przejście na tak zwane „postojowe"). Pojawiały się też niepokoje o stabilność zatrudnienia, szczególnie że w przypadku miejsc pracy, z których rekrutowali się badani w fokusie (były to przede wszystkim centra logistyczne obsługujące centra handlowe), pierwsze dwa miesiące pandemii były okresem zmniejszenia się obciążeń i zamówień.

PRACA ZDALNA W PANDEMII

Praca zdalna na całym świecie była obecna przed nadejściem pandemii, ponieważ przesłanki natury technicznej i organizacyjnej niezbędne dla jej rozwoju na szeroką skalę były już spełnione, ale dopiero uderzenie COVID-19 dostarczyło impulsu dla znacznego wzrostu jej zasięgu i poszerzenia jej świadczenia na nowe kategorie pracowników (Eurofound, EC, 2021; Felstead, 2022; Hodder, 2020). Pandemia przyspieszyła swoistą „normalizację" pracy zdalnej i zmianę jej postrzegania ze swego rodzaju substytutu pracy świadczonej na miejscu na jej alternatywę (Carroll, Conboy, 2020). Ujawniła ona zarazem szereg problemów związanych z wpływem uzdalnienia na jakość pracy, w tym rozmycie granic między życiem zawodowym i pozazawodowym, ograniczenie kontaktów międzyludzkich i wsparcia, wzrost poziomu stresu, pojawienie się kontroli i inwigilacji pracowników w ich miejscach zamieszkania i in. (Hodder, 2020).

Wg danych Eurostatu (2022) w UE-27 odsetek osób wykonujących czasami lub zwykle pracę z miejsca zamieszkania (*working from home*) zwiększył się średnio o prawie sześć p.p. (z 14,4% w 2019 r. przez 20,6% w 2020 r. do 24% w 2021 r.). W Polsce zaobserwowana progresja była znaczna, choć nie tak spektakularna: w 2019 r. odsetek pracujących wykonujących pracę z miejsca zamieszkania wynosił 14,4%, w 2020 r. 18,1%, by w 2021 r. wrócić do poziomu 15,3%. GUS (2022) podaje natomiast następujące odsetki pracujących zdalnie (niezależnie od miejsca wykonywania pracy) w okresie pandemii: koniec I kw. 2020 r. – 11%, koniec I kw. 2021 r. – 14,2%, koniec I kw. 2022 r. – 5%.

Warto zwrócić uwagę na rozróżnienie między pracą wykonywaną w domu i pracę zdalną. W IV kwartale 2021 r. 13,4% ogółu pracujących wykonywało swoją pracę w domu (w tym 5,3% zwykle), natomiast pracę zdalną[16] już tylko 6,9% ogółu pracujących, w tym na związek tej formy pracy z pandemią COVID-19 wskazało 69% (GUS, 2022). Na podstawie tych samych danych (IV kw. 2021) możemy stwierdzić, że osoby wykonujące pracę zdalną były statystycznie młodsze niż ogół pracujących; wśród pracujących zdalnie był podobny odsetek kobiet (50,1%) i mężczyzn (49,9%), inaczej niż wśród ogółu pracujących, gdzie przeważali mężczyźni, 82,2% pracujących zdalnie zamieszkiwało miasta, a wsie jedynie 17,8%.

W I kw. 2022 r. pracę zdalną wykonywało w Polsce już tylko 5% badanych (GUS, 2022); GUS nie przedstawił porównywalnych danych dotyczących „pracy zdalnej" przed pandemią (ze względu na brak takiej kategorii w polskim prawie), jednak wiemy, że w I kw. 2019 r. odsetek pracujących zwykle w domu

---

[16] GUS posługuje się w statystykach dotyczących pandemii COVID-19 pojęciem pracy zdalnej, jednak w swoim „Słowniku pojęć" kategorię „remote work" (praca zdalna) tłumaczy (nieco myląco) jako telepracę. Definiuje ją jako „rodzaj pracy umysłowej wykonywanej przez pracownika poza tradycyjnym miejscem pracy. Jest pozbawiona w całości lub w części osobistego kontaktu z pracodawcą, świadczona jest zdalnie przez media elektroniczne takie jak Internet lub telefon, a jej cząstkowe lub całkowite efekty przekazywane są za pomocą tychże mediów" – źródło: https://stat.gov.pl/metainformacje/slownik-pojec/pojecia-stosowane-w-statystyce-publicznej/1899,pojecie.html [dostęp: 03.10.2022].

wynosił 4,8% (GUS, 2021). Można ostrożnie powiedzieć, że sytuacja wróciła do stanu przedpandemicznego. O ile na początku pandemii praca zdalna dominowała w edukacji (w I kw. 2022 r. nieco mniej niż 40% pracujących), o tyle już w I kw. 2022 r. głównym miejscem jej wykonywania była branża informacji i komunikacji (46,7% pracujących pracowało zdalnie), następnie działalność finansowa i ubezpieczeniowa (23,5%), a w edukacji jedynie 2,6%.

Tabela 1.4. Zasięg pracy zdalnej wg sektorów (proc.)

	I kw. 2020	I kw. 2021	I kw. 2022
Sektor publiczny	17,9	24,7	2,9
Sektor prywatny	8,6	10,6	5,8

Źródło: GUS BAEL 2022.

Te same dane wskazują na zmianę w zakresie sektorowego profilu pracy zdalnej, która świadczy o tym, że ma ona szansę utrzymać się przede wszystkim tam, gdzie była obecna częściej przed pandemią (OECD, 2021), a zatem w sektorze prywatnym (tabela 1.4). Od początku pandemii praca zdalna dominowała również w warszawskim regionie stołecznym: 13,9% w I kw. 2022 r. (w porównaniu z 5% ogółem), niewiele mniej niż w I kw. 2020 (17,9%). Innymi słowy, perspektywa „stołeczna" na pracę zdalną może być radykalnie odmienna od realnego zasięgu zjawiska w skali kraju. Wydaje się, że praca zdalna nie zadomowiła się w postpandemicznej Polsce tak daleko, jak wskazywały pierwsze prognozy. Badania COV--WORK pozwalają nam na bardziej pogłębioną refleksję na ten temat.

Społeczne korelaty wykonywania pracy w warunkach domowych

Na podstawie istniejących badań możemy postawić następujące hipotezy. Skoro sądzimy, że pandemia jedynie wzmocniła istniejące przed pandemią trendy, spodziewamy się wysokiej korelacji między miejscem pracy przed pandemią i w trakcie pandemii (H1). Stawiamy następujące hipotezy szczegółowe na podstawie ustaleń ze wcześniejszych badań (Eurofound, EC, 2021; Felstead, 2022; OECD, 2021). Praca w warunkach domowych wykonywana będzie częściej przez kobiety niż mężczyzn (H2). Im młodszy wiek (H3), wyższy dochód (H4) i wyższe wykształcenie (H5), tym częstsze będą wskazania na pracę w warunkach domowych. Praca w miejscu zamieszkania deklarowana będzie częściej przez mieszkańców miast niż wsi (H6) oraz osoby posiadające dzieci niż bezdzietne (H7). Będzie ona bardziej powszechna w kategoriach specjalistów i urzędników niż pozostałych kategoriach społeczno-zawodowych, oprócz – z oczywistych względów – farmerów i części pracujących z domu przed i w trakcie pandemii przedsiębiorców

(H8)[17]. Praca w miejscu pracy będzie częstsza wśród osób na stałych i czasowych kontraktach pracowniczych niż wśród osób z innymi typami umów (H9). O ile przed pandemią praca w miejscu zamieszkania mogła być częstsza w firmach małych i mikro (z powodu jej wykonywania przez samozatrudnionych freelancerów) niż w średnich i dużych, o tyle w trakcie pandemii spodziewamy się odwrócenia sytuacji (H10).

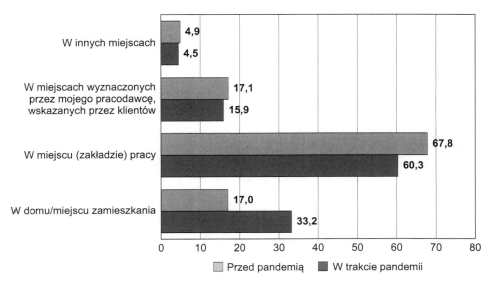

Uwaga: Pytania brzmiały: Gdzie pracował(a) Pan(i) przed wybuchem pandemii (w lutym 2020 r.)? Gdzie pracował(a) Pan(i) od wybuchu pandemii (od marca 2020 r.)? Badani mieli możliwość dokonania dwóch wyborów, stąd procenty odpowiedzi nie sumują się do 100%. Pominięto odmowy i odpowiedzi „trudno powiedzieć" oraz odpowiedzi „nie pracowałem/nie pracowałam"; n = 683 (praca przed pandemią), n = 717 (praca w trakcie pandemii). Uwzględniono osoby, które w momencie realizacji badania pracowały.

Wykres 2. Doświadczenie pracy zdalnej: przed pandemią i w trakcie pandemii (proc.)

Źródło: badania własne, COV-WORK.

Badania COV-WORK (wykres 2) potwierdzają wzrost udziału pracujących w domu lub miejscu zamieszkania w warunkach pandemii z 17% przed pandemią do 33,2% od wybuchu pandemii. Są to dane zbliżone do wyników badań Eurofound (2022). Po wynikach świadczących o tym, że pracę zdalną w pandemii wykonywało nie więcej niż ⅓ Polaków pracujących, wydaje się, że był to maksymalnie możliwy poziom „uzdalnienia" pracy w Polsce, przy czym realnie odsetek ten

---

[17]   Jest to mankament zadanego przez nas pytania, które nie dotyczyło wprost pracy zdalnej, ale wykonywania pracy w warunkach domowych. Okazuje się, że 43 z 50 farmerów wskazało (zapewne zgodnie ze stanem faktycznym i logicznymi konsekwencjami pracy w ramach własnego gospodarstwa domowego), że swoją pracę wykonuje w miejscu zamieszkania. Nie pracują oni oczywiście w żaden sposób „zdalnie".

był niższy, ponieważ nawet nasze badanie uwzględnia osoby pracujące „stacjonarnie" w miejscu zamieszkania (np. farmerów). Zwraca się również uwagę, że przed pandemią 17,1% badanych pracowało w miejscach wyznaczonych przez pracodawcę lub przez klientów, a 4,9% w innych miejscach. W trakcie pandemii takich osób łącznie było 20,5% (o 1,5% mniej niż przed pandemią), co nie oznacza drastycznej zmiany. Ubyło natomiast tych, którzy pracowali w miejscu pracy – z 67,8% do 60,3%.

Należy zauważyć, że jedynie mniejszość badanych (n = 58 dla pracy przed pandemią, n = 141 dla pracy w trakcie pandemii) wykonywała pracę w dwóch trybach równocześnie. Spośród tych osób 31% wiązało przed pandemią pracę w domu i w innych miejscach, a 39,6% łączyło pracę w domu i miejscu pracy. Ze względu na małe liczebności wyborów „podwójnych" w dalszych analizach wykorzystano zmienne dotyczące pierwszych wyborów.

Istnieje silna korelacja między trybem pracy przed pandemią a trybem pracy w pandemii (V Kramera = 0,676; p < 0,001). 92,5% osób badanych pracujących w domu przed pandemią wykonywało pracę w tym trybie w trakcie pandemii (stanowili oni 14,6% ogółu respondentów), 78% pracujących przed pandemią w zakładzie pracy kontynuowało swoją pracę w tym miejscu w trakcie pandemii (51,9% ogółu), a 18,4% rozpoczęło pracę w miejscu zamieszkania (3,6% – w innych miejscach; łącznie 13,1% ogółu). 73,9% pracujących przed pandemią w innych miejscach (wskazanych przez pracodawcę, klientów lub wybranych samodzielnie) w pandemii nadal tak pracowało (a 19,3% przeszło do pracy w miejscu zamieszkania). Jak widać, pandemia nie dokonała głębokiego przewartościowania sytuacji przed pandemią.

Jak dowodzą dane w tabeli 1.5, większość przyjętych zmiennych indywidualnych była istotnie skorelowana ze wskazaniami odnośnie do miejsca wykonywanej pracy. Jednocześnie pandemia zmieniła nieco profil społeczny pracujących w miejscu zamieszkania.

Przed pandemią pracę w miejscu zamieszkania i w innych miejscach poza zakładem pracy świadczyli nieco częściej mężczyźni (16,5%) niż kobiety (14,2%), kobiety zaś częściej zatrudnione były w zakładzie pracy; w pandemii udział kobiet pracujących z domu (34,1%) był wyższy niż mężczyzn (27,6%). Hipoteza H2 potwierdza się, ale tylko dla okresu pandemii. Odrzucamy H3: korelacja z wiekiem nie była jednoznaczna przed pandemią (w miejscu zamieszkania pracowały najczęściej osoby najstarsze), a w pandemii nie okazała się istotna statystycznie. W przypadku dochodu H4 potwierdza się jedynie dla czasu pandemii, gdy częściej w domu pracowały osoby zamożniejsze; przed tym okresem sytuacja była odwrotna. Podobnie jest w przypadku wykształcenia: pracę z miejsca zamieszkania (wbrew H5) przed pandemią świadczyły osoby słabiej wykształcone (co może mieć związek z udziałem farmerów, części przedsiębiorców i osób wykonujących

Tabela 1.5. Miejsce pracy przed pandemią i w trakcie a wybrane zmienne wyjaśniające (indywidualne) (proc.)

	Miejsce pracy przed pandemią			Miejsce pracy w trakcie pandemii		
	Miejsce zamieszkania	Zakład pracy	Inne miejsca (wskazane lub wybrane)	Miejsce zamieszkania	Zakład pracy	Inne miejsca (wskazane lub wybrane)
	Płeć*			Płeć*		
Kobieta	14,2	71,6	14,2	34,1	54,7	11,1
Mężczyzna	16,5	62,2	21,2	27,6	51,5	20,9
Ogółem	15,6	66,0	18,4	30,3	52,8	16,9
	Wiek*			Wiek		
18–24 lata	19,3	61,4	19,3	25,3	53,3	21,3
25–30 lat	9,1	70,9	20,0	27,3	58,2	14,5
31–39 lat	7,5	74,7	17,8	24,3	55,8	19,9
40–49 lat	19,8	63,9	16,3	34,1	51,0	14,9
50–59 lat	14,7	63,3	22,0	31,1	53,0	15,9
60 lat i więcej	25,0	58,3	16,7	36,6	47,9	15,5
Ogółem	15,7	65,8	18,5	30,2	52,9	16,9
	Wykształcenie*			Wykształcenie***		
Podstawowe (lub niższe)	24,0	52,0	24,0	28,6	71,4	
Zawodowe	20,4	54,2	25,4	23,1	50,6	26,3
Średnie	12,9	69,6	17,5	22,0	59,5	18,5
Wyższe	15,0	70,0	15,0	42	46,3	11,7
Ogółem	15,7	65,9	18,4	30,3	52,7	17,0
	Dochód na rękę*			Dochody na rękę*		
do 1999 zł	23,8	52,4	23,8	26,5	49,0	24,5
2000-3999 zł	14,8	69,6	15,6	25,7	60,9	13,4
4000-5999 zł	16,2	70,0	13,8	35,6	50,3	14,1
6000 zł i więcej	14,2	58,6	27,2	32,7	43,1	24,2
Ogółem	15,6	65,8	18,6	30,1	52,9	17,0
	Miejsce zamieszkania*			Miejsce zamieszkania***		
Wieś	23,8	57,9	18,3	34,0	48,2	17,8
Miasto do 20 tys.	15,8	67,1	17,1	18,4	58,6	23,0
Miasto 20 do 100 tys.	10,1	71,3	18,6	19,4	64,0	16,4
Miasto 100 do 500 tys.	11,9	73,0	15,1	34,1	56,8	9,1
Miasto powyżej 500 tys.	9,4	67,9	22,6	40,2	39,3	20,5
Ogółem	15,8	65,9	18,3	30,3	52,7	17,0

Uwaga: * p < 0,05; ** p < 0,01; *** p < 0,001; pominięto odpowiedzi: „trudno powiedzieć" i brak odpowiedzi. Ze względu na małą liczebność odpowiedzi „inne miejsce" połączono ją z odpowiedzią „inne miejsca wskazane przez pracodawców/klientów". Odpowiedzi udzielały jedynie osoby pracujące w chwili badania.

Źródło: badania własne, COV-WORK.

pracę nakładczą w tej grupie). W pandemii najczęściej pracę w miejscu zamieszkania świadczyły osoby z wykształceniem wyższym (42%), natomiast 71,4% osób z wykształceniem podstawowym pracowało w miejscu pracy. Podobnie, przed pandemią najczęściej z domu pracowały osoby zamieszkałe na wsi, w trakcie pandemii mieszkańcy miast powyżej 500 tys. mieszkańców, co dla okresu przed marcem 2020 r. falsyfikuje H6. Osoby wielodzietne pracowały częściej z miejsca zamieszkania przed i w trakcie pandemii, ale nie były to korelacje istotne statystycznie (H7 należy odrzucić).

Tabela 1.6. Miejsce pracy przed pandemią i w trakcie a wybrane zmienne wyjaśniające (sytuacja zawodowa) (proc.)

	Miejsce pracy przed pandemią			Miejsce pracy w trakcie pandemii		
	Miejsce zamieszkania	Zakład pracy	Inne miejsca (wskazane lub wybrane)	Miejsce zamieszkania	Zakład pracy	Inne miejsca (wskazane lub wybrane)
	Sytuacja zawodowa***			Sytuacja zawodowa***		
Przedsiębiorcy	22,3	52,7	25,0	34,5	42,2	23,3
Farmerzy	84,0	6,0	10,0	86,0	4,0	10,0
Zarząd i specjaliści	13,0	71,2	15,8	50,7	39,3	10,0
Urzędnicy	7,0	82,4	10,6	25,2	63,2	11,6
Usługi (fizyczno-umysłowe)	4,2	80,7	15,1	9,5	66,4	24,1
Robotnicy	5,7	68,6	25,7	4,2	73,2	22,4
Prace proste		60,0	40,0	21,2	69,7	9,1
Ogółem	15,6	66,4	18,0	30,8	52,7	16,5
	Forma zatrudnienia***			Forma zatrudnienia*		
Czas nieokreślony	7,1	79,8	13,1	25,7	60,3	14,0
Czas określony	1,2	75,6	23,2	18,7	65,9	15,4
Umowa-zlecenie	20,9	48,9	30,2	31,9	48,9	19,1
Inne formy	15,4	46,2	38,4	14,7	47,1	38,2
Ogółem	7,7	74,9	17,4	24,4	59,4	16,2

Uwaga: * p < 0,05; ** p < 0,01; *** p < 0,001; pominięto odpowiedzi: „trudno powiedzieć" i brak odpowiedzi. Ze względu na niską liczebność odpowiedzi „inne miejsce" połączono ją z odpowiedzią „inne miejsca wskazane przez pracodawców/klientów". Odpowiedzi udzielały jedynie osoby pracujące w chwili badania.

Źródło: badania własne, COV-WORK.

Jeśli chodzi o związek pomiędzy sytuacją zawodową i miejscem pracy, to hipoteza H8 została potwierdzona, przy czym na uwagę zwraca fakt, że najczęściej w miejscu zamieszkania pracowali przed i w trakcie pandemii farmerzy. Pomijając ten oczywisty mankament metodologiczny zadanego pytania, na uwagę zwraca fakt, że w pandemii wyraźnie wzrósł udział pracy w miejscu zamieszkania kategorii zarządczych, specjalistów i urzędników, natomiast osoby na stanowiskach robotniczych i pracownicy fizyczno-umysłowi usług wyraźnie częściej przebywali w zakładach pracy. Zakładaliśmy (H9), że praca w miejscu pracy będzie częstsza dla osób zatrudnionych na umowach o pracę. O ile hipoteza potwierdziła się dla okresu przed pandemią, o tyle w pandemii proporcje się nieco wyrównały, a związek między zmiennymi osłabł[18]. Innymi słowy, pracownicy etatowi wyraźnie częściej zaczęli pracować w domu (zapewne w ramach pracy zdalnej).

Na zakończenie tego bloku pytań przeanalizowaliśmy relacje z wybranymi cechami organizacji pracy. Okazuje się, że hipoteza H10 została sfalsyfikowana: zarówno przed, jak i w trakcie pandemii najczęściej pracę w miejscu zamieszkania wykonywały osoby w małych firmach (odpowiednio: 33,9% przed pandemią i 39,8% w pandemii), choć warto zauważyć, że po marcu 2020 r. niemal pięciokrotnie (z 6,1% do 28,8%) wzrósł odsetek pracujących w miejscu zamieszkania w firmach największych. Zarówno przed, jak i w trakcie pandemii nieco częściej praca w warunkach domowych wykonywana była w sektorze prywatnym, choć pandemia doprowadziła również do skokowego przyrostu takiego trybu pracy w sektorze publicznym (z 8,2% do 28,2%).

Zdalnie, hybrydowo czy stacjonarnie?
Preferencje odnośnie do miejsca pracy

Badania dostarczyły również wniosków odnośnie do preferowanego miejsca pracy w przyszłości. Okazuje się, że 15,4% badanych chciałoby pracować zdalnie codziennie, 22,8% – kilka razy w tygodniu, 16,7% – kilka razy w miesiącu, 6,8% – rzadziej niż kilka razy w miesiącu, 33,4% nigdy, a 4,9% powiedziało, że sprawa ich nie dotyczy. Mamy zatem wyraźne preferencje w kierunku hybrydowego modelu pracy, co potwierdza ustalenia z innych badań (Eurofound, EC, 2021) – opowiada się za nim niemal 40% badanych. Istnieje istotna statystycznie korelacja między miejscem pracy przed pandemią i w trakcie pandemii a preferencjami dla pracy w miejscu zamieszkania. 74,6% osób, które przed pandemią pracowały w miejscu zamieszkania (i 70,1% w pandemii), chciałoby pracować w nim codziennie lub kilka razy w miesiącu w przyszłości. ⅓ (33%) osób pracujących przed pandemią (i tylko 26,5% w pandemii) w zakładzie pracy i ponad 35% pracujących w „innych miejscach" wolałoby w przyszłości pracować codziennie lub kilka razy w tygodniu

---

[18] V Kramera dla korelacji między typem umowy a miejscem pracy przed pandemią = 0,198, p < 0,001; V Kramera dla korelacji między typem umowy a miejscem pracy przed pandemią = 0,128, p < 0,05.

w domu. Jednocześnie 39,7% pracujących przed pandemią i 45,2% w pandemii w zakładzie pracy wolałoby nigdy nie pracować zdalnie.

Przedstawione wyniki świadczą o utrwalaniu się społecznego podziału pracowników wg wykonywanego i preferowanego miejsca pracy, przy czym pandemia dokonała stosunkowo niewielkiego przetasowania w preferencjach. Stawiamy zatem hipotezę H11, która mówi, że zróżnicowanie preferencji odnośnie do pracy wykonywanej z domu pod względem zmiennych wyjaśniających będzie analogiczne do zróżnicowania zasięgu takiego trybu pracy przed pandemią. Innymi słowy, te kategorie społeczne, które (upraszczając) pracowały częściej z domu przed pandemią, będą bardziej skłonne częściej wykonywać pracę z domu w przyszłości.

Już pierwszy ogląd danych sugeruje, że postawiona hipoteza (H11) nie da się zweryfikować pozytywnie, pomimo zaobserwowanych (zwykle słabych) korelacji między zmiennymi. Praca w domu codziennie lub kilka razy w tygodniu zyskała podobne poparcie kobiet i mężczyzn (mężczyźni nawet częściej niż kobiety wybierali „codziennie"). Osoby młodsze, poniżej 30. r.ż. wyraźnie częściej (55% w wieku 18–24, 48% w wieku 25–30) niż pozostałe kategorie wiekowe chciałyby pracować w miejscu zamieszkania, choć niekoniecznie robiły to częściej przed pandemią (poza kategorią 18–24). Preferencje dla pracy w miejscu zamieszkania były również silniejsze wśród osób z wyższym wykształceniem (inaczej niż przed pandemią, gdy większość pracujących z domu stanowiły osoby z wykształceniem podstawowym): co najmniej kilka razy w tygodniu chciałoby tak pracować 46% osób z wykształceniem wyższym, 35,4% ze średnim, 38,2% zawodowym i 36% podstawowym. Korelacje z dochodem i miejscem zamieszkania oddawały zasadniczo zróżnicowanie miejsca wykonywanej pracy przed pandemią. Można ostrożnie powiedzieć, że na poziomie indywidualnym doświadczenie COVID-19 sprawiło, że częściej pracować w domu (domyślnie: zdalnie) chcą osoby młodsze i lepiej wykształcone.

Spoglądając na tabelę 1.7, widać wyraźnie, że preferencje odnośnie do pracy w miejscu zamieszkania dzielą badanych na trzy grupy: po pierwsze, mamy tych, którzy bądź jeszcze przed pandemią, bądź w pandemii zaczęli częściej pracować w miejscu zamieszkania i chcieliby pracować w domu codziennie lub kilka razy w tygodniu (przedsiębiorcy, farmerzy); po drugie, kategorie, gdzie wydaje się dominować potrzeba pracy hybrydowej (częściowo w miejscu zamieszkania, częściowo w miejscu pracy), czyli zarząd i specjaliści, urzędnicy; mamy wreszcie kategorie, które wybrałyby niezależnie od warunków pandemicznych pracę poza miejscem zamieszkania (fizyczno-umysłowi pracownicy usług, robotnicy, osoby wykonujące prace proste). Badania sugerują, że poza szczególnym przypadkiem „farmerów" praca w miejscu zamieszkania i hybrydowa staje się preferencją, ale i doświadczeniem klasy średniej, co znowu określić można (porównując zasięgi w tych kategoriach przed i w trakcie pandemii) jako efekt „uzdalnienia" pracy w pandemii. Korelacje z typem kontraktów są mniej oczywiste, rzucają się jednak w oczy wyraźniejsze preferencje dla pracy w domu wśród osób na umowach-zleceniach i większą niechęcią do niej wśród „etatowców" i osób z innymi formami umów.

Tabela 1.7. Preferencje odnośnie do częstotliwości pracy w domu niezależnie od pandemii a wybrane zmienne wyjaśniające (sytuacja pracy) (proc.)

	Mając wybór, jak często chciał(a)by Pan(i) pracować w domu, gdyby nie było ograniczeń związanych z pandemią?			
	Codziennie	Kilka razy w tygodniu	Kilka razy w miesiącu lub rzadziej	Nigdy
Sytuacja zawodowa***				
Przedsiębiorcy	22,1	32,7	17,6	27,4
Farmerzy	73,0	10,8	2,7	13,5
Zarząd i specjaliści	11,8	33,8	29,4	25,0
Urzędnicy	12,2	22,4	36,5	28,9
Usługi (fizyczno-umysłowe)	12,4	18,6	17,8	51,2
Robotnicy	11,3	4,8	30,7	53,2
Prace proste	2,7	32,4	10,8	54,1
Ogółem	16,6	24,0	24,5	34,9
Forma zatrudnienia*				
Czas nieokreślony	9,1	21,5	29,9	39,6
Czas określony	14,8	30,7	15,9	38,6
Umowa-zlecenie	20,4	28,6	28,6	22,4
Inne formy	5,9	14,7	35,3	44,1
Ogółem	10,8	23,2	27,9	38,1

Uwaga: * $p < 0,05$; ** $p < 0,01$; *** $p < 0,001$; pominięto odpowiedzi: „trudno powiedzieć" i brak odpowiedzi. Odpowiedzi udzielały jedynie osoby pracujące w chwili badania.

Źródło: badania własne, COV-WORK.

Przyglądając się wreszcie rozkładom preferencji w odniesieniu do pracy w warunkach domowych, widać wyraźnie, że o ile przed pandemią (i w jej trakcie) była ona domeną pracujących i samozatrudnionych w firmach najmniejszych, o tyle 35–40% respondentów zatrudnionych w firmach średnich i dużych chętnie pracowałoby w miejscu zamieszkania przynajmniej kilka razy w tygodniu. Świadczy to o zmianie społecznego profilu pracy zdalnej po pandemii. Podobnie odczytywać można fakt, że więcej niż co czwarty ankietowany pracownik w sektorze publicznym (28,1%) i niemal co drugi w sektorze prywatnym (44,4%, tyle samo w firmach prywatnych z kapitałem polskim lub zagranicznym) chętnie wykonywałby swoje obowiązki co najmniej kilka razy w tygodniu z domu. Wyraźnie widać wzrost preferencji dla pracy wykonywanej w warunkach domowych w sektorze publicznym, choć nadal 44,4% tam pracujących nie chciałoby „nigdy" pracować w ten sposób.

Podsumowując, można zauważyć, że praca w warunkach domowych w pandemii stała się nie tylko nieco powszechniejsza, lecz również zmieniła swój profil społeczny, co potwierdza ustalenia innych autorów (por. Felstead, 2022). O ile przed pandemią „w miejscu zamieszkania" pracowali przede wszystkim rolnicy, część przedsiębiorców freelancerów oraz specjalistów, o tyle przejście na pracę zdalną w pandemii dotyczyło przede wszystkim „średnich" kategorii w strukturze społecznej (w tym urzędników), zaś robotnicy pozostali w zakładach pracy lub innych miejscach wskazanych przez pracodawców (np. na budowach).

Doświadczenia pracy zdalnej w badaniach fokusowych

Spośród badanych grup fokusowych jedynie nauczyciele i pracownicy administracyjni logistyki mogli mieć doświadczenie pracy zdalnej w czasie pandemii, ponieważ pozostali rozmówcy i rozmówczynie pracowali w tym okresie w przeważającej mierze stacjonarnie[19]. W przypadku edukacji praca zdalna jawi się jako radykalna zmiana ramy dla procesu pracy, do jakiego byli przyzwyczajeni i wyszkoleni nauczyciele. Wymuszone przejście na nauczanie online wiązało się w pierwszej kolejności z koniecznością inwestycji materialnej (zakup i aktualizacja sprzętu), czasowej (znalezienie odpowiednich programów, przygotowanie sposobów prowadzenia lekcji) i poznawczej (nauczenie się nowych aplikacji, przyswojenie nowego kontekstu komunikacyjnego). Badani nauczyciele wskazywali na niewielką bądź żadną pomoc ze strony dyrekcji, kuratoriów czy ministerstwa w czasie tego procesu. Nieduży w stosunku do potrzeb dodatek celowy na zakup sprzętu w wysokości 500 złotych był w wielu przypadkach niewystarczający. Zwiększony wysiłek nie został w żaden systemowy sposób wynagrodzony – nauczyciele nie mieli dostępu do dodatków do wynagrodzeń. Brakowało wsparcia i szkoleń zapewnionych przez pracodawcę, co zmuszało chętnych do rozwoju do indywidualnych inwestycji w rozwój zawodowy. Co więcej, nauczanie zdalne okazało się trudne pod kątem budowania i utrzymywania relacji z uczniami i ich rodzicami. Autorytet i odbiór społeczny nauczycieli wedle części badanych pogorszył się ze względu na zmianę warunków, która wystawiła ich na krytyczne opinie (por. Zahorska, 2020):

---

[19] Zdarzały się przy tym wyjątki, np. w przypadku pracowników DPS-ów, z których część wykonywała w pandemii pracę rotacyjnie: 2 tygodnie stacjonarnie i 2 tygodnie w telefonicznym kontakcie z mieszkańcami.

W przypadku pracowników administracyjnych centrów spedycyjnych zakres pracy z domu był ograniczony czasowo i zależał od polityki firmy. W większości miejsc pracy badanych okres ten trwał około dwóch, trzech miesięcy, później przechodząc w tryb pracy hybrydowej. Trudno jednak uznać, żeby rozmówcy mieli zdecydowanie pozytywną opinię na temat zmiany. Praca zdalna jawi się w ich odpowiedziach w ambiwalentny sposób – doceniają m.in. likwidację dojazdów, co dawało im więcej czasu „dla siebie", ale z drugiej strony część mówiła o potrzebie kontaktu z innymi pracownikami. Co więcej, w niektórych przypadkach wyłączenie części pracowników z pracy biurowej powodowało dodatkowe problemy w komunikacji i wykonywaniu zleconych zadań. Dodatkowym problemem dla niektórych była kwestia pogodzenia pracy z życiem rodzinnym, szczególnie w sytuacji konieczności opieki nad dziećmi i nakładania się pracy i nauki w domu.

JAKOŚĆ PRACY

Jakość pracy (*quality of work*) i terminy z nią powiązane, takie jak jakość miejsca pracy (*job quality*), jakość zatrudnienia (quality of employment) czy jakość życia w kontekście pracy (*quality of working life/lives*), są pojęciami niejednoznacznymi i heterogenicznymi. A. Piasna, B. Burchell, K. Sehnbruch i N. Agloni (2017) zrównują ze sobą dwa pierwsze pojęcia, charakteryzując je jako „często skoncentrowane na treści pracy i środowisku pracy", co kontrastuje z rozumieniem jakości życia w kontekście pracy jako „zasadniczo wiążącego się z subiektywnymi ocenami swojej pracy", a różni się także od jakości zatrudnienia, która jest pojęciem najbardziej pojemnym, ze względu na „szerokie spojrzenie obejmujące stosunki pracy, polityki oraz kwestie partycypacji czy równości dochodów i dystrybucji miejsc pracy".

Założenia wstępne, jakie przyjmujemy, dotyczą tego, że „pracę" (i zjawiska będące jej korelatami) traktujemy w kategoriach zarobkowych, natomiast „jakość" jest pojęciem wobec pracy wtórnym i obejmującym ogół jej właściwości wywierających wpływ zarówno na jednostki (ludzi), jak i grupy społeczne ją wykonujące, nie tylko w kontekście samych czynności składających się na tak rozumianą pracę, ale także wykraczających poza nią, i oddziałujących, również pośrednio, na całokształt życia indywidualnego i zbiorowego.

Analiza literatury (np. Gallie, 2007; Grimshaw, Fagan, Hebson, Tavora, 2017; Muñoz de Bustillo, Fernández-Macías, Antón, Esteve, 2011) wskazywałaby na ogólny konsensus w sprawie istnienia dwóch głównych podejść, różniących się od siebie na poziomie założeń ontologicznych (czym jest jakość pracy i czy jest to zjawisko obiektywnie istniejące, czy też występujące głównie w świadomości?), epistemologicznych (jak należy poznawać jakość pracy, indukcyjnie czy dedukcyjnie?) i metodologicznych (jak badać, a także ewentualnie mierzyć jakość pracy?). Te dwa podejścia opisywane są jako odpowiednio: „obiektywne" i „subiektywne." Gallie (2013) przyjmuje za główne wymiary jakości pracy: (1) poziom kwalifikacji; (2) autonomia pracy; (3) możliwości podnoszenia kwalifikacji; (4) bezpieczeństwo zatrudnienia; (5) stopień równowagi między życiem a pracą (WLB), jaki zapewnia (lub nie zapewnia) stanowisko pracy.

W badaniu COV-WORK przyjęliśmy za wskaźniki jakości pracy następujące zmienne: perspektywy rozwoju kariery, równowagę między pracą a życiem osobistym (*work-life balance*), bezpieczeństwo zatrudnienia, czas pracy w pandemii i jego zmiany, wynagrodzenie w pandemii i jego zmiany oraz zaopatrzenie w środki ochrony osobistej przez pracodawcę, przy czym przez środki ochrony osobistej rozumiano materiały i akcesoria służące zabezpieczeniu sanitarnemu osób narażonych na zainfekowanie koronawirusem w związku z wykonywaniem obowiązków służbowych (odzież ochronna, maseczki, płyn odkażający).

Wybrane wymiary jakości pracy: ciągłość i zmiana

W dalszej części tekstu zaprezentowane są analizy ww. zmiennych w odniesieniu do wybranych zmiennych społeczno-demograficznych wzbogacone o dane jakościowe pochodzące ze zogniskowanych wywiadów grupowych (FGI), dotyczące kwestii jakości pracy. Ze względu na wykorzystanie w badaniu COV-WORK części zmiennych z *Europejskiego badania warunków życia i pracy* (EWCS) realizowanego przez Eurofound we wszystkich krajach europejskich, mogliśmy porównać odpowiedzi badanych z okresu przed pandemią (ostatni pomiar zrealizowano w 2015 r.) i w trakcie pandemii (EWCS, 2022). Mając na względzie oczekiwany negatywny wpływ kryzysu pandemicznego na jakość pracy, postawiliśmy następujące hipotezy: (H1) oceny możliwości rozwoju własnej kariery zawodowej będą w przeważającej mierze negatywne i gorsze niż w 2015 r.; (H2) możliwości łączenia pracy z życiem prywatnym będą oceniane w przeważającej mierze negatywnie i gorzej niż w 2015 r.; (H3) oceny bezpieczeństwa zatrudnienia będą negatywne i gorsze niż w 2015 r.

Opinie na temat szans na rozwijanie własnej kariery zawodowej są zdecydowanie pozytywne. Przeszło połowa (53%) ankietowanych uważa, że ich aktualna praca daje im dobre widoki na rozwój zawodowy w porównaniu z 45% w 2015 r. Tym samym H1 uznajemy za zweryfikowaną negatywnie. W przypadku równowagi między pracą a życiem osobistym niemal trzy czwarte respondentów utrzymuje, że godzą bez problemów te dwa wymiary życia. W EWCS nie znalazła się analogiczna zmienna, jednak na pytanie o ocenę dopasowania godzin pracy do zobowiązań rodzinnych i towarzyskich „bardzo dobrze" odpowiedziało 25%, zaś „dobrze" – 58%. H2 również uznajemy za zweryfikowaną negatywnie, choć potencjalnie oceny WLB mogły się pogorszyć (83% vs 72%). Z wyraźnym optymizmem ankietowani oceniali swoje perspektywy co do utrzymania pracy, bowiem blisko dwie trzecie twierdziło, że nie obawiają się jej utraty w najbliższych miesiącach w związku z pandemią. W 2015 r. brak obaw przed utratą pracy w ciągu najbliższych 6 miesięcy zgłaszało 50% badanych. Jeśli jednak doszłoby do utraty pracy, to ponad połowa oceniała, że znalazłaby nową na podobnych warunkach finansowych; w 2015 r. było to jedynie 34%. H3 jest więc także zweryfikowana negatywnie. Warto jednak pamiętać, że stopa bezrobocia (mierzona przez GUS i Eurostat) wynosiła w 2015 r. 7,7%, zaś w 2021 r. 3,4%, a zatem – pomimo pandemii – badani mieli powody, by swoją sytuację oceniać pozytywnie[20].

Tabela 1.8. Wybrane wymiary jakości pracy w 2015 r. i 2021 r. (proc.)

W jakim stopniu zgadza się Pan(i) lub nie zgadza z następującymi stwierdzeniami opisującymi różne aspekty Pana(-ni) pracy?	Tak		Ani tak, ani nie		Nie	
	2015*	2021**	2015*	2021**	2015*	2021**
1. Moja praca oferuje dobre perspektywy dla rozwoju kariery	45	53	28	22	27	25
2. Z łatwością łączę pracę z życiem prywatnym	X	72	X	17	X	11
3A. Mogę stracić pracę w ciągu najbliższych 6 miesięcy	24	X	26	X	50	X
3B. Nie obawiam się, że mogę stracić swoją pracę w najbliższych miesiącach z powodu pandemii	X	63	X	7	X	30
4. Jeśli stracił(a)bym lub zakończył(a) swoją obecną pracę, byłoby mi łatwo znaleźć pracę z podobną pensją	34	52	32	14	35	34

Uwaga: podano zagregowane odpowiedzi definitywne, pominięto odpowiedź „trudno powiedzieć". Procenty nie sumują się do 100 ze względu na zaokrąglanie wyników udostępnionych przez Eurofound. W przypadku pytań 3A i 3B należy zachować ostrożność w porównywaniu ze względu na ich inne brzmienie w badaniach COV-WORK i EWCS. „X" oznacza brak wyników dla danego roku. Dane w pyt. 4 EWCS zgodne z zaokrągleniami źródła.

Źródło: * badania własne, COV-WORK; ** EWCS.

Perspektywy rozwoju kariery zawodowej

Wstępne obserwacje z badania COV-WORK sugerują, że pandemia nie wstrząsnęła wskaźnikami jakości pracy związanymi z bezpieczeństwem zatrudnienia

---

[20] Dokładniejszy pomiar zmian w okresie pandemii i po oficjalnym zakończeniu (w maju 2022 r.) będzie możliwy dopiero w wyniku realizacji II fali badań panelowych CATI w 2023 r.

i perspektywami rozwoju kariery. Analiza korelacji z wybranymi cechami społeczno-demograficznymi daje bardziej zróżnicowany obraz sytuacji. Założyliśmy,
że perspektywy rozwoju kariery będą oceniane lepiej przez mężczyzn, ze względu
na utrzymującą się odmienność wzorów karier zawodowych i podziału obowiązków rodzinnych, zaś bardziej pesymistycznie przez ludzi młodych (do 30. roku
życia). Tym, co rzuca się w oczy, jest dość duży rozziew w ocenach pomiędzy
mężczyznami i kobietami, których dzieli ponad 9 p.p., jeśli chodzi o optymistycz-
ną ocenę swoich szans na karierę na korzyść mężczyzn (57,6%) w stosunku do
kobiet (46,3%). Co się tyczy wieku, to największy optymizm wykazują najmłodsi
respondenci (poniżej 25. roku życia 70,7% ocenia perspektywy kariery w swojej
pracy), następnie oceny stają się mniej entuzjastyczne, ale stabilizują się na nadal
względnie dobrym pułapie, by w przedziale 40–59 lat ulec wyraźnemu obniżeniu
(48,3% ocen pozytywnych). Respondenci po 50. roku życia są w zakresie ocen
swoich widoków na rozwój kariery najbardziej powściągliwi (36,6%), zaś w najstarszej kategorii oceny ponownie rosną.

Jeśli zawęzić pole do firm mikro, małych i średnich, to im większy stan zatrudnienia w organizacji, tym gorzej oceniane są własne szanse na rozwój kariery.
W przedsiębiorstwach dużych (250 i więcej pracujących) oceny są nieco lepsze
(47,9% ocen pozytywnych) niż w przypadku średnich (43,7%), które są uważa-
ne za miejsce pracy najmniej sprzyjające rozwojowi kariery: aż 20 p.p. mniej
w ocenach korzystnych od firm mikro (63,3%). Własność kapitału jest czynnikiem różnicującym: sektor publiczny jest miejscem, które postrzegane jest jako
oferujące najniższe szanse na karierę (39,9% ocen pozytywnych), sektor prywatny
widziany jest pod tym względem jako nisza dająca wyraźnie lepsze perspektywy,
ale przedsiębiorstwa z kapitałem zagranicznym (69% ocen pozytywnych) są oceniane znacznie korzystniej od krajowych (55,2%).

Z wywiadów fokusowych wyłania się obraz bardziej pesymistyczny niż ten,
który pozwalają nakreślić dane pochodzące z sondażu. Pamiętając o tym, że fokusy
koncentrowały się na wybranych grupach pracowników niezbędnych, można postawić hipotezę, że ze względu na nadzwyczajne i bezprecedensowe okoliczności
stworzone przez epidemię i będącą jej wynikiem politykę publiczną (reżim sani-
tarny, lockdowny, nowe, narzucone nagle i niejednokrotnie w trybie improwizacji
obowiązki) pracownicy niezbędni doświadczali zwykle spowolnienia rozwoju
kariery. Co więcej, część z badanych wykonujących prace o niższych wymogach
kwalifikacyjnych zarówno przed, jak i w trakcie pandemii możliwości rozwoju
kariery nie miała.

Analiza wywiadów zogniskowanych pokazuje, że perspektywa branżowa
i – idąc dalej – miejsca pracy w bardzo wyraźny sposób wpływają na ocenę możliwości rozwoju kariery. Praca w firmach kurierskich, w ramach platform czy
w centrach spedycyjnych jest realizowana w zakresie stosunkowo płaskich struktur

organizacyjnych. Możliwe są przesunięcia w ograniczonym zakresie (np. na osoby koordynujące zmianę), ale pracownicy nie widzą szansy na budowanie kariery w szerzej rozumianym sensie. Inaczej mówiąc, o ile realne są „awanse poziome" (dające w pewnym stopniu możliwość wzbogacania treści pracy), to klasycznie rozumiany awans wertykalny z przyczyn obiektywnych jest mało prawdopodobny.

Inaczej przedstawia się sytuacja w sektorze publicznym, szczególnie w ochronie zdrowia. Wybór zawodu lekarza bądź pielęgniarki, szczególnie w początkowym okresie, związany jest z edukacją zawodową o charakterze specjalizacyjnym. Jeden z fokusów został przeprowadzony z lekarzami stażystami, których tok szkolenia zawodowego został właściwie przerwany ze względu na pandemię. Co więcej, również starsi stażem lekarze wskazywali, że samo leczenie chorych na koronawirusa po początkowym okresie przeszkolenia jest realizowane w ramach ograniczonych procedur, które trudno uznać za rozwijające. Jako pozytywną konsekwencję pandemii wskazywano za to dynamicznie poszerzającą się ofertę szkoleń online. Było to również raportowane przez nauczycieli i pracowników DPS.

> Irena: Ja też byłam w takiej sytuacji, że zaczynałam staż. Miałam wrażenie, że pojawiło się po prostu więcej możliwości doskonalenia, bo były po prostu formy online. I te firmy zaczęły intensywnie działać w tym aspekcie i pojawiało się mnóstwo szkoleń. I dla mnie to było komfortowe, że mogłam się online połączyć z domu i odbyć jakieś różne szkolenia. I widzę, że to zostało (Nauczycielka kontraktowa, FGI).

Warto również zaznaczyć, że część nauczycieli jako element rozwoju wskazywało konieczność przejścia na nauczanie zdalne, co wymusiło na nich poszerzenie kompetencji w zakresie korzystania ze wsparcia komputerowego w procesie przekazywania wiedzy.

Work-life balance

Co do łączenia pracy z życiem prywatnym (*work-life balance* – WLB) interesowała nas przede wszystkim kwestia, jak na ten aspekt życia wpływa płeć respondenta. Hipoteza brzmiała, że większą łatwość mediowania pomiędzy życiem zawodowym i prywatnym wykazują mężczyźni. Założyliśmy także, że wiek będzie negatywnie korelował z łatwością łączenia obowiązków zawodowych i rodzinnych z uwagi na rosnące obciążenie nimi ze względu na społeczne role rodzinne wśród osób w wieku 25–59 lat.

Biorąc pod uwagę zależności istotne statystycznie, kobiety częściej niż mężczyźni podają, że udanie łączą pracę i życie prywatne. Jest to o tyle interesujące, że idzie na przekór większości ustaleń badawczych opisanych w literaturze (np. Hildt-Ciupińska, 2014), pokazujących, że to kobiety doświadczają poważniejszych problemów z harmonizacją tych dwóch sfer życia. Możliwym i wartym rozważenia wyjaśnieniem jest lepsza organizacja i strukturyzacja czasu przez kobiety, wymuszona relatywnie większym obciążeniem obowiązkami rodzinnymi, przez co subiektywne oceny równowagi mogą być korzystniejsze niż w przypadku mężczyzn. Pod względem wieku najlepiej oceniają ten wymiar swojego życia osoby najmłodsze, z kolei u nieco starszych (25–30 lat) następuje głębokie załamanie (co zapewne ma związek z usamodzielnieniem się, a więc pojawieniem się w ogóle dla sporej części respondentów w tym przedziale wiekowym obowiązków zawodowych jako stałego elementu życia), choć nadal prawie ⅔ udziela odpowiedzi pozytywnych. U trzydziestolatków pozytywne oceny WLB są wyraźnie (o 10 p.p.) wyższe, natomiast poziom obniża się u ludzi po 40. roku życia, by po 50. ponownie wzrosnąć i dalej piąć się w górę w przypadku osób 60- i więcej letnich, na co wpływ mają zapewne zmieniające się relacje rodzinne (dorastające dzieci) i zawodowe (względnie wyższy niż w pozostałych kategoriach wiekowych status na rynku pracy).

Tabela 1.9. Łączenie pracy z życiem prywatnym a wybrane cechy społeczno-
-demograficzne (proc.)

	Z łatwością łączę pracę z życiem prywatnym		
	Tak	Ani tak, ani nie	Nie
Płeć**			
Kobieta	76,4	14,6	9,0
Mężczyzna	69,0	8,9	22,1
Wiek*			
18–24 lata	86,7	9,3	4,0
25–30 lat	63,4	15,0	21,6
31–39 lat	71,8	14,1	14,1
40–49 lat	65,7	11,6	22,7
50–59 lat	75,3	6,0	18,7
60 lat i więcej	77,5	12,7	9,8

Uwaga: podano zagregowane odpowiedzi definitywne, pominięto odpowiedź „trudno powiedzieć" * p < 0,05;
** p < 0,01; *** p < 0,001.

Źródło: badania własne, COV-WORK.

Porównanie rozkładów odpowiedzi na pytanie o WLB w zależności od miejsca wykonywania pracy ujętego w dwóch planach czasowych – przed wybuchem pandemii i w jej toku – pozwala zauważyć, że nadzwyczajne okoliczności nie odbiły się znacząco na percepcji własnej sytuacji w zakresie mediowania pomiędzy życiem osobistym i pracą. Co ciekawe, fakt, że dom – jak to zostało pokazane wyżej (zob. wykres 2) – stał się miejscem pracy dla znacznie większej części respondentów (podwojenie udziału), nie przekłada się ani na wyraźny (niespełna 5 p.p.) spadek odsetka pracujących z domu, którzy utrzymują, że obie te sfery życia udanie ze sobą łączą, ani na poważny (3 p.p.) wzrost udziału twierdzących, że nie dawali sobie z tym rady.

Tabela 1.10. Łączenie pracy z życiem prywatnym a miejsce pracy przed pandemią i w jej trakcie (proc.)

Z łatwością łączę pracę z życiem prywatnym	Miejsce pracy przed pandemią*			Miejsce pracy w trakcie pandemii**		
	Miejsce zamieszkania	Zakład pracy	Inne miejsca (wskazane lub wybrane)	Miejsce zamieszkania	Zakład pracy	Inne miejsca (wskazane lub wybrane)
Tak	84,9	72,0	64,8	80,1	71,8	62,3
Ani tak, ani nie	6,6	11,9	10,4	8,3	13,0	9,8
Nie	8,5	16,1	24,8	11,6	15,2	27,9

* $p < 0,05$; ** $p < 0,01$; *** $p < 0,001$.

Źródło: badania własne, COV-WORK.

Przechodząc do analizy wypowiedzi uczestników i uczestniczek wywiadów fokusowych, należy podkreślić, że wpływ pandemii na relacje między pracą a życiem prywatnym wyraźnie różnił się w zależności od grupy zawodowej i branży. Do tego istotnym czynnikiem wpływającym na odpowiedzi była kwestia relacji z rodziną własną (szczególnie w kontekście opieki nad dziećmi) i rodziną pochodzenia. W przypadku ochrony zdrowia dodatkowym czynnikiem wpływającym na refleksję w odniesieniu do problematyki WLB była kwestia ryzyka zakażenia członków własnych rodzin. Było to przyczyną zmian w organizacji już nie tylko przestrzeni pracy, ale również życia rodzinnego (czasami lekarze decydowali się na czasową zmianę miejsca zamieszkania, by uchronić najbliższych). Do tego zarówno lekarze, pielęgniarki, jak i nauczyciele odnosili się do przemęczenia i przeładowania pracą, co wpływało na ich życie prywatne:

Lena: Natomiast było to dziwne, to znaczy najtrudniej dla mojej rodziny, najtrudniejszy był dzień, ta niedziela, kiedy ja wracałam po tych sześciu dniach dwunastogodzinnej pracy, oni byli kompletnie wyluzowani, bo spędzali czas w piżamach, do południa, albo lepiej, a ja byłam po tych sześciu dniach pracy nakręcona. Ja się jeszcze nie potrafiłam przestawić na wolniejsze tory, a oni cały czas na tych torach byli (Lekarka, FGI).

W przypadku nauczycieli przejście na pracę zdalną wiązało się z drastycznie zwiększającą się liczbą godzin poświęconych na przygotowanie lekcji zdalnych oraz obsługą komunikacji z uczniami i rodzicami. Podobnie, część pracowników administracyjnych z centrów spedycyjnych, którzy przeszli na pracę zdalną, opowiadała o problemach ze znalezieniem równowagi między pracą a m.in. opieką nad dziećmi.

Z kolei pracownicy pomocy społecznej byli wystawieni na radykalne zmiany w relacji między pracą a życiem prywatnym. Część naszych rozmówców doświadczyła zamknięcia w miejscu pracy (kwarantanna obejmowała domy pomocy społecznej, jeśli pojawiło się ognisko zakażenia – pracownicy zostawali wtedy w miejscu pracy, którego nie mogli opuszczać), decydując się na to m.in. z powodu chęci ochrony członków własnych rodzin, co jasno wyraził jeden z ankietowanych, mówiąc: „poszedłem jeszcze z taką decyzją, że wolę pójść, zostać, niż wracać do domu, gdzie mogę zarazić wszystkich" (Oskar, FGI, pracownicy DPS).

Bezpieczeństwo zatrudnienia

Zakładaliśmy wstępnie, że pandemia może przełożyć się na wysoki poziom niepokoju o utratę pracy, jednak dane zagregowane pokazują, że było to nietrafne (zob. tabela 1.8), choć odsetek żywiących takie obawy nie jest mały (niemal $\frac{1}{3}$). Postawiliśmy hipotezy, że o utratę pracy bardziej obawiać się będą kobiety, ludzie młodzi, gorzej wykształceni, o niższym statusie ekonomiczno-zawodowym, pracujący w warunkach prekaryjnych, w mikroprzedsiębiorstwach i firmach z kapitałem prywatnym.

Osoby niemające matury czują się na rynku pracy zdecydowanie mniej pewnie od tych, którzy ukończyli co najmniej szkołę średnią. Blisko 70% respondentów z wyższym wykształceniem twierdzi, że nie obawia się utraty pracy w porównaniu do 46% ankietowanych z wykształceniem co najwyżej podstawowym. Status klasowy także znajduje odzwierciedlenie w rozkładzie odpowiedzi. O ile 72% menedżerów oraz specjalistów deklaruje, że straty pracy się nie boi, o tyle wśród pracowników wykonujących prace niewymagające kwalifikacji jest to jedynie 40%. Osoby o najniższych dochodach prawie dwukrotnie częściej od ankietowanych o dochodach z najwyższego przedziału wyrażają obawy o utrzymanie pracy w warunkach pandemicznych. Jeśli chodzi o tę zmienną, to mamy tu do czynienia z odwrotną zależnością liniową, tj. im wyższe dochody, tym słabsze lęki o stratę pracy. Miejsce zamieszkania w zasadzie nie ma wpływu na poziom deklarowanych obaw.

Co jednak w sytuacji, gdyby respondent stracił pracę? Ankietowani rozpatrują taką ewentualność z dużą dozą spokoju: połowa z nich uważa, że nową pracę na podobnych warunkach finansowych byliby w stanie znaleźć bez trudu. Ten wynik w świetle ugruntowanego społecznego przekonania o istnieniu tzw. rynku (pracy) pracownika (abstrahując od jego realnych przesłanek, ograniczonych zasadniczo do danych o globalnej stopie bezrobocia w kraju kolportowanych w mediach) nie jest wszak łatwy do interpretacji, przede wszystkim dlatego, że wyniki korelacji z danymi metryczkowymi nie są jednak w tym wypadku statystycznie istotne.

Wynagrodzenie i czas pracy

Jeśli chodzi o wpływ pandemii na najważniejsze „twarde" czynniki kształtujące środowisko pracy, a zatem jej jakość w wymiarze obiektywnym, to założyliśmy wstępnie, na podstawie danych GUS, że godziny pracy mogą ulegać skracaniu. Co do zmian w wynagrodzeniach przyjęliśmy hipotezę o tym, że ulegną obniżeniu wskutek trudności ekonomicznych firm spowodowanych pandemią, nie wiedząc jeszcze, jaki będzie efekt antykryzysowej polityki państwa, co przybrało choćby postać tzw. dodatków covidowych (np. w ochronie zdrowia). Ponadto w okresie pandemii, szczególnie w 2021 r., zaczęła przyspieszać dynamika inflacji.

Tabela 1.11. Dynamika zmian warunków pracy w najważniejszych wymiarach (proc.)

W okresie od marca 2020 do maja 2021, tj. w czasie I–III fali pandemii COVID-19, wielu pracodawców i pracowników doświadczyło zmiany swoich warunków pracy		
	Uległy wydłużeniu / Wzrosło	Pozostały(-ło) bez zmian	Obniżyły(-ło) się
Czy godziny Pana(-ni) pracy:	10,9	79,4	9,7
Czy Pana(-ni) wynagrodzenie:	29,0	53,6	17,4

Uwaga: podano zagregowane odpowiedzi definitywne, pominięto odpowiedź „trudno powiedzieć".

Źródło: badania własne, COV-WORK.

W obydwu wypadkach postawione hipotezy są sfalsyfikowane, bowiem największa część ankietowanych podała, że nic się u nich pod tymi względami nie zmieniło. Jednakże widoczna jest duża różnica pomiędzy zmianą wynagrodzeń i czasu pracy: tylko co dziewiąty respondent przyznaje, że jego/jej czas pracy uległ wydłużeniu, a zarazem prawie jedna trzecia podaje, że odnotowała wzrost swojego wynagrodzenia. Pandemia nie jest widziana jako zjawisko, wraz z którego pojawieniem się doszło do pogorszenia podstawowych warunków pracy. W odniesieniu do czasu pracy wyjaśnienia tego stanu rzeczy można się doszukiwać w znacznym poszerzeniu skali pracy zdalnej, co zostało opisane obszernie wcześniej w tym rozdziale, ale także w przejściowych ograniczeniach czasu pracy na skutek zastosowania instrumentów wsparcia rynku pracy ustanowionych przez przepisy kolejnych tarcz antykryzysowych. Szczególne znaczenie w kontekście czasu pracy oraz ochrony wynagrodzeń miał instrument tzw. postojowego. Podstawowym problemem analitycznym dotyczącym zmian czasu pracy jest to, że skrzyżowanie zmiennej zmiana czasu pracy ze zmiennymi metryczkowymi nie wykazuje istnienia związków istotnych statystycznie.

Zestawiając odpowiedzi badanych, którzy doświadczyli zmiany ich sytuacji na rynku pracy w okresie pandemii COVID-19 z tymi, których sytuacja pozostała bez zmian, widać wyraźnie, że w pierwszej sytuacji mieliśmy do czynienia częściej ze spadkiem wynagrodzeń, zaś w drugiej – z ich utrzymaniem bądź wzrostem; analogiczne tendencje zaobserwowano w przypadku porównania odpowiedzi osób, które wskazały na COVID-19 jako przyczynę zmian z tymi, którzy wskazali na inne względy (tabela 1.12). W przypadku czasu pracy osoby raportujące doświadczanie zmian na rynku pracy w czasie pandemii wyraźnie częściej wskazywały na skrócenie godzin pracy (niż osoby ich niedoświadczające); podobnie było wśród tych, którzy wskazywali na COVID-19 jako przyczynę zmian.

Tabela 1.12. Doświadczenia zmian na rynku pracy a wynagrodzenia i czas pracy (proc.)

	Zmiana na rynku pracy w okresie pandemii		Przyczyny zmiany	
	Tak	Nie	COVID-19	Inne
	Wynagrodzenie***		Wynagrodzenie*	
Wzrosło	29,0	29,3	23,8	39,1
Obniżyło się	38,7	62,3	37,5	41,3
Pozostało bez zmian	32,3	8,4	38,7	19,6
	Godziny pracy***		Godziny pracy***	
Uległy wydłużeniu	17,5	7,1	21,5	12,2
Pozostały bez zmian	65,0	87,6	56,4	80
Uległy skróceniu	17,5	5,3	22,1	7,8

* p < 0,05; ** p < 0,01; *** p < 0,001.

Źródło: badania własne, COV-WORK.

Wywiady fokusowe pozwalają pogłębić wnioski na temat wpływu pandemii na czas pracy. Oprócz części pracowników centrów spedycyjnych, którzy raportowali, że w początkowym okresie pandemii spadła liczba zamówień w ich przedsiębiorstwach, co przełożyło się na zmniejszenie poziomu obciążenia pracą, w pozostałych grupach zawodowych czas poświęcany na pracę wzrósł. Wyraźnie widać przy tym wpływ „falowania pandemii" – najtrudniejszy pod względem nadmiarowego obciążenia obowiązkami był dla naszych rozmówców jej początek, kiedy wprowadzano zmiany w organizacji pracy, m.in. aktualizowano czas zmian czy koordynację pracy zespołów w celu uniknięcia masowych zakażeń. Co jednak ciekawe, pracownicy ochrony zdrowia i pomocy społecznej za początek pandemii w ich miejscu pracy uznawali pojawienie się pierwszych zakażonych pacjentów bądź mieszkańców, a nie „oficjalne" fale pandemii.

W przypadku kurierów platformowych i kurierów paczek wzrost wolumenu dostarczanych przesyłek czy usług przekładał się na większe zarobki, a w kontekście czasu – na większą liczbę godzin spędzonych w pracy. Kurierzy porównywali wprost pierwszą falę pandemii do okresu świątecznego „peaku". W przypadku ochrony zdrowia i do pewnego stopnia pomocy społecznej falowanie pandemii okazało się również kluczowe:

Kasia: Bo po 24 ciągnęło się dyżur, następna zmiana. Tylko 2 zmiany były. To znaczy, 4 dziewczyny przez te 14 dni. No, to wiadomo, samo to, że obciążenie, bo po tych 24 godzinach przychodziło się, człowiek się kąpał, spał i z powrotem szedł do pracy, coś tam zjadł i coś tam przygotował. I z powrotem szedł do pracy. Naprawdę, to męczące było. Składało się na zwiększenie obciążenia pracą (pielęgniarka, pracownica DPS, FGI).

Z kolei czas pracy w edukacji wydłużył się znacznie w kontekście przejścia na nauczanie zdalne. Jak pisaliśmy wcześniej, wymagało to początkowo inwestycji czasowej w szkolenie z aplikacji do prowadzenia lekcji przez internet, a potem wiązało się z koniecznością innego rodzaju przygotowania materiału i znacznego obciążenia prowadzeniem komunikacji z uczniami i rodzicami za pośrednictwem narzędzi do pracy zdalnej.

W zakresie zmian wynagrodzenia rozpatrywanych w kontekście różnych cech socjodemograficznych zakładaliśmy, że na skalę zmian wynagrodzeń będzie miała wpływ płeć, w ten sposób, że na tle mężczyzn kobiety będą częściej poszkodowane spadkiem poziomu wynagrodzeń, a to ze względu na odwrócenie po 2010 r. tendencji zamykania się luki płacowej między płciami. Z kolei w przypadku wieku przyjmowaliśmy założenie o większej płynności poziomu płac w młodszych przedziałach (do 30 lat), z racji przeciętnie mniej stabilnych warunków pracy w porównaniu do respondentów starszych wiekiem. W przypadku wykształcenia zakładaliśmy spadek lub stagnację wynagrodzeń dla najsłabiej wykształconych osób (z ukończoną szkołą co najwyżej podstawową), z powodu ich relatywnie najniższej konkurencyjności na rynku pracy. Odnośnie do statusu ekonomiczno--zawodowego postawiliśmy hipotezę, że silnie negatywnie dotknięci w aspekcie dochodów (wynagrodzeń) zostaną przedsiębiorcy, z uwagi na najsilniejsze urynkowienie ich dochodów pochodzących z pracy oraz wysoki udział w tej kategorii narażonych na prekaryzację, tj. osób samozatrudnionych i mikroprzedsiębiorców. Z podobnych powodów przyjęliśmy, że najbardziej podatni na stagnację lub obniżenie wynagrodzeń będą pracujący w mikrofirmach. Co do formy własności przedsiębiorstwa założyliśmy, że w najmniejszym stopniu zmianie ulegną wynagrodzenia w sektorze własności publicznej, po pierwsze, z powodu braku wpływu mechanizmu rynkowego na kształtowanie płac tej sfery, po drugie, za sprawą historycznie udokumentowanej prawidłowości do „zamrażania" w sytuacji potencjalnie lub realnie kryzysowej wysokości płac w państwowej sferze budżetowej (zob. doświadczenia spowolnienia gospodarczego 2008+). W zakresie deklarowanych dochodów wysunęliśmy hipotezę, że najczęściej stagnacją lub redukcją wynagrodzeń dotknięte będą osoby najuboższe, także z powodu słabej pozycji przetargowej na rynku pracy.

Tabela 1.13. Zmiany wynagrodzenia w pandemii a wybrane cechy społeczno-
-demograficzne (proc.)

Czy Pana(-ni) wynagrodzenie:	Wzrosło	Pozostało bez zmian	Obniżyło się
Płeć**			
Kobieta	20,0	58,3	21,7
Mężczyzna	35,3	50,3	14,4
Wiek*			
18–24 lata	42,7	50,7	6,6
25–30 lat	38,6	33,3	28,2
31–39 lat	38,3	52,8	14,9
40–49 lat	22,6	50,6	16,8
50–59 lat	27,5	54,2	18,3
60 lat i więcej	21,2	54,9	23,9
Wykształcenie**			
Podstawowe (lub niższe)	8,0	60,0	32,0
Zawodowe	30,3	51	18,7
Średnie	30,4	53,6	16,0
Wyższe	28,8	54,5	16,7
Pozycja ekonomiczno-zawodowa (klasowa)**			
Przedsiębiorcy	27,8	41,7	30,5
Farmerzy	12,0	62,0	26,0
Zarząd i specjaliści	30,3	54,9	13,8
Urzędnicy	29,5	61,5	9,0
Usługi	30,0	52,1	17,9
Robotnicy	43,5	44,9	11,6
Prace proste	22,0	65,9	12,1

Tabela 1.13. – cd.

Czy Pana(-ni) wynagrodzenie:	Wzrosło	Pozostało bez zmian	Obniżyło się
Wielkość zatrudnienia*			
Poniżej 10 osób	24,3	50,5	25,2
10–49	34,6	51,5	13,9
50–249	30,8	56,2	13,0
250 i lub więcej	31,3	56,4	12,3
Forma własności przedsiębiorstwa**			
Państwowe, publiczne	25,7	65,5	8,8
Prywatne o kapitale polskim lub mieszanym, polskim i zagranicznym, także własne gospodarstwo rolne	29,2	50,3	22,5
Prywatne o kapitale zagranicznym	39,7	49,3	11,0
Dochód na rękę**			
Do 1999 zł	10,5	38,6	50,9
2000–3999 zł	19,7	64,9	15,4
4000–5999 zł	31,1	53,7	15,2
6000 zł i więcej	49,1	42,4	8,5

Uwaga: podano zagregowane odpowiedzi definitywne, pominięto odpowiedź „trudno powiedzieć" * $p < 0,05$; ** $p < 0,01$; *** $p < 0,001$.

Źródło: badania własne, COV-WORK.

Płeć odegrała rolę różnicującą. Wśród kobiet wyższy, choć nieznacznie, jest odsetek odpowiedzi, że wynagrodzenia spadły niż wzrosły. Tymczasem u mężczyzn poziom deklaracji, że płace się zwiększyły, jest ponad dwukrotnie wyższy od tych o obniżeniu. Pośród najmłodszych ankietowanych dynamika wynagrodzeń jest wyższa na tle starszych przedziałów, co potwierdzałoby przyjęte założenie, mimo że osoby w wieku 25–30 lat znacznie częściej doświadczały spadku wynagrodzeń niż ankietowani liczący sobie 18–24 lata. Można to zapewne tłumaczyć w ten sposób, że w przypadku młodych dorosłych, otrzymujących często niskie wynagrodzenia, zbliżone do płacy lub stawki minimalnej, pole manewru w zakresie obniżania wynagrodzenia było bardzo wąskie. W starszych przedziałach wiekowych dynamika płac wyraźnie słabła. Pod względem wykształcenia, zgodnie z przyjętym założeniem, najbardziej poszkodowani są respondenci o wykształceniu najwyżej podstawowym, cztery razy więcej spośród nich doświadczyło spadku wynagrodzeń w porównaniu z tymi, którzy cieszyli się ich wzrostem.

Najbardziej na spadek narzekali z kolei przedsiębiorcy i farmerzy, co częściowo (ponieważ przedsiębiorcy byli także najbardziej podzieleni, niemal równie

wysoki poziom wskazań na wzrost wynagrodzeń) potwierdza przyjętą hipotezę.
Patrząc na próbę pod kątem statusu respondentów, zauważamy, że to udziałem
robotników najczęściej stały się wyższe pensje. Nie mamy miejsca na pogłębioną
dyskusję nad możliwymi przyczynami, ale jednym z możliwych wyjaśnień jest
wysoka dynamika produkcji przemysłowej przy niskim bezrobociu[21]. Hipoteza
o tym, że w miejscach pracy należących do sektora publicznego wystąpi największa stabilność wynagrodzeń, potwierdziła się. Z kolei najlepsze doświadczenia
mieli pracujący w firmach z kapitałem zagranicznym, co sugeruje skłonność do
retencji kapitału ludzkiego poprzez pozytywną motywację finansową. Szczególnie
godny uwagi jest poziom deklarowanych dochodów netto, ponieważ zależność jest
bardzo czytelna: im kto podaje wyższe dochody, tym częściej przyznaje, że jego
wynagrodzenie w czasie epidemii wzrosło. Potwierdza się przyjęta hipoteza: wśród
najgorzej opłacanych połowa oznajmiła, że ich płace spadły, kiedy respondentów
z tej kategorii mogących się pochwalić wyższymi zarobkami było pięciokrotnie
mniej. Lustrzanym odbiciem jest sytuacja najlepiej uposażonych: połowa podała, że ich wynagrodzenia się zwiększyły, a jedynie co dziewiąty zmierzył się ze
spadkiem płacy.

Jak wiele innych aspektów, sytuacja związana z wynagrodzeniami również
różniła się pod kątem poszczególnych branż i grup zawodowych. Wyjątkowo
możemy potraktować ochronę zdrowia, która została objęta programem dodatków
covidowych za pracę z osobami chorymi na koronawirusa, choć fokusy z lekarzami
i pielęgniarkami pokazują, że sposób dystrybucji środków był dla rozmówców
często niejasny i nieefektywny. W różny sposób rozwiązywano kwestię uznania,
kto zasługuje na dodatek. Co więcej, część środków była wypłacana z opóźnie-
niem, co w efekcie powodowało frustrację u pracowników pomimo ogólnej opinii
o pozytywnym wpływie na całość wynagrodzeń.

Również w pomocy społecznej pojawiły się wzrosty wynagrodzeń poprzez
przyznanie dodatków bądź premii, ale tu należy zwrócić uwagę na fakt, że nie
były to pieniądze przekazywane centralnie z budżetu państwa, a rozdysponowane
przez samorządy lokalne bądź finansowane przez dotacje unijne. Ich wielkość
i czas trwania były niższe niż w przypadku ochrony zdrowia, a część rozmówców
oceniała je jako niewystarczające.

W edukacji nie pojawiły się żadne dodatkowe środki (oprócz celowego do-
datku na zakup sprzętu w wysokości 500 złotych), a ewentualny wzrost wynagrodzenia był związany z realizacją większej liczby godzin, co mogło być efektem np. zastępstw za chorych współpracowników. Ta kwestia była szczególnie

---

[21] Po gwałtownym załamaniu produkcji przemysłowej w kwietniu 2020 r. nastąpiło jej odbicie
i późną jesienią wskaźniki produkcji powróciły do poziomu z lutego, by w kwietniu 2021 r. osiągnąć
rekordowy w wieloletniej perspektywie pułap.

demotywująca ze względu na wzrost obciążenia pracą przy przejściu na nauczanie zdalne, o czym pisaliśmy wyżej.

W przypadku logistyki widzimy różnicę między kurierami, szczególnie platformowymi, a pracownikami centrów spedycyjnych. Ci pierwsi, w związku z pracą w trybie akordowym, wraz ze zwiększeniem liczby zamówień zarabiali czasowo więcej. Tu jednak warto podkreślić, że ważnym czynnikiem były zmiany stawek wynagrodzenia za dostarczenie np. posiłku, które pojawiały się w ramach platform. Miało to przełożenie na ograniczenie ostatecznych zarobków. W przypadku pracowników centrów spedycyjnych sytuacja była zróżnicowana i zależała od polityki płacowej danego przedsiębiorstwa. Część rozmówców mówiła o premiach rocznych w związku ze wzrostem zysków firmy, część była zmuszana do czasowych ograniczeń etatów

Dostępność środków ochrony osobistej przed zakażeniem

Dla pracujących w warunkach pandemicznych kwestią newralgiczną było bezpieczeństwo w pracy w aspekcie ochrony przed potencjalnie śmiertelnym wirusem. Zakładaliśmy, że większość pracodawców wyjdzie naprzeciw temu zapotrzebowaniu. Z drugiej jednak strony spodziewaliśmy się względnie silniejszych skłonności pracodawców do eksternalizacji kosztów związanych z profilaktyką covidową w miejscu pracy (przerzucanie na pracowników kosztów zakupu maseczek, płynu do dezynfekcji czy testów) w przedsiębiorstwach mikro i małych, z dominującą krajową własnością prywatną. Ogólny obraz, jaki wyłania się z zebranych przez nas danych sondażowych, jest budujący, ponieważ 81,4% respondentów potwierdza, że środki ochrony osobistej od pracodawców otrzymywało „zawsze", 11,3% – „czasami", a jedynie 7,2% ich nie dostało.

Jeśli chodzi o korelacje pomiędzy zabezpieczeniem środków ochrony osobistej w pandemii a zmiennymi dotyczącymi organizacyjnych warunków pracy, jedynie w dwóch przypadkach (formy zatrudnienia i wielkości firmy) wyniki są statystycznie istotne. Znaczenie okazuje się mieć forma zatrudnienia (kontrakt) oraz wielkość zatrudnienia. Osoby zatrudnione na czas określony są najlepiej zabezpieczone pod względem zaopatrzenia w środki ochrony (84,9% wskazań na „zawsze"), stanowiąc trzon wewnętrznego rynku pracy, osoby na umowach czasowych raportowały taki poziom zabezpieczenia rzadziej (66%), podobnie jak na umowach cywilnoprawnych (67,3%). Nie potwierdziło się założenie, że w firmach najmniejszej wielkości sytuacja z zaopatrzeniem w środki ochronne będzie względnie najgorsza – jest dokładnie na odwrót: stałe zaopatrzenie w środki ochrony osobistej raportowało 86,4% respondentów w firmach najmniejszych i 79,2% w firmach największych, choć warto dodać, że jedynie 2,4% osób zatrudnionych w tych ostatnich wskazało odpowiedź „nigdy" (w porównaniu z 8,6% w firmach najmniejszych). Możliwa interpretacja jest taka, że w miejscu pracy, gdzie mały zespół pracowników pozostaje ze sobą z reguły w systematycznych interakcjach bezpośrednich, zwraca się największą uwagę na środki prewencji zdrowotnej. Przypuszczać można, że dzieje się tak nie tylko ze względów pragmatycznych, ale również za sprawą specyfiki więzi społecznych; w małych podmiotach częściej niż w większych organizacjach mających charakter osobowy.

WNIOSKI

Celem niniejszego rozdziału była ocena wpływu pandemii COVID-19 na wybrane aspekty sytuacji na rynku pracy w Polsce, doświadczenia pracujących i ich opinie na temat wybranych aspektów jakości pracy. Oceniając stan rynku pracy na podstawie wyników badania sondażowego przeprowadzonego w półtora roku po wybuchu pandemii, wypada stwierdzić, że jest on lepszy, niż oczekiwaliśmy, formułując nasze przewidywania na podstawie dostępnych w okresie konceptualizacji i operacjonalizacji narzędzia (przełom 2020 i 2021 roku) danych ze źródeł wtórnych oraz literatury przedmiotu (Eurofound, EC, 2021). O ile co trzecia badana osoba raportowała zmianę swojej sytuacji na rynku pracy w trakcie pandemii, o tyle już tylko co szósta wskazała na COVID-19 jako przyczynę tej zmiany. Podobnie jak w istniejących badaniach (Bambra i in., 2021; Rothwell, Crabtree, 2021), badania sondażowe CATI i wywiady fokusowe ujawniły, że dla stopnia „doświadczenia" przez kryzys pandemiczny kluczowe znaczenie mają nierówności społeczne. Znaczenie miały w szczególności: wiek rozmówców (młodzi doświadczali zmian częściej), ich forma zatrudnienia (prekaryzacja pracy oznaczała częstsze doświadczenie zmian, choć niekoniecznie ze względu na COVID) i sektor zatrudnienia (większa niestabilność w sektorze prywatnym). Jak pokazały wywiady fokusowe, bardzo istotne, jakościowe różnice ujawniły się również pomiędzy pracującymi w różnych branżach m.in. ze względu na typowy dla nich mniejszy lub większy zakres prekaryzacji zatrudnienia.

Niezwykle ciekawe zmiany zaszły w zakresie pracy zdalnej. Badania potwierdzają obserwacje innych autorów (Carroll, Conboy, 2020; Felstead, 2022), że mamy do czynienia ze zmianą społecznego profilu i charakteru pracy w warunkach domowych. Mówiąc najkrócej, o ile przed pandemią pracę „w domu" świadczyli najczęściej rolnicy i część przedsiębiorców, obecnie preferują taką pracę (oraz pracę hybrydową) przede wszystkim osoby młodsze, lepiej wykształcone, mieszkańcy największych miast, natomiast praca częściowo, przynajmniej, wykonywana z domu została oswojona i jest oczekiwana również przez „białe kołnierzyki". O ile dane ilościowe wskazują, że ekspansja pracy zdalnej nie przełożyła się na wyraźny spadek poczucia równowagi między życiem prywatnym i zawodowym, o tyle wywiady jakościowe dały bardziej zróżnicowany obraz sytuacji, ujawniając m.in. wzrost obciążenia pracą nauczycieli. Niemniej poparcie dla pracy całkowicie wykonywanej w domu jest stosunkowo niskie (ok. 15%), przy zdecydowanie wyższym dla modelu hybrydowego (częściowo w miejscu zamieszkania, częściowo gdzie indziej). W tym kontekście inicjatywa legislacyjna z lata 2022 r. zmierzająca do trwałego uregulowania pracy zdalnej (i zastąpienia nią telepracy), choć spóźniona, jest z pewnością potrzebna i społecznie oczekiwana.

Na przekór pesymistycznym prognozom wynikającym z badań nad wpływem kryzysów społeczno-gospodarczych dla jakości pracy (Gallie, 2013), sondaż CATI nie wskazał na dominację negatywnych opinii na temat możliwości rozwoju kariery zawodowej, bezpieczeństwa zatrudnienia czy równowagi między życiem zawodowym i pozazawodowym. W okresie pandemii większość pracowników utrzymała lub zwiększyła swoje zarobki, a ich czas pracy nie uległ zmianie. Co jednak istotne, gdy tym samym wymiarom przyjrzymy się z perspektywy pracowników istotnych w edukacji, ochronie zdrowia, pomocy społecznej i logistyce, zaobserwować możemy dużo bardziej krytyczne opinie. Szczególnie problematyczny okazuje się wymiar czasu pracy i jej intensywność, które – przynajmniej w pierwszym okresie pandemii – wyraźnie wzrosły. Oprócz tego, gdy przyjrzeliśmy się bliżej zróżnicowaniu doświadczeń, okazało się, że badania potwierdziły, że spadek wynagrodzeń wyraźnie częściej raportowały kategorie nieuprzywilejowane na rynku pracy: młodzi w wieku 25–30 lat, kobiety, osoby z wykształceniem podstawowym, zarabiające najmniej. Pandemia dotknęła zatem bardziej zauważalnie tych, którzy już przed jej wybuchem znajdowali się w peryferyjnych rynkach pracy, co potwierdza ustalenia z innych badań (Bambra i in., 2021; Eurofound, EC, 2021; Gallie, 2013).

ROZDZIAŁ 2

DYSKURS O PRACY NIEZBĘDNEJ
W TRAKCIE PANDEMII

WPROWADZENIE

Istotnym aspektem kryzysu pandemicznego – podobnie jak większości kryzysów – były jego medialne reprezentacje, na które składały się między innymi narracje dotyczące pracy i osób pracujących w trakcie pandemii. Sposób, w jaki media prezentują rzeczywistość, jest elementem szerszego dyskursu społecznego i choć niekoniecznie bezpośrednio przekłada się na praktyki społeczne, często staje się ważnym punktem odniesienia w procesie tworzenia tożsamości zawodowych, staraniach o poprawę warunków pracy i szerzej, działaniach aktorów społecznych. Również w sferze dyskursu kryzys okazuje się momentem, w którym dominujące narracje zostają poddane próbie, i albo utrzymają swoją hegemoniczną pozycję, albo zostaną – przynajmniej częściowo – podważone i wyparte przez dyskursy alternatywne (Fairclough, 2011). W tym kontekście podstawowymi celami tego rozdziału są: (1) krytyczna analiza na przykładzie prasy tego, jak w polskim dyskursie medialnym w trakcie pandemii przedstawiane były osoby wykonujące prace niezbędne dla funkcjonowania społeczeństwa, tzw. pracownicy niezbędni, a zwłaszcza pracownicy ochrony zdrowia oraz (2) prezentacja wyników badań CATI na temat społecznej percepcji niezbędności różnych zawodów w kontekście pandemii.

Pracownicy niezbędni to nowe, zbiorcze określenie, które w trakcie pandemii zyskało popularność, zwłaszcza w krajach anglojęzycznych (*essential workers*), a jego desygnat okazał się nie tylko nowinką językową, ale również kwestią polityczną (Blau i in., 2021). W sferze symbolicznej to właśnie do pracowników niezbędnych kierowano wyrazy wdzięczności i określano mianem bohaterów, choć jednocześnie krytykowano za roznoszenie koronawirusa (Mejia i in., 2021). Choć w Polsce kategoria pracowników niezbędnych nie zyskała żadnej podstawy prawnej, to w części państw oficjalnie uznanie danego zawodu za niezbędny przekładało się na konkretne prawa (np. do pierwszeństwa w szczepieniach w USA czy darmowych testów w Wielkiej Brytanii), ale też na ograniczenia i obowiązki podczas lockdownów. Niezależnie od rozwiązań prawnych część świata pracy dostrzegła w dyskursie o niezbędności zazwyczaj niedocenianych zajęć szansę na poprawę sytuacji osób znajdujących się na peryferyjnym rynku pracy. Dlatego też ważne jest zrozumienie, jakich pracowników, i w jakich okolicznościach, uznaje się za niezbędnych oraz w jaki sposób relacjonowane są opinii publicznej ich doświadczenia pracy.

PRACOWNICY NIEZBĘDNI

Choć nie istnieje uniwersalna definicja pracowników niezbędnych, to w najszerszym ujęciu są to wszystkie osoby, które wykonują prace niezbędne do przetrwania i reprodukcji społeczeństwa. Co ważne, w świetle takiej definicji nie jest istotne to, czy dana praca wykonywana jest odpłatnie, czy nie, co w konsekwencji prowadzi do włączenia w tę kategorię również osób – zazwyczaj kobiet – wykonujących nieodpłatną pracę reprodukcyjną, a także zdecydowaną większość społeczeństwa, która podejmuje działania mające na celu podtrzymanie życia swojego i swoich bliskich. Jakkolwiek ważna i godna uznania jest nieodpłatna praca reprodukcyjna, to tak szerokie ujęcie tematu prowadzi do wykraczającej poza ramy tej książki dyskusji na temat społecznych granic pracy i tego, co jest i powinno być za nią uznawane. Dlatego na potrzeby naszych badań proponujemy analityczne rozróżnienie między pracami niezbędnymi do trwania społeczeństwa a pracownikami i pracownicami niezbędnymi, którzy za wynagrodzeniem wykonują część z tych prac. W takim ujęciu – z jednej strony – prace niezbędne pozostają takimi niezależnie od statusu na rynku pracy osób, którzy je wykonują; z drugiej strony – za pracowników niezbędnych uznaje się wyłącznie pracowników najemnych, co pozwala uniknąć rozmycia tej kategorii wraz z jej potencjałem do mobilizacji wokół poprawy warunków pracy i szerzej, jakości usług publicznych.

Wciąż jednak pozostaje otwarte pytanie o to, co jest konieczne, aby dane społeczeństwo przetrwało. Jeśli za punkt wyjścia przyjąć znaną z psychologii koncepcję hierarchii potrzeb Maslowa (1943), to podstawę stanowi zaspokojenie potrzeb biologicznych członków danej społeczności, a następnie potrzeby bezpieczeństwa oraz poczucia przynależności. Dopiero w dalszej kolejności pojawia się potrzeba szacunku i samorealizacji. Do grupy pracowników niezbędnych zaliczyć zatem należy osoby zajmujące się zabezpieczeniem podstawowych potrzeb biologicznych, tj. pożywienia, snu, zdrowia i opieki, a także zapewnieniem bezpieczeństwa, tj. schronienia i ochrony przed innymi potencjalnymi zagrożeniami, np. pożarem. Zaawansowany społeczny podział pracy sprawia jednak, że w celu regularnego zapewnienia podstawowych potrzeb konieczne jest wykonanie szeregu dodatkowej pracy. Np. masowa produkcja żywności wiąże się z koniecznością dowozu pracowników do zakładów przetwórstwa, zapewnienia opieki niesamodzielnym członkom rodzin pracowników, a także dystrybucji i sprzedaży gotowych produktów ostatecznym konsumentom. Każda z tych prac pociąga za sobą z kolei szereg kolejnych, które wiążą się z następnymi itd. Prace niezbędne są zatem połączone gęstą siecią współzależności, odzwierciedlającą długie łańcuchy produkcji i dostaw, charakterystyczne dla późnego kapitalizmu.

W świetle powyższego nie zaskakują zatem wyniki badań Blau i in. (2021), którzy analizowali rynek pracy w Stanach Zjednoczonych pod kątem obecności pracowników niezbędnych. Za punkt wyjścia przyjęli stworzoną przez władze federalne listę branż z pracownikami niezbędnej infrastruktury (*essential infrastructure workers*), którzy podczas pandemii COVID-19 „chronią swoje społeczności, zapewniając zarazem ciągłość funkcji kluczowych dla zdrowia i bezpieczeństwa publicznego, a także bezpieczeństwa gospodarczego i narodowego" (ibidem: 169). W świetle tych analiz za kluczowe uznano 197 spośród 287 kategorii branżowych, co przekłada się na 70% wszystkich pracujących zarobkowo w USA. Cechy demograficzne tak wyodrębnionych pracowników niezbędnych nie różniły się znacząco od ogółu populacji pracujących Amerykanów, z zastrzeżeniem, że przynależność do grupy pracowników niezbędnych wiązała się z nieznacznie większym prawdopodobieństwem pochodzenia imigranckiego i niższego poziomu formalnego wykształcenia.

W kontekście pandemii i faktu przenoszenia się SARS-CoV-2 poprzez bezpośrednie kontakty, dużo bardziej istotne okazuje się rozróżnienie na osoby, które w swojej pracy stykają się z innymi ludźmi, oraz te, które mogą pracować zdalnie, minimalizując ryzyko zakażenia. To właśnie tzw. pracownicy pierwszej linii (*frontline workers*) wykonujący niezbędne prace wymagające kontaktu z innymi byli ponadprzeciętnie narażeni na styczność z SARS-CoV-2. Do grupy najbardziej zagrożonych należeli pracownicy ochrony zdrowia i to właśnie ich doświadczeniami były najczęściej zainteresowane media oraz badacze. Chociaż nie ma odpowiednich danych dla Polski, to przykłady z innych państw pokazują liczebność pracowników pierwszej linii wykonujących prace niezbędne. W Stanach Zjednoczonych stanowili oni aż 43% ogółu siły roboczej, a po wykluczeniu osób nieświadczących pracy z powodu lockdownów i ograniczonego popytu wciąż było to 34% wszystkich pracujących. Na tę ostatnią wielkość składali się przede wszystkim pracownicy ochrony zdrowia (25%), pracownicy handlu (17%), logistyki (14%), budownictwa (13%) i produkcji (11%). Chociaż pracownicy zaangażowani w przygotowanie i podawanie żywności stanowili ponad 10% pracowników pierwszej linii, to po uwzględnieniu lockdownów ich odsetek w tej grupie skurczył się do niespełna 2% (Blau i in., 2021: 169). Co ważne, uznani za niezbędnych w trakcie lockdownu pracownicy pierwszej linii zarabiali średnio mniej niż pozostali pracownicy niezbędni (pracujący np. zdalnie), a także ogół pracowników. Dysproporcje w zarobkach nakładały się na nierówności istniejące przed pandemią, a wśród pracowników pierwszej linii nadreprezentowani byli członkowie mniejszości etnicznych i osoby z niskim wykształceniem. Jak pokazują wyniki badań CATI, o czym szerzej piszemy w rozdziale pierwszym, również w Polsce osoby mogące świadczyć pracę zdalną i minimalizować przez to ryzyko infekcji należały do relatywnie uprzywilejowanej grupy na rynku pracy. Okazuje się zatem, że dla przynajmniej części pracowników na peryferyjnym rynku pracy pandemia i związane z nią ryzyka okazały się kolejnym obciążeniem, a nie szansą na poprawę warunków pracy.

NIEZBĘDNOŚĆ GRUP ZAWODOWYCH W OPINII POLAKÓW

W ramach naszych badań przyjrzeliśmy się społecznemu i medialnemu odbiorowi grupy pracowników niezbędnych, w tym pracowników na pierwszej linii. W szczególności interesowało nas postrzeganie wybranych zawodów i stanowisk w pięciu branżach, które często uznaje się za niezbędne, tj. ochronie zdrowia, pomocy społecznej, logistyce, dystrybucji żywności oraz edukacji. W ramach badań kwestionariuszowych poprosiliśmy respondentów o ocenę tego, w jakim stopniu, w kontekście pandemii koronawirusa, z ich perspektywy ważne dla społeczeństwa są związane z tymi branżami zawody i stanowiska. Kafeteria odpowiedzi obejmowała 5-stopniową skalę Likerta zbędności/niezbędności (tj. zdecydowanie zbędny; raczej zbędny; ani niezbędny, ani zbędny; raczej niezbędny; zdecydowanie niezbędny).

Nasze badania pozwoliły też sprawdzić, jak dalece postrzeganie danych zawodów jako niezbędne koresponduje z poważaniem społecznym. W ostatnich prowadzonych przed pandemią badaniach na ten temat (Omyła-Rudzka, 2019) pielęgniarki cieszyły się dużym szacunkiem 89% respondentów i znalazły się za strażakami na drugim miejscu w hierarchii poważania zawodów. Lekarze i nauczyciele mogli kolejno liczyć na duże uznanie w opinii 80% i 77% respondentów, co uplasowało te grupy zawodowe na 6. i 7. miejscu w przywołanej hierarchii. Sprzedawców w sklepie dużym szacunkiem obdarzało 65% ankietowanych. Biorąc to pod uwagę oraz zdrowotny charakter kryzysu i koncentrację mediów na doświadczeniu pracy zawodów medycznych, spodziewaliśmy się, że za najbardziej niezbędnych zostaną uznani pracownicy medyczni (H1), jednak pozostałe grupy zawodowe wciąż będą traktowane jako niezbędne przez stosunkowo wielu respondentów.

Uzyskane wyniki (tabela 2.1) potwierdzają naszą hipotezę. Rzeczywiście, zawody medyczne zostały uznane za najbardziej istotne wśród wymienionych profesji, jednak odwrotnie niż w rankingu poważania zawodów to lekarze i lekarki, a nie pielęgniarki, postrzegani byli jako najbardziej kluczowi dla społeczeństwa. Medyków za osoby zdecydowanie niezbędne uznało 82,9% respondentów, a jako raczej niezbędne 11,7% (łącznie 94,6%). Tylko 2,5% respondentów stwierdziło, że są to osoby raczej lub zdecydowanie zbędne. Nieznacznie niżej oceniono niezbędność pielęgniarek i pielęgniarzy (79% zdecydowanie niezbędni, 14,7% raczej niezbędni). Kolejną w hierarchii niezbędności grupą okazali się nauczyciele i nauczycielki, których za istotnych dla społeczeństwa uznało łącznie niespełna 90% respondentów, jednak w porównaniu z lekarzami mniejsza liczba odpowiedzi wskazywała na ich zdecydowaną niezbędność (63,6%). Za niezbędnych sprzedawców i sprzedawczynie w sklepie spożywczym uznało łącznie 85% respondentów, w tym 57,1% twierdziło tak zdecydowanie. Za najmniej ważnych dla społeczeństwa w pandemii, wciąż jednak istotnych, uznano kurierów dowożących jedzenie (76%, w tym zdecydowanie 41,9%) oraz pracowników socjalnych (72,4%, w tym 34,7% zdecydowanie).

Tabela 2.1. Ocena istotności dla społeczeństwa polskiego w kontekście pandemii COVID-19 poszczególnych zawodów i stanowisk

	Procent odpowiedzi ważnych					
	Zdecydowanie niezbędny	Raczej niezbędny	Ani niezbędny, ani zbędny	Raczej zbędny	Zdecydowanie zbędny	Trudno powiedzieć, nie wiem / odmowa odpowiedzi
Lekarz/lekarka	82,9	11,7	2,4	1,4	1,1	0,5
Pielęgniarz/pielęgniarka	79,0	14,7	2,6	1,5	1,6	0,6
Nauczyciel(ka)	63,6	25,6	4,8	3,2	1,9	0,9
Sprzedawca/sprzedawczyni w sklepie spożywczym	57,1	27,9	9,0	3,2	1,7	1,1
Kurier(ka) dowożący(-ca) jedzenie	41,9	34,1	10,6	6,1	4,3	3,0
Pracownik(-nica) socjalny(-na)	37,7	34,7	14,6	7,5	3,6	1,9

Źródło: badania własne, COV-WORK.

Ujawniona hierarchia niezbędności pracowników w borykającym się z pandemią społeczeństwie nie zaskakuje. Poczucie niezbędności zawodów medycznych jest wciąż głęboko zakorzenione w społeczeństwie, pomimo coraz bardziej widocznych poglądów antynaukowych, w tym antyszczepionkowych, czy ogólnego niezadowolenia z działania usług publicznych. Na uwagę zasługuje względnie wysoka pozycja nauczycieli. Z jednej strony może to świadczyć o powszechnym uznaniu konieczności rozwoju społeczeństwa opartego na wiedzy. Z drugiej, bardziej pragmatycznej strony, wynik można odczytywać jako pochodną dodatkowej funkcji nauczycieli, którzy mają nie tylko przekazać wiedzę, ale również zająć się dziećmi podczas zarobkowej aktywności rodziców. Postrzeganie pracowników socjalnych jako najmniej niezbędnych wynikać może z niskiej świadomości zakresu ich obowiązków i punktowego świadczenia przez nich pomocy, co powoduje brak styczności z większością respondentów oraz traktowania efektów ich pracy jako odłożonych w czasie, a zatem niepilnych w porównaniu z aktywnością lekarzy czy sprzedawców.

W kolejnym kroku sprawdziliśmy, jak postrzeganie niezbędności zawodów koreluje z cechami społeczno-demograficznymi respondentów. Oczekiwaliśmy m.in., że zmiennymi wyjaśniającymi postrzeganie niezbędności będą: (1) wiek respondentów w przypadku zawodów medycznych (H2: Im starsi respondenci, tym większe poczucie niezbędności zawodów medycznych); (2) wielkość miejscowości zamieszkania oraz wiek w przypadku kurierów dowożących jedzenie (H3a: Im większa miejscowość, tym większe poczucie niezbędności kurierów dowożących jedzenie; H3b: Im młodsi respondenci, tym większe poczucie niezbędności kurierów dowożących jedzenie); (3) dochód respondentów w przypadku wszystkich badanych grup zawodowych (H4a: im większe dochody, tym większe poczucie niezbędności badanych grup zawodowych z wyjątkiem pracowników socjalnych; H4b: im niższe dochody, tym większe poczucie niezbędności pracowników socjalnych). Biorąc pod uwagę antyszczepionkowe i antynaukowe postawy opisane szerzej w rozdziale siódmym, oczekiwaliśmy, że osoby będące przeciwnikami szczepień w mniejszym stopniu niż pozostali będą postrzegać jako niezbędne zawody medyczne (H5a) oraz nauczycieli (H5b).

Przedstawione w tabeli 2.2 wyniki pozwoliły nam na weryfikację postawionych hipotez. Okazuje się, że wiek, choć istotnie skorelowany z oceną niezbędności pracowników medycznych, nie ujawnia liniowej zależności między zmiennymi, hipoteza H2 została zatem sfalsyfikowana. Postrzeganie istotności lekarzy i pielęgniarek przez osoby najstarsze w grupie (60+) nie różni się od innych grup wiekowych, z wyjątkiem osób w wieku 30–39 lat, które rzadziej niż inni uznają istotność pracowników ochrony zdrowia. Wielkość miejscowości nie ma istotnego znaczenia w ocenie niezbędności pracy kurierów dowożących jedzenie, zatem również hipoteza H3a została zweryfikowana negatywnie. Podobnie w przypadku hipotezy H3b. Wiek okazał się istotny w przypadku oceny pracy kurierów, jednak to nie osoby młode, a te w wieku 40–59 lat uznały kurierów za najbardziej niezbędnych. W przypadku wszystkich analizowanych zawodów, z wyjątkiem pracowników socjalnych, istnieje pozytywna zależność między osiąganym dochodem a oceną przez respondentów ich niezbędności (H4a). Pracownicy socjalni są z kolei oceniani lepiej przez osoby o niższych dochodach, co potwierdza hipotezę H4b. Pozytywnie zweryfikowane zostały dwie ostatnie hipotezy dot. negatywnej

Tabela 2.2. Postrzeganie niezbędności poszczególnych zawodów i stanowiska wybrane zmienne wyjaśniające (proc.)

	Lekarz/ Lekarka	Pielęgniarz/ Pielęgniarka	Pracownik(-nica) socjalny(-na)	Sprzedawca/ Sprzedawczyni	Kurier(ka) dowożący(-ca) jedzenie	Nauczyciel(ka)
Płeć / Poziom istotności	*		*	*	*	*
Ogółem	95,0	94,2	73,7	85,9	78,4	90,0
Kobieta	94,8	94,0	75,1	88,9	81,5	89,9
Mężczyzna	95,2	94,5	72,2	82,5	74,9	90,1
Wiek / Poziom istotności			***	***	***	***
18–24 lata	96,2	96,9	70,4	67,7	76,6	84,9
25–30 lat	96,4	94,1	67,9	77,6	64,7	88,1
31–39 lat	90,0	87,5	62,2	80,0	72,5	84,5
40–49 lat	96,2	95,0	73,5	92,0	86,9	91,5
50–59 lat	96,2	96,2	78,3	91,4	82,6	90,4
60 lat i więcej	95,9	95,4	80,5	91,2	77,8	94,3
Wykształcenie / Poziom istotności	*	**	**	***	***	*
Podstawowe (lub niższe)	92,1	86,0	71,9	64,2	70,8	87,3
Zawodowe	92,9	91,2	78,9	91,8	80,5	87,3
Średnie	95,9	97,2	71,4	87,4	76,9	92,2
Wyższe	97,1	96,9	71,8	86,4	81,3	91,9
Dochód na rękę / Poziom istotności	**	**	***	**	***	*
do 1999 zł	91,3	90,2	74,1	79,7	74,0	88,9
2000–3999 zł	97,5	96,9	78,2	90,8	82,3	91,0
4000–5999 zł	97,8	97,8	67,7	87,3	84,5	91,3
6000 zł i więcej	95,1	95,6	66,5	86,8	78,0	92,3

Tabela 2.2. – cd.

	Lekarz/ Lekarka	Pielęgniarz/ Pielęgniarka	Pracownik(-nica) socjalny(-na)	Sprzedawca/ Sprzedawczyni	Kurier(ka) dowożący(-ca) jedzenie	Nauczyciel(ka)
Wielkość miejscowości zamieszkania / Poziom istotności	*	*				
Wieś	94,2	92,2	72,2	83,5	76,1	88,3
Miasto do 20 tys. mieszkańców	96,7	95,1	74,9	86,7	80,1	91,2
Miasto powyżej 20 do 100 tys. mieszkańców	93,3	9,6	74,6	89,5	76,0	88,4
Miasto powyżej 100 do 500 tys. mieszkańców	94,3	95,2	72,5	86,1	81,9	92,2
Miasto powyżej 500 tys. mieszkańców	100,0	99,0	74,0	86,0	81,1	90,9
Postawa wobec szczepień / Poziom istotności	***	**	***	**	***	***
Przeciwnicy szczepienia	88,2	90,0	59,8	78,2	75,0	78,9
Pozostali	96,6	95,1	77,0	87,6	79,2	92,5

Uwaga: * p < 0,05; ** p < 0,01; *** p < 0,001. Tabela przedstawia procentowy udział zagregowanych odpowiedzi „zdecydowanie niezbędny" oraz „raczej niezbędny". Zależności oraz poziom istotności liczono dla zagregowanych wskazań (1) „zdecydowanie zbędny" i „raczej zbędny" (2) „ani niezbędny, ani zbędny" (3) „raczej niezbędny" oraz „zdecydowanie niezbędny". Pominięto odpowiedzi: „trudno powiedzieć" i brak odpowiedzi.

Źródło: badania własne, COV-WORK.

zależności między postawami antyszczepionkowymi a oceną niezbędności lekarzy i pielęgniarek (H5a) oraz nauczycieli (H5b). Przeciwnicy szczepień rzadziej niż pozostali respondenci uznawali za zdecydowanie niezbędnych lub raczej niezbędnych lekarzy (o 8,4%), pielęgniarki (o 5%) oraz nauczycieli (o 13,6%). Aby lepiej zrozumieć postawy prezentowane przez respondentów i umiejscowić je w szerszym kontekście, w kolejnym kroku przyjrzymy się obecnemu w polskiej prasie dyskursowi wokół pracowników niezbędnych.

PRASOWY DYSKURS O PRACOWNIKACH NIEZBĘDNYCH W TRAKCIE PANDEMII COVID-19

W ramach naszych badań dokonaliśmy jakościowej analizy wybranych artykułów na temat pracy, które ukazały się w pierwszych trzech miesięcy pandemii (1.03.2020 – 31.05.2020) w czterech ogólnopolskich tytułach prasowych, tj. *Rzeczpospolitej*, *Gazecie Wyborczej*, *Gazecie Polskiej Codziennie* oraz *Fakcie*. W pierwszym kroku członkowie zespołu COV-WORK dokonali wstępnej selekcji artykułów na podstawie słów kluczowych wskazujących na związek z pandemią i pracą. Następnie artykuły zostały przyporządkowane do jednej z czterech kategorii, tj. opieka medyczna, logistyka, edukacja oraz ogólne. W kolejnym kroku zebrane artykuły zostały przejrzane pod kątem treści i do szczegółowej analizy wybrano artykuły traktujące o pracownikach wspomnianych branż. Interesowały nas przede wszystkim medialny obraz doświadczenia i jakości ich pracy oraz to, w jaki sposób była ona oceniana. Dodatkowo uwzględniliśmy również obecne w innych mediach dwie akcje mające na celu wyrażenie wdzięczności pracownikom kluczowym, tj. akcję #DziękujemyZaOdwagę, zainspirowaną przez dziennikarza TVP i zainicjowaną przez portal niezalezna.pl, oraz wywodzącą się z przeciwnego obozu medialnego akcję #BrawaDlaWas, zainicjowaną przez szereg prywatnych podmiotów medialnych (m.in. Ringier Axel Springer Polska, Gazetę Wyborczą, Rzeczpospolitą, Dziennik Gazetę Prawną czy wydawnictwa Polska Press). W analizie zastosowano elementy krytycznej analizy dyskursu w ujęciu Normana Fairclougha (2003). Ostatecznie spośród 146 artykułów analizie jakościowej poddano 43 artykuły.

NIEWIDOCZNI NIEZBĘDNI

Podstawową konstatację płynącą z przeprowadzonej analizy sprowadzić można do stwierdzenia, że z nielicznymi wyjątkami w polskim dyskursie prasowym w trakcie pandemii nieobecna była zbiorcza kategoria pracowników niezbędnych lub kluczowych. Nie oznacza to jednak, że o owych pracownikach nie pisano. Zazwyczaj w określeniach zbiorowych odwoływano się do „pracowników pierwszej linii (frontu)" oraz bohaterów. Dobrą ilustracją tego zjawiska, pokazującą również, kogo dziennikarze wliczali do tych grup, są apele związane z dwoma wspomnianymi już medialnymi akcjami podziękowań.

W artykule inicjującym akcję portalu niezależna.pl czytamy:

> Ruszamy z akcją #DziękujemyZaOdwagę! Podziękujmy bohaterom w czasach walki z epidemią! (…) Pracują, często z narażeniem własnego zdrowia, po to, by całe otoczenie mogło funkcjonować normalnie. Właśnie dzięki nim możemy zrobić zakupy, wykupić leki czy dojechać do wspomnianego sklepu, czy apteki. To oni, zwykli bohaterowie dnia codziennego (niezalezna.pl, 17.03.2020).

Następnie cytowana jest wypowiedź Michała Rachonia, redaktora TVP, który wymienia „kluczowe prace, bez których ta walka [z pandemią] skazana byłaby na niepowodzenie". Obok lekarzy i pielęgniarek mowa jest o farmaceutach, pracownikach aptek, policjantach, żołnierzach, pilotach i osobach obsługujących loty, a także kierowcach komunikacji publicznej, kurierach i pracownikach centrów logistycznych, dostawcach jedzenia i innych produktów do sklepów oraz sprzedawcach. Podkreślono w wypowiedzi, że to właśnie dzięki pracy tych wszystkich osób możliwe jest „normalne funkcjonowanie".

Druga akcja tytułowana hasztagiem #BrawaDlaWas zainicjowana została z okazji obchodzonego 7 kwietnia Światowego Dnia Zdrowia i miała na celu wyrażenie wdzięczności węższej już grupie pracowników medycznych poprzez minutę braw. Akcja ta organizowana była na wzór podobnych, początkowo oddolnych i spontanicznych działań poza granicami Polski. W krótkich tekstach zachęcających do wyrażenia wdzięczności brawami, redaktorzy naczelni poszczególnych mediów odwoływali się do odwagi, bohaterstwa i poświęcenia pracowników „pierwszej linii frontu walki z pandemią". Wprost wymieniani są lekarze, pielęgniarki, ratownicy medyczni, laboranci, których zbiór domknięty jest figurą „całego białego personelu". Są oni określani m.in. jako „ludzie wyjątkowi", „nasi współcześni bezimienni bohaterowie" i „absolutni bohaterowie naszych czasów". Ostatecznie akcja odbyła się ponad politycznymi podziałami i włączyli się w nią rozmaici przedstawiciele zarówno rządu, jak i opozycji.

To właśnie doświadczenia pracowników zawodów medycznych były najczęściej opisywane w analizowanej prasie, jednak dyskurs o bohaterstwie, choć obecny, nie był jedynym; nie zawsze ma też pozytywne konsekwencje, o czym piszemy w dalszej części rozdziału.

W analizowanym materiale uwagę zwraca opisana już przez innych badaczy militaryzacja języka, w którym pisano i wypowiadano się o radzeniu sobie z pandemią (Khan i in., 2021). Oprócz pierwszej linii, zazwyczaj dookreślanej jako: frontu, walki, obrony i ognia, liczne były odniesienia do pracy jako udziału w wojnie. Podczas gdy dziennikarze i komentatorzy koncentrowali się na hero-izmie uczestniczących w „wojnie z wirusem", w przywoływanych przez prasę wypowiedziach przedstawicieli zawodów medycznych militarny język i metafory wskazywały również na jej ciemne strony.

– My się czujemy jak mięso armatnie, za chwilę nie będzie miał kto pracować na oddziałach, bo pielęgniarki ucieknę lub zachorują (GW, 30.03.2020).

Mazowiecki Szpital Wojewódzki w Radomiu. (…) To mała Radomska Syria. (…) Obok gruzu (bo tam trwał remont) leżą worki z materiałem biologicznie niebez-piecznym. (…) Średnia umieralność na oddziale neurologii 2 worki / dobę. Zostało 3 lekarzy. Większość pielęgniarek zakażona (…) Praca w warunkach totalnego ska-żenia biologicznego, bez należytego zabezpieczenia. Kończą się nam środki ochrony osobistej. (…) Nie mam już siły płakać. To jest drugie Kosowo, któremu przygląda się świat. Błagam o pomoc, nie dla siebie, tylko dla tych, o których zapomniał kraj. Polsko! Gdzie jesteś?! (GW, 13.04.2020).

Ostatni z przytoczonych fragmentów jest również przykładem częstego two-rzenia artykułów na podstawie wpisów pracowników ochrony zdrowia umiesz-czanych w mediach społecznościowych. Najpopularniejsze wpisy, często udostęp-niane przez setki, a nawet tysiące użytkowników internetu, przykuwały uwagę mediów, które przytaczały je w całości, dodając mający przyciągnąć uwagę tytuł. Np. „Poruszające wyznanie pielęgniarki: nigdy nie wiem, czy po dyżurze wrócę do domu" (Fakt, 9.04.2020).

W opisach pracy personelu medycznego, zwłaszcza na początku pandemii, podkreślane są przede wszystkim braki sprzętu i środków ochronnych osobi-stej oraz bardzo złe warunki pracy potęgujące wynikające z pandemii zagrożenie zdrowia i życia medyków. Czasami powaga zagrożenia zestawiana jest ze sto-sunkowo niskimi zarobkami, na jakie mogą liczyć np. pielęgniarki czy diagności. W kontekście złych warunków pracy krytykowana jest ogólna zapaść systemu ochrony zdrowia i niewydolność NFZ, a jednocześnie podkreślana jest zaradność pracowników, którzy dosłownie biorą sprawy w swoje ręce i np. kleją maseczki (Fakt, 27.03.2020).

Wraz z rozwojem pandemii i coraz większym obłożeniem łóżek szpitalnych oraz rosnącą liczbą przypadków COVID-19 w odizolowywanych od świata do-mach opieki społecznej pojawił się temat przymusowego oddelegowania do pracy pracowników medycznych, które stało się możliwe na mocy specustawy o przeciwdziałaniu COVID-19 z 2 marca 2020 r. W kontekście przymusu pracy i ewentualnej jej odmowy media zachowywały się ambiwalentnie. Z jednej strony wskazywano na bezduszność przepisów, które pod groźbą kary zobowiązywały do podjęcia pracy w wyznaczonym przez wojewodę miejscu, nawet w przypadku ewidentnych pomyłek i np. delegowania osób samodzielnie opiekujących się dziećmi. Cytowano też wypowiedzi zaniepokojonych medyków:

Na pewno jako lekarze nie jesteśmy z tych zapisów zadowoleni. Nie dlatego, że nie chcemy pracować, tylko dlatego, że jesteśmy nią całkowicie ubezwłasnowolnieni. Możemy być rzuceni do walki na froncie, choć brakuje tam podstawowego zabezpieczenia. Każe się nam walczyć ze śmiercionośnym wirusem, bez żadnej gwarancji zachowania bezpieczeństwa. Owszem, możemy się upomnieć, ale nawet jeśli nie dostaniemy środków ochrony indywidualnej i tak musimy realizować świadczenia – stwierdził lekarz (Fakt, 28.03.2020).

Z drugiej strony pojawiła się seria artykułów na temat pracowników medycznych, którzy nie pracowali w trakcie pandemii. Ich decyzja określana była mianem ucieczki, a oni sami nazywani byli dezerterami. Pojawiają się głosy dyscyplinujące – często pochodzące od samych lekarzy – umniejszające czy wręcz negujące powody decyzji o niepodejmowaniu ryzyka.

– Mnie jest za nich wstyd. Jak ktoś wybiera zawód strażaka, to nie może uciekać przed ogniem. Lekarz, który dezerteruje, kiedy jest epidemia, dyskwalifikuje się jako lekarz (…) Rozumiem, że ktoś może mieć trudną sytuację osobistą, ale opowiadanie o braku zabezpieczeń to mydlenie oczu. Jest jeszcze powinność.

(…) przykro było patrzeć, jak tyle pielęgniarek i lekarzy ucieka na chorobowe. I w jakim położeniu zostawali kolegów? Słowo daję, salowe wykazały się u nas większym męstwem i solidarnością – słyszymy od dyrektora w innym szpitalu (GW, 28.04.2020).

To stan wyższej konieczności, więc nieważne, że ktoś chciał robić operacje zaćmy, a nie walczyć na pierwszej linii frontu. Teraz jest wojna. Wojna biologiczna. Ważne jest to, że jesteśmy lekarzami – dodał dr Bartosz Fiałek (Fakt 28.03.2020).

Uwagę zwracają też głosy personelu medycznego, które wskazują na ponadproporcjonalne ryzyko ponoszone przez pielęgniarki.

Jesteśmy bezradne. Nikt nie dba o nasze bezpieczeństwo. Nie mamy maseczek, gogli i kombinezonów. Lekarze ograniczają kontakt z pacjentami do minimum, my za to jesteśmy wysunięte na sam przód (GW, 23.03.2020).

(…) średni wiek pielęgniarki to 53 lata. Wiele ma nadciśnienie, cukrzycę. Nie ma się co dziwić, że się boją, kiedy młodsze wzięły opiekę nad dziećmi. Zwłaszcza że pielęgniarki są dużo częściej i dłużej przy chorych niż lekarze. Są szpitale, w których lekarze w ogóle nie chcą wychodzić z dyżurki. Napisali na drzwiach „strefa czysta" i zamknęli. Każą przez telefon opowiadać sobie o stanie chorych, a podbite zlecenia podają przez szparę (GW, 28.04.2020).

Pracownicy medyczni, którzy pomimo wielu niedogodności i dużego zagrożenia pozostali na swoich stanowiskach czy nawet podjęli pracę w miejscach, gdzie ich najbardziej potrzebowano, nie zawsze jednak traktowani byli jako bohaterowie. Analizowana prasa regularnie donosiła w alarmującym tonie o kierowanych w stronę pracowników ochrony zdrowia przypadkach dyskryminacji i agresji, określanej mianem „hejtu".

Mimo swojego poświęcenia personel medyczny doświadczył brutalnego hejtu ze strony sąsiadów, klientów sklepów, pasażerów komunikacji. Pielęgniarki z gdańskiego hospicjum usłyszały, że są niebezpieczne dla otoczenia, bo roznoszą wirusa. W Skarżysku-Kamiennej pielęgniarki ze szpitala spotkały się z hejtem w internecie, a potem w realnym świecie. Męża jednej z nich wyrzucono ze sklepu (GW, 27.05.2020).

Jednak zanim pojawiły się tytuły artykułów, takich jak „Hejt na medyków" (GW, 11.05.2020), „Nie chcą się bawić z dziećmi lekarzy" (Rp., 6.05.2020), „Piekarnia z Poznania nie chciała obsługiwać lekarzy. (…)" (GW, 5.05.2020), w tych samych gazetach pojawiały się artykuły z wymownymi tytułami „Służba zdrowia nas rozchoruje? (GW, 12.03.2020) czy „Koronawirusem najłatwiej się zakazić w szpitalu. 17 proc. zakażonych to lekarze i pielęgniarki" (GW, 04.04.2020), w których można było przeczytać np. o tym, że:

Spośród ponad 3 tys. osób, u których potwierdzono zakażenie koronawirusem, aż jedna szósta to lekarze i pielęgniarki. Zakażają się od chorych, by potem zakażać kolejnych i siebie nawzajem. Jak tak dalej pójdzie, nie będzie komu leczyć (GW, 04.04.2020).

Na rozdźwięk pomiędzy dyskursem o heroizmie i bohaterstwie a nieprzyjemnymi doświadczeniami uwagę w mediach zwracali przede wszystkim sami zainteresowani i ich reprezentanci ze związków zawodowych, co znajduje również potwierdzenie w zebranych przez nas wywiadach fokusowych (por. rozdz. 3).

Najpierw byłyśmy bohaterkami, teraz spotykamy się z ostracyzmem. Sąsiedzi przestali się kłaniać nam i naszym rodzinom, wymieniać serdeczności. Zamiast tego przebijają opony, oblewają samochody farbą, zostawiają niewybredne kartki typu: „Zarazo, wynieś się stąd!" (GW, 12.05.2020).

Dostajemy brawa na balkonach rano, a wieczorem oddelegowanie na inny oddział. Powszechny szacunek w memach, a pogardę w sklepie. Maseczki od prywatnych sponsorów, a od pracodawców zapewnienie, że ochrona nie jest w sumie potrzebna (GW, 12.04.2020).

Jak wskazuje szereg badań, dyskurs o heroiczności i bohaterstwie niezbędnych pracowników medycznych okazuje się problematyczny na wielu poziomach, nie tylko w Polsce. Analizując wypowiedzi pielęgniarek (Mendes i in., 2022), artykuły prasowe (Boulton i in., 2022) czy sztukę i społeczne akcje mające na celu wyrażenie wdzięczności pracownikom opieki zdrowotnej (Cox, 2020; Einboden, 2020), badaczki zgodnie wskazują na dużą ambiwalencję, z jaką się on wiąże. Dyskursywna figura bohaterskiej pielęgniarki czy lekarza przeniknęła nie tylko do języka opisującego pandemię, ale również popkultury, czy to przez internetowe memy (Dojwa-Turczyńska, Wolska-Zogata 2020), czy też murale (m.in. w Gdańsku, Warszawie i Polkowicach). Choć niewątpliwie tego rodzaju działaniom towarzyszyły dobre intencje, zdaniem badaczek ich długoterminowe skutki niekoniecznie są pozytywne. Co problematycznego kryje się zatem w dyskursie o heroiczności i bohaterstwie pracowników medycznych?

Bohater czy bohaterka to osoby, które zachowują się heroicznie, czyli po pierwsze – dobrowolnie robią coś, co nie jest od nich wymagane; po drugie – są w pełni świadomi ryzyka (fizycznego, materialnego czy symbolicznego), które się z ich działaniem wiąże, ale pomimo tego decydują się na nie (Cox, 2020). Cox wskazuje na trzy główne problemy wynikające z koncentracji w dyskursie na bohaterskości pracowników opieki zdrowotnej. Po pierwsze, narracja o bohaterskości usuwa w cień dyskusję o warunkach pracy w zawodach medycznych oraz nieoczywistych przecież granicach obowiązku opieki (*duty of care*). Jedynie mniejszość pracowników ochrony zdrowia świadomie zdecydowała się przed pandemią pracować z potencjalnie groźnymi dla nich chorobami zakaźnymi. Potrzebna jest zatem dyskusja o tym, co – i jakim kosztem – mogą i powinni poświęcać medycy niespecjalizujący się w chorobach zakaźnych.

Po drugie, taka narracja pomija kwestię wzajemności, która jest częścią swoistego kontraktu społecznego zawartego między pracownikami ochrony zdrowia i społeczeństwem. Jak wylicza Cox (2020), na wzajemność w zamian za podejmowanie przez medyków trudów i ryzyk związanych z pracą w ochronie zdrowia składają się zarówno obowiązki państwa (systemu), jak i społeczeństwa. Należą do nich m.in. obowiązek opieki i ochrony, godziwe pensje, uznanie trudu i niebezpieczeństwa ich pracy, informowanie o istniejących ryzykach, zapewnienie szkoleń i niezbędnych zasobów, wsparcie psychologiczne czy opieka nad rodzinami w przypadku śmierci związanej z pracą. Obowiązki społeczeństwa to z kolei inwestowanie w system opieki zdrowotnej (m.in. poprzez płacenie podatków i wybór władz dbających o usługi publiczne) oraz trzymanie się zaleceń medyków w trakcie pandemii (m.in. zachowywanie niezbędnego dystansu społecznego czy noszenie maseczek – Cox, 2020). Dyskurs o bohaterskości i heroiczności pracowników opieki zdrowotnej utrudnia jednak rzeczowe podejście do powyższych kwestii. Jak pisze:

Narracja publiczna, która koncentruje się na indywidualnym bohaterstwie, nie uwzględnia znaczenia zasady wzajemności. Indywidualny heroizm nie stanowi solidnej podstawy, na której można budować systematyczne działania w obliczu pandemii: konieczne jest uznanie odpowiedzialności instytucji opieki zdrowotnej i ogółu społeczeństwa. (…). Relacje medialne, które wychwalają heroizm pracowników służby zdrowia, odwracają uwagę od kluczowego znaczenia, jakie ma zapewnienie wypełniania wzajemnych zobowiązań społecznych wobec pracowników służby zdrowia; jak zauważa Reid, obowiązek szlachetnego samopoświęcenia wydaje się nie do pogodzenia z naleganiem [przez pracowników systemu opieki zdrowotnej] na otrzymanie odpowiedniego wyposażenia ochronnego (Cox, 2020: 512).

Wreszcie po trzecie, taki kształt dyskursu może negatywnie wpływać na psychiczny stan pracowników ochrony zdrowia, o czym piszą oni sami (Boulton i in., 2022; Einboden, 2020). Jak już wspomniano, heroiczność wymaga czynów ponad to, co jest oczekiwane. Problem rodzi się, gdy wszyscy pracownicy medyczni opisywani są jako bohaterowie i bohaterki, ponieważ wywiera to na nich dużą psychiczną presję i zabiera przestrzeń do wyrażania emocji, strachu i obaw. Co więcej, analiza polskiej prasy potwierdza, że odmowa ryzykownej pracy grozi swoistego rodzaju stygmą i potępieniem ze strony części społeczeństwa, w tym innych medyków. W polskim kontekście ważnym nawiązaniem do poruszonych kwestii jest krytyczne w swoim wydźwięku *Oświadczenie Zarządu Krajowego Ogólnopolskiego Związku Zawodowego Lekarzy w sprawie wdzięczności i wiarygodności*. W oświadczeniu, a raczej apelu opublikowanym na początku pandemii (8.04.2020) w odpowiedzi na akcję podziękowań z okazji Światowego Dnia Zdrowia, czytamy m.in.:

> W związku ze słowami wdzięczności i uznania, kierowanymi w dniu wczorajszym pod adresem pracowników ochrony zdrowia przez polityków niemal wszystkich ugrupowań, również przez Premiera RP, Zarząd Krajowy OZZL wyraża opinię, że – chociaż słowa te z pewnością cieszą wszystkich medyków – to jednak nie są one w stanie przesłonić faktu, iż ochrona zdrowia i jej pracownicy od 30 lat traktowani są w III RP w sposób niezwykle lekceważący przez wszystkie kolejne rządy, z obecnym włącznie. (…) Zarząd Krajowy OZZL wzywa polityków aby słowa wdzięczności i uznania, kierowane w tych dniach do pracowników publicznej ochrony zdrowia, UWIARYGODNILI podjęciem następujących działań (…).

W dalszej części apelu wymieniane są konkretne postulaty m.in. zmiany prawne oraz podniesienie nakładów na publiczną służbę zdrowia do 6,8% PKB. Co istotne, powyższy apel, choć skierowany był również do mediów, został przez nie zignorowany. Jedyne medialne odniesienie, które udało się do niego znaleźć, to artykuł na portalu niezalezna.pl, czyli inicjatora akcji #DziękujemyZaOdwagę!

WNIOSKI

Zaprezentowane w tym rozdziale analizy nad społeczną percepcją i obecnością w polskiej prasie pracowników niezbędnych w trakcie pandemii dają niejednoznaczny obraz tej grupy. Poza nielicznymi wyjątkami, w dyskursie nieobecna była zbiorcza kategoria pracowników niezbędnych lub kluczowych. Znacznie częściej zastępowano ją odwołaniami do działających w stanie wojny bohaterów i bohaterek. Przesunięcie to wiązać można z przyzwoleniem na indywidualizację odpowiedzialności pracowników niezbędnych, a przez to przesłonięciem systemowych zaniedbań. W sytuacji kryzysu decyzje np. o świadczeniu lub odmowie ryzykownej pracy oceniane były pod kątem moralnych zobowiązań pracowników, przy jednoczesnym ignorowaniu niewywiązania się państwa, a często i społeczeństwa z obowiązującej umowy społecznej. Nie oznacza to, że trudne warunki pracy osób na tzw. pierwszej linii nie były przez prasę w ogóle zauważane, jednak konstatacje płynące z tych obserwacji sprowadzały się raczej do symbolicznych wyrazów wdzięczności i solidarności, niepopartych propozycjami zmian czy medialnym lobbingiem na ich rzecz. Należy jednak zaznaczyć, że w przeciwieństwie do medialnej dyskusji nad sposobami ratowania gospodarki w kryzysie (Karolak, 2022), w analizowanych artykułach obecny był głos związków zawodowych reprezentujących niektóre z kluczowych zawodów (tj. pielęgniarki, lekarzy oraz nauczycieli). Można odczytywać to jako próbę wykorzystania przez te grupy siły dyskursywnej (*discursive power)* wynikającej z większego niż przed pandemią zainteresowania mediów danymi tematami, a zwłaszcza ochroną zdrowia (por. Seeliger, Sebastian 2022). Wydaje się to dobrym posunięciem, zwłaszcza w świetle wyników badań CATI, które pokazały, że dominująca większość polskiego społeczeństwa za najbardziej niezbędne w kontekście pandemii uznała właśnie zawody medyczne. Z racji ograniczeń objętości książki nie udało nam się przedstawić szczegółowych wyników analizy dyskursu o pracy nauczycieli, kurierów i pracowników socjalnych, należy jednak zaznaczyć, że pokrywają się one ze społecznym odbiorem niezbędności tych zawodów. Chociaż wciąż przez większość społeczeństwa uznawane są za niezbędne, to jednak w mniejszym stopniu niż zawody medyczne. W prasie zdecydowanie rzadziej pisze się również o warunkach pracy i ewentualnym bohaterstwie tych grup. Prowadzi to do wniosku, że dyskursywnie pandemia okazała się szansą na podkreślenie złych warunków pracy przede wszystkim w zawodach medycznych. Czy długofalowo przełoży się to na konkretne zmiany, wciąż pozostaje pytaniem otwartym. W tym kontekście w kolejnym rozdziale przyjrzymy się temu, jak sami pracownicy uznawani w mniejszym lub większym stopniu za niezbędnych postrzegali przyszłość swojej pracy i grupy zawodowej po doświadczeniu pandemii.

ROZDZIAŁ 3

PRZYSZŁOŚĆ PRACY PO PANDEMII

WPROWADZENIE

Przeprowadzane przez nas badania opierały się na założeniu, że pandemia, uruchamiając różnorodne zjawiska kryzysowe, będzie miała długofalowe konsekwencje dla świata pracy. W niniejszym rozdziale próbujemy odpowiedzieć na pytanie, jakich zmian w sferze pracy spodziewają się sami pracownicy. Jak już wspomniano, w jakościowej części naszych badań, opartej na wywiadach fokusowych, skoncentrowaliśmy się właśnie na perspektywie pracowników, którzy ze względu na charakter wykonywanej pracy byli „niezbędni" dla procesów reprodukcji społecznej w obszarach edukacji, ochrony zdrowia, pomocy społecznej i logistyki. Część z nich całą pandemię pracowała stacjonarnie, inni byli okresowo szczególnie mocno narażeni na kontakt z wirusem. Miejsca wykonywanej przez nich pracy musiały zostać dostosowane do nowych warunków, często zmieniał się jej tryb, intensywność oraz społeczna ocena.

Ze względu na dokonujące się zmiany interesowały nas w szczególności opinie pracowników na temat przyszłości reprezentowanych przez nich grup zawodowych i oczekiwanych, długo- i krótkofalowych efektów pandemii dla ich pracy. Zaprezentowana w niniejszym rozdziale analiza nie obejmuje zatem tego, jak wyglądają obiektywne trendy dotyczące „postpandemicznej pracy przyszłości" (na ocenę taką jest, naszym zdaniem, za wcześnie), skupiając się raczej na subiektywnych percepcjach potencjalnych zmian ze strony samych pracowników.

PRZYSZŁOŚĆ PRACY W POSTPANDEMICZNYM ŚWIECIE: OCZEKIWANIA I PROGNOZY

Dyskusja nad przyszłością pracy ma oczywiście swoją długoletnią i bogatą tradycję, której nie sposób nawet pobieżnie przedyskutować w tym rozdziale. Najintensywniej dyskutowana jest kwestia wpływu na zatrudnienie i bezrobocie różnorodnych zmian technologicznych, w tym automatyzacji produkcji i usług, cyfryzacji czy rozwoju platform internetowych („platformizacji") pośredniczących w zatrudnieniu (Brynjolfsson, McAffee, 2016; Frey, Osborne, 2017). Analizy i raporty poświęcone są również kwestiom takim jak: wpływ zmian technologicznych w sferze zatrudnienia na prawa pracownicze, socjalne i obywatelskie, a także zbiorowe stosunki pracy w efekcie erozji standardowego stosunku pracy w warunkach „ekonomii fuch" (*gig economy*; Crouch, 2019). Jeśli chodzi o rynek pracy, przewiduje się możliwość eliminacji rutynowych, powtarzalnych, dających się ująć w algorytmy prac fizycznych i umysłowych (Adamczyk, Surdykowska, 2018: 472). Jednocześnie zwraca się uwagę na zmianę treści pracy w wyniku cyfryzacji, robotyzacji i „platformizacji", a także tworzenie nowych miejsc pracy opartych na współpracy ludzi i maszyn. Obok powstawania prac wymagających wysokich kwalifikacji, podkreśla się negatywne konsekwencje świadczenia pracy za pośrednictwem platform internetowych: niestabilny dochód i czas pracy, brak kontroli nad czasem pracy, brak gwarancji praw pracowniczych, niepewność zabezpieczeń socjalnych i emerytur, oraz brak dostępu do szkoleń i możliwości rozwoju zawodowego (Neufeind i in., 2018).

W dyskusji na temat przyszłości i przemian pracy w wyniku pandemii COVID-19 akcentowana jest ciągłość i intensyfikacja zjawisk obserwowanych przed jej wybuchem. Ze względu na empiryczny charakter rozdziału wskażemy hasłowo jedynie na kilka z tych tendencji. Po pierwsze, jak wskazywaliśmy w rozdziale 1, kryzys pandemiczny sprzyjał pogłębianiu nierówności społecznych w sferze pracy. Badania prowadzone zarówno w USA (Rothwell, Crabtree, 2021), jak i w Europie (Eurofound, EC, 2021) wskazują, że osoby zajmujące peryferyjne segmenty rynku pracy, a są to statystycznie częściej kobiety, ludzie młodzi, pracownicy migrujący i osoby z mniejszości etnicznych, pracowały częściej na pierwszej linii walki z pandemią (w ochronie zdrowia, opiece społecznej, dostawach jedzenia itp.). Przewidywano, że kryzys pandemiczny przyniesie pogłębienie procesu prekaryzacji zatrudnienia, o ile nie zostaną uruchomione działania na rzecz objęcia zabezpieczeniami socjalnymi nowych kategorii pracujących, np. w „ekonomii fuch" (Bambra i in., 2021). Oczekiwano również, że w świecie postpandemicznym utrwalą się nierówności pomiędzy pracownikami, których praca da się wykonywać zdalnie (wg szacunków Eurofound około 37% pracowników najemnych w Unii Europejskiej), a tymi, którzy muszą ją wykonywać wyłącznie stacjonarnie (Eurofound, EC, 2021; Śledziewska, Włoch, 2021: 241).

Po drugie, spodziewano się wzmocnienia trendów związanych z rozwojem nowych technologii cyfrowych w świecie pracy. Jak wskazaliśmy w rozdziale 1, pandemia przyniosła upowszechnienie pracy zdalnej oraz hybrydowej poza typowymi dla niej obszarami, takimi jak informacja i telekomunikacja (Felstead, 2022). Przeniesienie części zajęć do zdalnego trybu pracy służyć ma odchodzeniu od regularnych i stałych godzin ich wykonywania, sprzyjając powstawaniu „nowej kultury pracy" i rozmywaniu granic między życiem zawodowym i pozazawodowym

(Śledziewska, Włoch, 2021: 238–240). W postpandemicznej przyszłości oczekiwany jest dalszy i przyspieszony rozwój platform internetowych („ekonomii fuch"), a także wielkich korporacji technologicznych (GAFAM – Google, Amazon, Facebook, Apple, Microsoft), które dostarczyły infrastruktury technologicznej w warunkach pandemii (Śledziewska, Włoch, 2021). Nowe technologie były również w warunkach pandemii wykorzystywane na masową skalę do kontroli stanu zdrowia obywateli, co zostało w znacznym stopniu „znormalizowane", czyniąc je jeszcze bardziej przejrzystymi (Chorev, 2021). Dla części pracowników stały się szansą ochrony przed ryzykiem zdrowotnym i umożliwiły wykonywanie pracy zdalnej. Jednak jednocześnie jedną z konsekwencji upowszechnienia się tej ostatniej było pogłębienie i uwypuklenie podziału na pracujących online i offline. Ci ostatni zyskali miano „bohaterów", co – jak wskazaliśmy w rozdziale 2 – było często uzasadnieniem dla ich intensyfikacji pracy. Pozostaje otwartym pytanie, w jakim stopniu „niezbędność" pozostanie trwałym elementem prestiżu zawodowego w warunkach postpandemicznych. Część badaczy wskazuje na przykład, że pandemia sprzyjać może wzrostowi świadomości społecznej znaczenia wysokiej jakości usług publicznych, który przełożyć się może na reformy i odchodzenie od ich systematycznej liberalizacji, komercjalizacji i prywatyzacji (Crouch, 2022).

Po trzecie, w literaturze przedmiotu pojawia się również wątek innowacyjnego potencjału pandemii w zakresie organizacji pracy, który może mieć charakter równie emancypacyjny, jak i odkrywający nowe obszary kontroli nad pracownikami. Analizowane były m.in. innowacje menedżerskie w pracy związane z próbami poradzenia sobie z niepewnością i brakiem reguł działania w sytuacji kryzysowej (Cohen, Cromwell, 2021), a także powstawanie nowych norm w relacjach pracowniczych (Roach Anleu, Sarantoulias, 2022). Wskazywano na wzrost potencjału solidarności i pomocy wzajemnej w warunkach swoistego zawieszenia struktur hierarchicznych (Sitrin, Sembrar, 2020), przy czym kwestią otwartą pozostaje ich trwałość w momencie „powrotu do normalności". Prognozowano również, że rewizji w świecie postpandemicznym będą musiały ulec niektóre z paradygmatów zarządzania zasobami ludzkimi, takie jak „produkcja oszczędna", ze względu na ich rolę w wytwarzaniu nierówności na rynku pracy ujawnionych przez pandemię (Butterick, Charlwood, 2021).

Po czwarte wreszcie – refleksja na temat przyszłości pracy dotyczy problematyki przemian zbiorowych stosunków pracy i protestów pracowniczych w branżach dotkniętych kryzysem pandemicznym. Zauważono, że pandemia sprzyjała w początkowej fazie mobilizacji pracowniczej, która następnie została znacznie ograniczona przez lockdowny. Podkreśla się przy tym, że protesty mogą być kontynuowane po luzowaniu obostrzeń sanitarnych (Chen, Barrett, 2021). W kontekście analizy protestów pracowników ochrony zdrowia i opieki społecznej zauważono, że tendencje do mobilizacji w okresie pandemii będą prawdopodobnie silniejsze w branżach niezbędnych również w kontekście postpandemicznym (Vandaele, 2021). W odniesieniu do dyskusji na temat zbiorowych stosunków pracy, w literaturze przedmiotu kładzie się nacisk na „zależność od ścieżki" (*path-dependency*), wskazując na wpływ kontekstu instytucjonalnego na dialog społeczny między pracodawcami i związkami zawodowymi w warunkach kryzysu pandemicznego (Meardi, Tassinari, 2022).

W poprzednich rozdziałach wskazaliśmy, że przynajmniej część ze wskazanych tendencji rzeczywiście da się odnaleźć w świadomości społecznej badanych i ich doświadczeniach (rozdział 1), jak również w dyskusji medialnej na temat pracy niezbędnej (rozdział 2). W niniejszym rozdziale skoncentrujemy się na opiniach badanych na temat przyszłości ich grup zawodowych w postpandemicznym świecie.

EFEKTY PANDEMII I PRZYSZŁOŚĆ PRACY W DOŚWIADCZENIACH PRACOWNIKÓW

W badaniu zawartym w projekcie COV-WORK wątek przyszłości pracy był poruszany między innymi w ramach zogniskowanych wywiadów grupowych (FGI) realizowanych z osobami reprezentującymi sektor publiczny (edukacja, ochrona zdrowia, pomoc społeczna) i prywatny (logistyka). Zanim przejdziemy do wniosków, należy zwrócić uwagę na charakterystykę pytania zadawanego w scenariuszu FGI. Odnosiło się ono do kwestii przyszłości branży i konkretnej grupy społeczno-zawodowej, którą reprezentowali respondenci i respondentki[22]. Kontekst wynikający z profilu pracowniczego odgrywa istotną rolę przy omawianiu wyników odpowiedzi odnoszących się do kwestii przyszłości pracy m.in. ze względu na charakter dotychczasowych doświadczeń zawodowych oraz specyfikę kryzysu, który uderzył w poszczególne branże.

Odpowiedzi skupiały się przede wszystkim wokół najbliższych przewidywanych zmian i rzadko odwoływały się do perspektywy wykraczającej poza najbliższe lata. Co więcej, część pytań niebezpośrednio odwołujących się do tematu przyszłości pracy wywoływała kwestie, które z tym wątkiem moglibyśmy połączyć. Wśród nich były m.in. kwestie postrzegania pracowników danej branży przez otoczenie społeczne (media, ale też sąsiadów czy mieszkańców ich miejscowości), wpływ wojny w Ukrainie na sytuację w danej branży, zmiany technologiczne, niedobory pracowników, kontekstowo poruszane wątki emigracji zarobkowej pracowników danej branży czy zmiany organizacyjne oraz problemy zbiorowych stosunków pracy.

---

[22]   Por. nota metodologiczna we „Wprowadzeniu".

Przechodząc do szczegółowej analizy odpowiedzi badanych, należy podkreślić różnice pomiędzy poszczególnymi branżami, jak również grupami zawodowymi funkcjonującymi w ich ramach. Im praca bardziej sprekaryzowana (w kontekście takich aspektów jak: forma kontraktu pracowniczego, obciążenie obowiązkami, wynagrodzenia), tym częściej odpowiedzi koncentrowały się wokół perspektyw (bądź raczej ich braku) na zmianę warunków w danym miejscu pracy. W dalszych analizach skupimy się na wybranych wątkach specyficznych dla poszczególnych branż i grup społeczno-zawodowych, jak i tematach dla nich wspólnych, opisujących potoczne wyobrażenia na temat postpandemicznej „przyszłości pracy".

OCHRONA ZDROWIA

We wszystkich przeprowadzonych wywiadach pytaliśmy rozmówców o postrzeganie ich grupy zawodowej w okresie pandemii, nie do końca precyzując, czy chodzi nam o dyskurs medialny, czy okazywanie postaw ze strony najbliższych, sąsiadów czy innych obywateli. Najchętniej do tej kwestii odnosili się pracownicy ochrony zdrowia, którzy szczególnie na początku pandemii spotykali się z oznakami wdzięczności czy szacunku, wyrażanymi zarówno w mediach, jak i przez pracodawców i zwykłych obywateli. Jednak w dużej części przypadków zestawiali te oznaki z ich późniejszą zmianą na gorsze bądź szerszym, wykraczającym czasowo poza pandemię, poczuciem niedocenienia czy wręcz niewdzięcznością. Szczególnie często poruszanym wątkiem była kwestia postaw antyszczepionkowych zestawianych z pierwszymi reakcjami społecznymi po rozpoczęciu pandemii. Temat odbioru społecznego zawodu lekarza czy pielęgniarki można powiązać z odpowiedzią na pytanie o przyszłość branży, czy danej grupy zawodowej, kiedy ta odnosiła się do aspektu istotności wykonywanej pracy i tego, czy pewne postawy utrzymają się po zakończeniu pandemii:

> Agata: Ja też się nie spodziewam, żebym za 5 lat była gdzieś w innym miejscu albo miała jakieś inne środowisko pracy, niż dzisiaj. Podejrzewam, że tak jak... To jest trochę taki balans pomiędzy tym, co my od siebie dajemy. I my bardzo dużo dajemy, o wiele więcej, niż powinniśmy dawać i chyba to się nie zmieni. I w związku z tym *ten system* będzie tak trwał, jak trwa do tej pory (Lekarka, FGI).

W ochronie zdrowia rozmówcy wskazywali przede wszystkim ryzyka, które zaczęły odgrywać rolę już w pandemii, m.in.: (1) już obecne i dalej spodziewane problemy w dostępie do usług i opieki w ramach ochrony zdrowia; (2) przeświadczenie, że nic się nie zmieni w kontekście obciążenia obowiązkami i (zbyt niskiego) wynagrodzenia; (3) ryzyko braku pracowników, szczególnie w przypadku pielęgniarek; (4) w przypadku lekarzy wyrażano przekonanie, że w przyszłości nastąpi dalsze urynkowienie ochrony zdrowia i podporządkowanie mechanizmów budowania kariery logice maksymalizacji zysków (wybieranie bardziej zyskownych specjalizacji, praca w dużych ośrodkach miejskich, emigracja zarobkowa).

Pielęgniarki podkreślały proces szeroko rozumianej profesjonalizacji zawodu, m.in. za sprawą wymagań związanych z wykształceniem wyższym. Została ona przyspieszona i wzmocniona za sprawą kryzysu pandemicznego, kiedy to pielęgniarki z powodu niedoborów pracowników, ale też zmian organizacyjnych (podzielenie i praca w mniejszych zespołach w celu zmniejszenia ryzyka zakażenia), pracowały w podobnym zakresie obowiązków jak lekarze. Pandemia była postrzegana jako moment polepszenia pozycji ich grupy zawodowej, a stawką najbliższych lat stała się kwestia jej utrzymania wewnątrz systemu ochrony zdrowia i w ocenie samych pacjentów.

Ewa: A ja myślę, że my jako pielęgniarki zyskamy, w oczach ogólnie ludzi, bo wiele osób młodych, którzy wcześniej nie mieli kontaktu ze szpitalem, z racji swojego wieku i braku chorób. To nawet zobaczyli, jak wygląda praca pielęgniarek (…) Okazało się, że ta pielęgniarka obsługuje urządzenia, i jest przy tym pacjencie. Podaje mu tlen i więcej się angażuje często niż lekarz. I wiedzę ma też nie mniejszą często. Tak że wydaje mi się, że zyskamy (Pielęgniarka, FGI).

Z drugiej strony kluczowym ryzykiem w branży ochrony zdrowia okazała się kwestia niedoboru pracowników. Nie jest zaskoczeniem, że szczególnie pielęgniarki podkreślały, jak dużym kłopotem jest i będzie brak wystarczającej liczby wykwalifikowanych pracowników.

Marta: Znaczy, ja wiem na pewno, że chyba my dopracujemy i co będzie za lat, nie wiem, 5–10… na pewno pielęgniarek nie będzie. To będą jakieś jednostki. Kto będzie pracował, jak rozwiążą ten problem, nie wiem. Kiedyś w Warszawie były 3 szkoły pielęgniarskie, w tej chwili nie wiem, czy jedna została (Pielęgniarka, FGI).

Co więcej, rozmówcy mieli możliwość wyrażenia swojej opinii na temat spodziewanego wpływu na rynek pracy wojny w Ukrainie. Tu przede wszystkim podkreślano, że o ile pojawienie się lekarzy czy pielęgniarek ukraińskich mogłoby być ulgą dla przeciążonego systemu („Dla nas pracy nie zabraknie"), to problemem może być poziom wykształcenia i umiejętność dostosowania się do wymagań obecnych w polskiej ochronie zdrowia.

W kontekście technologii, oprócz pojawiających się w wywiadach relacji z wprowadzenia innowacji organizacyjnych i technologicznych mających na celu między innymi zmniejszenie ryzyka zachorowania i rozprzestrzeniania się wirusa w trakcie samej pandemii, rozmówcy wskazywali m.in. na dalszy rozwój telemedycyny jako obszaru, który w ostatnich dwóch latach zyskał na znaczeniu jako element systemu dostarczania usług medycznych (Śledziewska, Włoch, 2021: 242).

Co więcej, ważnym wątkiem była też kwestia niezwiązana bezpośrednio z pandemią, a odnosząca się do przemian świadomościowych wśród młodych lekarzy, wśród których, w opinii starszych kolegów, widać więcej postaw nastawionych na wynagrodzenie za pracę, a mniej powszechnych wcześniej aktywności, z których zysk (finansowy czy statusowy) jest przesunięty w czasie.

Tematem powiązanym z przyszłością pracy w danej branży i grupie zawodowej jest również kwestia mobilizacji pracowniczej i protestów, które miały miejsce przed i w trakcie pandemii. W przypadku ochrony zdrowia rozmówcy byli świadomi protestów organizowanych w ostatnich latach[23], ale zarówno w grupie lekarzy, jak i pielęgniarek opinie na ich temat miały negatywny wydźwięk. Przede wszystkim wskazywano na nieskuteczność działań, choć młodzi lekarze i pielęgniarki mówili również o częściowych sukcesach protestów w okresie przedpandemicznym. Grupą nastawioną zdecydowanie negatywnie byli lekarze po specjalizacjach, choć należy podkreślić, że w części placówek, z których rekrutowali się badani, aktywność związkowa była ograniczona. Warto wskazać, że głosy odnoszące się do wpływu potencjalnych protestów na przyszłość analizowanych grup zawodowych dotyczyły przede wszystkim konieczności zmian systemowych i, co interesujące, niekoniecznie wiązały się np.: jedynie z podwyżkami płac. W rozmowach pojawiał się jeden z kluczowych postulatów: podwyżka wydatków z budżetu państwa na ochronę zdrowia do 6,8%, ale mówiono też o lepszym zagospodarowaniu środków, które powinny zostać wydane na m.in. zaopatrzenie szpitali, remonty czy wyżywienie pacjentów.

POMOC SPOŁECZNA

W przypadku pracowników i pracownic domów pomocy społecznej jednym z poruszanych wątków była kwestia powrotu do sposobu wykonywania swojej pracy, jej warunków, organizacji czy zakresu obowiązków z okresu przed pandemią. Branża ta różniła się od ochrony zdrowia, w której obserwowaliśmy zasadnicze zmiany w procesie pracy. W domach pomocy społecznej wprowadzano nowe procedury, ograniczano dotychczasowy zakres działań w celu wyeliminowania ryzyka przeniesienia wirusa, ale sama praca z podopiecznymi (opieka, fizjoterapia, zajęcia terapeutyczne itp.) zasadniczo nie uległa zmianie i w momentach

---

[23] Rozmówcy pytani o protesty branżowe, w przypadku ochrony zdrowia wymieniali Białe Miasteczko – protest okupacyjny przed Kancelarią Prezesa Rady Ministrów od 11 września do 24 listopada 2021 r.

opadania kolejnych fal zakażeń wracała w coraz większym zakresie do tego, co było standardem przed wybuchem pandemii:

> Rafał: Ja osobiście uważam, że wróciliśmy do codzienności i nasza praca aktualnie nie odbiega niczym od momentu sprzed pandemii. I o ile widzę zmiany w środowisku swoich przyjaciół, znajomych, jeżeli chodzi o pracę korporacyjną, przejście na pracę hybrydową, dużo więcej spotkań online, et cetera, et cetera, o tyle w naszym przypadku, oprócz tego, o czym powiedział przed chwilą pan Lech, mi się wydaje, że niespecjalnie się coś może zmienić (FGI, fizjoterapeuta).

Nie był to jedyny wątek, wokół którego skupiała się dyskusja na temat spodziewanych zmian. Kolejnym, podobnym do wywiadów w ochronie zdrowia tematem była kwestia obecnego i spodziewanego w przyszłości niedoboru pracowników (m.in. ze względu na coraz mniejsze zainteresowanie pracą w zawodzie osób młodych):

> Edyta: Bardziej chyba [zmiana – AM] na gorsze, tak, jeśli chodzi właśnie o personel. Na przestrzeni ostatnich iluś tam, paru lat, jeśli chodzi na przykład o pielęgniarki, w DPS-ach ubyło ileś tam etatów. I to gdzieś około 3000 się mówiło. I tu nic nie idzie, żeby to się coś zmieniło w lepszym kierunku. Niby się jakieś tam rozmowy czynią, żeby to zmienić, żebyśmy przeszły od NFZ, ale na razie cisza (FGI, pielęgniarka).

W powyższym cytacie, oprócz informacji o spodziewanych brakach w personelu, interesującą kwestią jest wskazanie na pielęgniarki pracujące w branży pomocy społecznej, które zajmują specyficzną pozycję w strukturze zawodowej tej części sektora usług publicznych. Pomimo wykonywania obowiązków pielęgniarskich nie są częścią ochrony zdrowia, a co za tym idzie, ich zatrudnienie nie jest finansowane w ramach Narodowego Funduszu Zdrowia. Ma to szczególne znaczenie w kontekście dwóch czynników wpływających na ocenę pracy, jak i jej przyszłości: rozwoju kadr i wynagrodzeń. Te ostatnie w przypadku etatów pielęgniarskich w pomocy społecznej są niższe od etatów w ochronie zdrowia. Co więcej, w okresie pandemii pielęgniarki w pomocy społecznej (jak i reszta pracowników) nie były objęte wsparciem finansowym w postaci dodatków covidowych. Mogły jedynie liczyć na lokalnie przyznawane, zwykle niższe niż w ochronie zdrowia dodatki samorządowe czy premie. Pandemia doprowadziła do intensyfikacji pracy i wzrostu ryzyka zdrowotnego, co przy braku wzrostu płac prowadzić będzie, zdaniem rozmówców, do dalszych niedoborów pracowników.

Mówiąc o przyszłości swojej grupy zawodowej, nasi rozmówcy i rozmówczynie nawiązywali również do kryzysu wojennego i uchodźczego w Ukrainie. W ich rozumieniu mógłby on zwiększyć liczbę osób zainteresowanych pracą w pomocy społecznej, a równocześnie stworzyć konkurencję z pracownikami z Polski.

Kolejnym wątkiem związanym z przyszłością pracy jest spodziewany dalszy rozwój wsparcia technologicznego procesu pracy w przypadku domów pomocy społecznej. W jednym z wywiadów pojawił się wątek wprowadzonego jeszcze przed pandemią programu SupraCare, który ma na celu usprawnienie w duchu zarządzania oszczędnego (*lean management*). Istotą programu jest wspomagane komputerowo organizowanie działań pracowników (m.in. poprzez przypisanie im konkretnego okresu na wykonanie danego zadania) oraz monitorowanie i kontrolowanie wykonanych zadań. Badani wypowiadali się na ogół pozytywnie o programie, choć krytykowali jego „sztywność". W okresie pandemii nastręczył on dużych trudności, bo okazał się znacznie mniej elastyczny w momencie wprowadzenia nowych, wydłużających czas realizacji, procedur. Stąd też podjęte decyzje o jego ograniczeniu, np.: dano pracownikom możliwość autonomicznego kolejkowania zadań w programie, co wcześniej było niemożliwe. Niezależnie od krytyki zarządzania oszczędnego w pomocy społecznej, m.in. ze względu na jego negatywny wpływ na jakość świadczonych usług (Baines i in., 2014), można przypuszczać, że ze względu na spodziewane oszczędności system ten upowszechni się również w Polsce, a doświadczenia pandemii służyć będą jego doskonaleniu.

Innym, niezwiązanym bezpośrednio z pandemią aspektem zmian są reformy systemowe, mające charakter modyfikacji o charakterze strukturalnym, zmieniające nie tylko pole działania samych domów pomocy społecznej, ale również transformujących rozumienie tej usługi publicznej. Chodzi przede wszystkim o rozwinięcie wachlarza usług składających się na proces deinstytucjonalizacji, którego celem (przynajmniej oficjalnie) jest skrócenie dystansu między podopiecznymi a opiekującymi się nimi pracownikami pomocy społecznej. Wśród rozwiązań wskazywanych przez naszych rozmówców były m.in. rodzinne domy społeczne, mieszkania wspomagane, wprowadzenie asystentury, czyli rozwiązania mające odciążyć i być może docelowo zastąpić większe instytucje, którymi w polskim systemie są domy pomocy społecznej. Wskazywano również na pojawienie się zawodu opiekuna medycznego, który według naszych badanych może być „zagrożeniem" dla pielęgniarek w DPS-ach, dla których wydaje się atrakcyjną alternatywą z perspektywy zarządczej.

W przypadku pracowników domów pomocy społecznej, w przeciwieństwie do ochrony zdrowia, w fokusach nie pojawiły się głosy negujące protesty. Różnie oceniano ich skuteczność, ale samo działanie było uznawane za potrzebne i właściwe. Pracownicy pomocy społecznej dostrzegali w udziale w tego rodzaju inicjatywach szansę na zbudowanie sojuszy na przyszłość, nawet jeśli nie widzieli dużych szans na realizację ich teraźniejszych postulatów.

LOGISTYKA

Ze względu na kwarantannę i zamknięcie części gastronomii i handlu w pierwszych tygodniach pandemii, a także konieczność zapewnienia ciągłości łańcuchów dostaw dla przemysłu i usług, branża logistyczna okazała się kluczowa zarówno dla zaspokojenia potrzeb gospodarstw domowych, jak i funkcjonowania gospodarki. Pandemia przyspieszyła „cyfryzację" klientów i rozwój branży e-commerce (Śledziewska, Włoch, 2021: 232–237), co przełożyło się na zwiększanie liczby zamówień i popyt na pracę w branży. Kryzys pandemiczny doprowadził też do intensyfikacji pracy w wielu obszarach logistyki, m.in. w przypadku kurierów czy pracowników centrów logistycznych. Nie przełożyło się to jednak na znaczący wzrost wynagrodzeń m.in. ze względu na powszechność prekaryjnego zatrudnienia i dopływ nowych pracowników do pracy w logistyce z zamykanych branż, np. z gastronomii (Polkowska, 2021). O intensyfikacji pracy mówili w wywiadach fokusowych zarówno dostawcy jedzenia czy paczek, jak i pracownicy fizyczni magazynów; w przypadku pracowników administracyjnych sytuacja była mniej jednoznaczna, ponieważ część z nich przeszła na pracę zdalną, a część pracowała w zmniejszonym wymiarze czasu pracy.

Zapytani o przyszłość ich branży i grupy zawodowej, respondenci formułowali m.in. oczekiwania wobec wzrostu wynagrodzeń. Im gorsze warunki, tym bardziej negatywna prognoza zmian i skupienie się na szansach (bądź ich braku) na poprawę.

Lech: Obserwuję rynek aktualnie, jeżeli chodzi o inną działalność firm m.in. właśnie przewozu osób czy to Uber, czy Bolt i widzę to, co się dzieje. To są nieludzkie warunki zarobków, nieludzkie warunki pracy. Patrząc na stawki, jakie wychodzą na czysto licząc sobie średnie zużycie samochodu na ten dystans i też koszt dojazdu do kolejnego zlecenia, i raczej sądzę, że ta branża idzie w kierunku niewolnictwa niestety współczesnego (FGI, dostawca jedzenia).

Branża logistyki ze wszystkich badanych w projekcie była najbardziej objęta zaawansowanymi procesami automatyzacji, cyfryzacji i uzależnienia od zaawansowanych technologii już w okresie przed pandemią. Być może z tego powodu, oprócz nielicznych wyjątków (kwestia dronów kurierskich), technologia jako taka nie była problematyzowana przez rozmówców i funkcjonowała w charakterze przyjmowanego za oczywisty kontekstu wykonywanej pracy. Z drugiej strony wskazywali oni, że duża część procesu pracy nadal jest wykonywana przez ludzi, których nie da się w oczywisty sposób zastąpić. Kurierzy na przykład zauważali, że drony, jako sztandarowy projekt nowych technologii w branży dostarczania towarów, będą miały ograniczoną rolę ze względu na gęsty charakter zabudowy miejskiej i zróżnicowane rozmiary paczek.

Marcin: Dopóki drony nie będą przesyłek doręczać, nic się nie zmieni, może zmienić nam się sprzęt, a nic więcej się nie zmieni. Będziemy mieli więcej pracy, bo coraz więcej ludzi będzie przekonanych. Jest wymóg straszny i ciśnienie społeczne na usługi kurierskie (FGI, kurier).

Zbyszek: Poszczególną paczkę, jako usługę jakaś firma, ja rozumiem, że jedną, ale żeby zastąpić człowieka nie ma szans, a np. kolegę z poczty jak tonę węgla ciągnie to dronem? Pewnych tematów nie przeskoczymy (…) (FGI, kurier).

W fokusach z pracownikami centrów logistycznych jest już wyraźnie mowa o automatyzacji i robotyzacji jako zjawiskach obecnych bądź spodziewanych. Trzeba jednak przyznać, że inaczej niż w przypadku wypowiedzi pracowników Amazona (Alimahomed-Wilson, Reese, 2021), nowe, zapośredniczone technologicznie formy nadzoru w miejscu pracy nie były problematyzowane przez rozmówców. Traktowali je oni jako „neutralne" narzędzia („Nie zwracam na to uwagi".), których funkcja kontrolna aktywowana może być dopiero w momencie ewentualnych naruszeń w miejscu pracy.

W wywiadach pojawiły się również wątki związane z konsekwencjami wojny w Ukrainie. Zauważono, podobnie jak w innych branżach, że na polski rynek trafiła potencjalnie duża liczba nowych kandydatów do pracy. Co więcej, w związku z sankcjami formułowano przypuszczenia na temat relokacji centrów logistycznych z Ukrainy i Rosji do Polski.

W przypadku branży logistycznej kwestia potencjału mobilizacyjnego ma bardzo zróżnicowany charakter. Fokusy zostały przeprowadzone z różnymi grupami zawodowymi, a kształt zbiorowych stosunków pracy w ramach relacji poszczególnych kategorii z pracodawcami skrajnie się różnił: od działalności tradycyjnych central związkowych (centra spedycyjne) po zupełny brak przedstawicielstwa (kurierzy platformowi). W wypowiedziach kurierów (zarówno platformowych, jak i paczkowych) kwestia potencjalnej mobilizacji była rozpatrywana w kontekście potrzeby regulacji relacji między pracownikami a szeroko rozumianym pracodawcą. Rozmówcy widzieli potrzebę samoorganizacji pracowniczej. Nie łączyli jej jednak bezpośrednio z uzwiązkowieniem, a raczej z budowaniem nieformalnych sieci wsparcia pomiędzy pracownikami (kurierzy platformowi). Kurierzy paczkowi byli jeszcze bardziej sceptyczni wobec organizacji związkowych i podkreślali zindywidualizowany charakter relacji z pracodawcą. W przypadku centrów logistycznych sytuacja była bardziej złożona i w porównaniu do kurierów bardziej prozwiązkowa. Wydaje się, że było to spowodowane działalnością związków w tej części branży, m.in. w Amazonie, Poczcie Polskiej czy w centrach spedycyjnych w transporcie lotniczym i kolejowym.

EDUKACJA

Po wybuchu pandemii szkolnictwo przeszło drastyczną zmianę w organizacji procesu pracy, charakteryzującą się przede wszystkim czasowym przechodzeniem ra nauczanie zdalne, do którego w okresie przed pandemią nie było w żaden sposób przygotowywane (Zahorska, 2020). W naszych badaniach skupialiśmy się na perspektywie nauczycieli, ale wszyscy aktorzy społeczni zaangażowani w ten proces (uczniowie, rodzice, zarządzający, pracownicy techniczni) mierzyli się z nowymi, nieznanymi wcześniej wyzwaniami.

Spośród wszystkich badanych grup nauczyciele najwyraźniej akcentowali systemowy i chroniczny charakter problemów, które ich dotykały. Podkreślali, że ich stanowiska obejmują zbyt wiele obowiązków w stosunku do oferowanych przez pracodawców warunków pracy i wynagrodzeń. Zauważali, że brakuje chętnych do pracy w szkołach ze względu na niskie płace i spadek prestiżu zawodu. Pytani o przyszłość edukacji, część z nich rozpoznawała w zmianach technologicznych wprowadzanych na bardzo szeroką skalę w okresie pandemicznym zagrożenie dla roli nauczyciela w procesie nauczania.

> Gabriela: (…) To jest ginący zawód. (…) Myślę, że jednak technologia wejdzie, szeroko, że właśnie te kombinacje, zmiany w pensum nie pokryją tych luk spowodowanych odejściem nauczycieli i że siłą rzeczy będzie bardzo dużo takich sposobów nauczania online. Jak teraz się spotykamy. Kontakt będzie jednak przez technologię. Tak czy inaczej (FGI, nauczycielka dyplomowana).

Technologia przedstawiana była przez rozmówców nie tylko jako przejście na nauczanie zdalne, ale też szerzej – wsparcie technologiczne w realizacji celów edukacyjnych. Nauczyciele wydawali się przekonani, że zmian związanych z coraz powszechniejszym wprowadzeniem technologii do procesu nauczania nie da się cofnąć, ale mimo to podkreślali, że nie da się w pełni zastąpić relacji między nauczycielem a uczniem wprowadzeniem nauczania przez lub za pośrednictwem komputera. To w tej relacji widzieli źródło formowania postaw i kompetencji potrzebnych do budowania więzi społecznych. Obok dostrzegania zagrożeń dla jakości nauczania i pracy zawodowej, część z rozmówców wskazywała jednak, że wsparcie komputerowe i nauczanie zdalne może mieć pozytywny wpływ na możliwość przekazywania informacji i weryfikacji postępów po stronie uczniów.

Co interesujące, badani wiązali kwestię wprowadzania nowych rozwiązań technologicznych z postępującym procesem podziału na szkoły prywatne i publiczne, przypisując tym pierwszym większą specjalizację i wyższy poziom zaawansowania tego procesu. W tej wizji ważną rolę odgrywają nierówności społeczne:

Basia: Mam taką wizję, że będzie kryzys, że nie będzie w większych miastach nauczycieli, już ten kryzys się zaczyna i może być problem z nauczaniem państwowym. Ci, co będą mieli pieniądze, to po prostu wyślą dzieci do szkół prywatnych, ewentualnie przejdą na edukację domową. A ci, co nie będą mieli pieniędzy, to będą mieli problem. Bo braki kadrowe w dużych miastach już są bardzo odczuwalne, szczególnie na przykład w stolicy, jeżeli chodzi o nauczycieli matematyki, chemii, fizyki, czyli ścisłych przedmiotów (FGI, nauczycielka kontraktowa).

W tle rozważań jest również obecny problem związany z brakiem nauczycieli, co ponownie upodobnia tę branżę do reszty sektora publicznego. Zebrane wywiady świadczą o tym, że oprócz niekorzystnych warunków płacowych, negatywne doświadczenia z okresu pandemii, w tym napięcia związane z pracą zdalną, przyczyniły się do odpływu kadr.

W wątku dyskusji o przyszłości pracy pojawiały się również odwołania do wpływu wojny w Ukrainie na sytuację w polskich szkołach. Badani podkreślali, że mają doświadczenie pracy z uczniami ukraińskimi i na ich bazie projektowali spodziewane zmiany oraz, co równie istotne, dyskutowali o możliwych przeobrażeniach organizacyjnych (m.in. specjalne klasy dla dzieci ukraińskich, dedykowani nauczyciele). Wskazywali, że samo pojawienie się uczniów innej narodowości wiąże się z nowymi wymaganiami. Z drugiej strony część badanych widziało w tym szansę na wywarcie większej presji na zarządzających edukacją, co może spowodować polepszenie sytuacji ekonomicznej pracowników. Można tu swoją drogą wysunąć tezę, że ta konkretna branża jako pierwsza z naszej kolekcji „wchodzi" w nowy kryzys, nie do końca wychodząc z poprzedniego.

Pojawiająca się krytyka wobec warunków pracy, szczególnie w wymiarze płacowym, nie ma prostego przełożenia na oczekiwania protestów w edukacji w postpandemicznej przyszłości. W fokusach przeprowadzonych z nauczycielami widoczny jest wyraźny wpływ doświadczeń nieudanego strajku z 2019 r., w którym część rozmówców brała udział, a wszyscy badani o nim słyszeli i przynajmniej byli obserwatorami wydarzeń. Wskazywano na błędy organizacyjne i wizerunkowe, które przełożyły się na porażkę protestu i w dalszej perspektywie utwierdziły negatywne stereotypy na temat nauczycieli. Z drugiej strony bycie w związku zawodowym i zaangażowanie w protesty przekładało się na lepszą ocenę działalności organizacji. Związkowcy więcej wiedzieli na temat podejmowanych działań, opowiadali o nich ze szczegółami i dostrzegali wpływ na jakość pracy w szerszej perspektywie. Brak doświadczeń związkowych wiązał się z kolei z przekonaniem o daremności zaangażowania w struktury organizacji.

WNIOSKI

Przeprowadzone analizy wywiadów fokusowych z pracownikami edukacji, ochrony zdrowia, pomocy społecznej i logistyki prowadzą do kilku ogólniejszych wniosków. Po pierwsze, upływ czasu i normalizacja pandemii, która staje się zjawiskiem wpisanym w masową wyobraźnię i doświadczenia, sprawiają, że budowa jednoznacznych związków przyczynowych między kryzysem pandemicznym a przemianami świata pracy jest trudna. Jak zauważa Arak (2021: 187), „rysująca się nowa normalność łączy marzenia różnych grup społecznych i intelektualnych c tym, jaki chcieliby, by ten 'nowy świat' był". Kryzys pandemiczny jest, zgodnie z przewidywaniami, często postrzegany jako czynnik pośredniczący, wzmacniający istniejące już wcześniej tendencje. Dotyczy to w szczególności problemów związanych z niedoborami pracowników w badanych branżach, które obserwowane były jeszcze przed marcem 2020 r.

Po drugie, kryzys pandemiczny coraz wyraźniej nakłada się w opiniach badanych na inne typy kryzysów, w tym przede wszystkim na kryzys uchodźczy wywołany agresją Rosji na Ukrainę. Potwierdza to zasadność odwołania do koncepcji „polikryzysów", która odnosi się do różnorodnych, wzajemnie wzmacniających się zjawisk kryzysowych (ekonomicznych, finansowych, migracyjnych, klimatycznych, a obecnie również związanych z pandemią; Zeitlin i in., 2019). Wielość kryzysów sprawia, że potoczna refleksja na temat pandemii koronawirusa jako impulsu zmian życia i pracy przesuwa się coraz wyraźniej na dalszy plan.

Po trzecie, w kontekście dyskusji na temat możliwości postpandemicznych protestów w branżach niezbędnych (Chen, Barrett, 2021; Vandaele, 2021) opinie pracowników nie są jednoznaczne. Pandemia uświadomiła części z badanych grup (np. kurierom, pracownikom centrów logistycznych czy pracownikom DPS-ów) ich znaczenie społeczne, co może przełożyć się na ich skłonność do mobilizacji zbiorowej. Grupy już wcześniej aktywne (np. pielęgniarki czy nauczyciele), pomimo wyrażanego przez część badanych zniechęcenia protestami związkowymi, są jednocześnie na tyle rozczarowane brakiem dialogu ze strony rządu, że trudno wykluczyć ich ponowne zaktywizowanie na większą skalę. Problemem okazuje się jednak niewielkie zaangażowanie indywidualne rozmówców: większość zna działania związków jedynie pośrednio i nie jest bezpośrednio zaangażowana w ich aktywność.

Po czwarte, pojawiający się w literaturze przedmiotu nacisk na innowacje technologiczne w pandemii znajduje tylko częściowe odzwierciedlenie w świadomości społecznej badanych. Owszem, zwracają oni uwagę na rosnącą rolę nowych technologii i środków komunikacji w swoich miejscach pracy, jednak traktują je zwykle jako „przejrzyste", nie problematyzując ich roli jako narzędzi kontroli pracowników albo w ogóle ich nie zauważając. Można twierdzić, że pandemia przyspieszyła proces „oswajania" nowych technologii i nabywania kompetencji do korzystania z nich (Śledziewska, Włoch, 2021).

Na zakończenie warto jeszcze raz podkreślić, że ze względu na szybko zmieniającą się sytuację i pojawianie się kolejnych zjawisk kryzysowych, długofalowy wpływ pandemii na warunki pracy jest często minimalizowany w potocznej świadomości. Jak zauważa jednak Krastew (2020: 15), „(...) COVID-19 zmieni nasz świat w sposób gruntowny, niezależnie od tego, czy będziemy dni pandemii pamiętać, czy nie." Nie oznacza to oczywiście braku „obiektywnego" oddziaływania pandemii na świat pracy, przemiany świadomości społecznej i strategii życiowych, ale trudności z percepcją, nazwaniem i oceną tych zmian, co stanowi interesujący, wymagający dalszych badań problem teoretyczny i metodologiczny.

Rozdział 4

Społeczne i organizacyjne warunki pracy

WPROWADZENIE

W rozdziale podjęty jest temat organizacyjnych i społecznych warunków pracy. Tworzą one podstawowe osie konstrukcyjne środowiska pracy. Jako takie są blisko związane z jakością pracy (analizowaną w rozdziale 1), co więcej, mogą mieć ważny udział w jej kształtowaniu, zarówno pozytywny, jak i negatywny.

Pandemia – jak jest to pokazane w pozostałych rozdziałach książki na podstawie zgromadzonych przez nas danych empirycznych – była czynnikiem, po którym oczekiwano, że odciśnie głębokie i trwałe piętno na organizacyjnych i społecznych warunkach pracy. Czy tak się istotnie stało i czy zmiany te, jeśli do nich doszło, miały i głęboki, i trwały charakter, to zamierzamy prześledzić w niniejszym rozdziale.

Wskaźnik organizacyjnych i społecznych warunków pracy jest narzędziem testowanym w badaniach świadomości ekonomicznej Polaków od ponad 30 lat, a jego inspiracją jest kwestionariusz stosowany w latach 80. XX wieku na Wydziale Socjologii UW w zespole Witolda Morawskiego. Obszerne analizy prowadzone z jego użyciem (aczkolwiek w różnych stadiach rozwoju) można odnaleźć w zbiorowej publikacji *Polacy pracujący i koniec fordyzmu* (Czarzasty, 2009). Ponadto wskaźnik był zastosowany w badaniach *Młodzi na rynku pracy województwa mazowieckiego* wykonanych w 2018 r. w ramach projektu PREWORK[24]. Dane te zostaną wykorzystane w rozdziale jako porównawczy układ odniesienia. Zaznaczyć trzeba, że obecna postać wskaźnika różni się nieco od kształtu, jakie narzędzie to miało w badaniach z 2018 r.

---

[24] Projekt PREWORK („Młodzi pracownicy prekaryjni w Polsce i Niemczech: socjologiczne studium porównawcze warunków pracy i życia, świadomości społecznej i aktywności obywatelskiej") finansowany był przez Narodowe Centrum Nauki oraz Deutsche Forschungsgemeinschaft, nr umowy NCN: UMO-2014/15/G/HS4/04476, DFG: TR1378/1-1.

KONTEKST TEORETYCZNY I PRZEGLĄD BADAŃ

Społeczne i organizacyjne warunki pracy to zespół zjawisk i odpowiadających im na poziomie refleksji teoretycznej pojęć, które tworzą psychospołeczny wymiar środowiska pracy. Należy je traktować jako ważne korelaty pojęciowe jakości pracy, w związku z czym niniejszy rozdział nawiązuje do wcześniejszej części książki (rozdział 1) i rozwija niektóre zarysowane tam wątki. Warunki pracy są przedmiotem badań empirycznych i refleksji teoretycznej prowadzonej z wielu perspektyw: prawa, ekonomii, socjologii, psychologii, w tym psychologii społecznej, antropologii, nauk politycznych, ale także medycyny pracy, czy ergonomii. Dziedziną przedmiotową pokrewną i posiadającą z warunkami pracy część wspólną są stosunki pracy, indywidualne i zbiorowe, przy czym łączące je zależności (mające również w wielu wypadkach cechy związków przyczynowych) są wzajemne. Od ponad trzydziestu lat w polskiej socjologii pracy badane są zależności między doświadczeniem pracy zawodowej a innymi sferami życia, takimi zwłaszcza, jak położenie w strukturze społecznej, wartości, postawy, reprodukcja międzypokoleniowa itp. (por. Słomczyński, Kohn, 1988; Janicka, 1997).

Na warunki pracy w ich wymiarze społecznym poważny wpływ wywierają czynniki kulturowe. W obrębie literatury krajowej poświęconej kulturze organizacyjnej, na szczególną uwagę zasługuje teza o „folwarcznej kulturze organizacyjnej" (Hryniewicz, 2007), kształtującej dwie biegunowo różne postawy, przyjmowane przez jednostkę zależnie od miejsca zajmowanego w strukturze społecznej: pozycje kierownicze cechuje woluntaryzm, pozycje zaś podporządkowane „syndrom wyuczonej bezradności". Integralny element kultury folwarcznej to paternalizm, a typowy dla niej jest autokratyczny styl kierowania[25]. Kultura folwarczna, spetryfikowana w PRL, nie zanikła po 1989 r., przeciwnie, nastąpiła reprodukcja jej wzorów, nie tylko w sektorze MSP (w którym stosunkowo często utrzymała się ciągłość pokoleniowa), ale także w sektorze własności publicznej (dotkniętym kapitalizmem politycznym), a nawet w sektorze prywatnym zdominowanym przez kapitał zagraniczny wraz z zakorzenianiem się reprezentujących go przedsiębiorstw w krajowym otoczeniu i wymianą kadry kierowniczej z ekspatów na lokalnych menedżerów. Bez wątpienia utrwalaniu wzorów kultury

---

[25] Chcemy jednak zwrócić uwagę na wyniki badań „zmiękczające" wnioski o autorytarnym stylu zarządzania. Cytowane przez nas powyżej polsko-amerykańskie badania Słomczyńskiego i Kohna wskazywały na niski poziom lęku szeregowych pracowników, wysoki zaś kadry kierowniczej. Badania Kazimierza Doktóra wskazywały na odwrócenie wektora reprezentacji interesów w przedsiębiorstwach państwowych w czasach autorytarnego socjalizmu – niższy nadzór i niższe szczeble kierownicze reprezentowały interes załogi wobec dyrekcji, a nie na odwrót. W rezultacie po zmianie ustroju przedsiębiorstwa państwowe były postrzegane przez pracowników szeregowych jako „przyjazna nisza". Zaznaczamy ten fakt w dalszej części rozdziału.

folwarcznej sprzyjały czynniki strukturalne: słabość instytucji publicznych oraz niezrównoważony rynek pracy, z wyraźną przewagą podaży, skutkującą istnieniem rezerw pracy, a przez to słabą pozycją przetargową pracownika. Pozwalało to na utrzymywanie przez ponad dwa dziesięciolecia polityki niskich płac, które stały się jednym z filarów modelu rozwoju gospodarczego budowanego po 1989 r. Pośrednio przyczyniło się także do nasilania procesów prekaryzacji pracy. Po akcesji Polski do UE kultura folwarczna dostawała się stopniowo pod wpływ rozmiękczających ją prądów, przede wszystkim masowych migracji Polaków do zamożniejszych państw członkowskich tzw. starej UE, ale i transformacji rynku pracy, zatracającego stopniowo charakter „rynku pracodawcy", na co wpływ miało wchodzenie w wiek aktywności ekonomicznej roczników niżu demograficznego oraz ubytek po stronie podażowej rynku około 2 milionów osób w wieku produkcyjnym, które wyemigrowały (tylko częściowo skompensowała to imigracja ekonomiczna do Polski pracowników z krajów wschodnioeuropejskich, głównie Ukrainy). Innym zjawiskiem jest dyfuzja kulturowa, dokonująca się za sprawą doświadczeń zawodowych zdobywanych przez Polaków, szczególnie młodych, na rynkach pracy państw „starej" Unii Europejskiej. Zjawisko to jest słabo rozpoznane. Niemniej można znaleźć także argumenty – mające podstawy empiryczne – za tym, że folwarczne wzory kultury organizacyjnej cechują się trwałością. Istnieje pewien zasób literatury z dziedziny studiów migracyjnych, sygnalizującej trudności w readaptacji powracających do kraju emigrantów (por. Anacka, Fihel, 2013; Karolak, 2016, 2020), wskazując na rynek pracy jako jedno ze źródeł tych problemów. Czynnikami konserwującymi wzory kultury folwarcznej, szczególnie mocno obecnymi w segmencie małych i średnich przedsiębiorstw (MŚP), są niewątpliwie silny i trwały paternalizm oraz powiązane z nim wyraźne inklinacje pracodawców do autorytaryzmu w zarządzaniu. Z badań *Przedsiębiorcy 2011* wynikało, że w polskich MŚP aż dwie trzecie ankietowanych przedsiębiorców (63%) przyznawało, że w ich firmach decyzje podejmuje się bez udziału pracowników, podczas gdy demokratyczny styl kierowania, w którym w podejmowaniu decyzji biorą udział pracownicy, występował o wiele rzadziej, tylko w co trzecim przedsiębiorstwie (28%) (Czarzasty, 2014).

Za ważne korelaty kultury organizacyjnej należy uznać „społeczne warunki pracy"; są to cechy środowiska pracy o charakterze psychospołecznym. Ten obszar badawczy był przedmiotem diagnozy empirycznej przy okazji badań *Polacy pracujący 2007*, wcześniej zaś w węższym zakresie *Polaków pracujących 2005* (zob. Gardawski, 2009). Wyniki wskazywały na to, że świat polskich przedsiębiorstw wyraźnie się dzielił: relatywnie gorzej oceniano polskie przedsiębiorstwa prywatne, a względnie lepiej przedsiębiorstwa publiczne oraz firmy z kapitałem zagranicznym, które oceniano jako bardziej przyjazne pracownikowi i w większym stopniu sprzyjające realizacji jego potrzeb społecznych.

Wskaźnik społecznych i organizacyjnych warunków pracy wyewoluował ze wskaźników techniczno-organizacyjnych (5 zmiennych) i społecznych warunków pracy (15 zmiennych), zaproponowanych po raz pierwszy przez Jana Czarzastego w badaniach *Polacy pracujący 2005* i użytego następnie w badaniach *Polacy pracujący 2007*. Zebrane wówczas wyniki zostały przedstawione i przeanalizowane w książce *Polacy pracujący a kryzys fordyzmu* (2009). W obu wskaźnikach znalazła się większość zmiennych stosowanych w obecnej postaci wskaźnika. W następnym stadium oba wskaźniki połączone zostały w jeden (przy odrzuceniu pytania o istnienie kodeksu etycznego w przedsiębiorstwie) i zostało użyte na potrzeby badań *Młodzi na rynku pracy województwa mazowieckiego* z 2018 r. w ramach projektu PREWORK. W aktualnych badaniach w projekcie COV-WORK wskaźnik liczy sobie 12 zmiennych, co jest szczegółowo opisane niżej.

ANALIZA DANYCH

Na potrzeby aktualnych badań wskaźnik został zredukowany do 12 zmiennych, podczas gdy w 2018 r. liczył zmiennych 19. W obecnej edycji badań zrezygnowaliśmy z pytań dotyczących sfery technicznej (technologicznej) oraz aksjologiczno-kulturowej. Należy również jasno podkreślić, że między oboma badaniami występują pewne różnice metodologiczne zarówno w zakresie organizacji i techniki sondażu (zastosowanie techniki CATI w 2021 r. przy użyciu techniki PAPI w 2018 r.), jak i doboru próby (w 2021 r. oparliśmy się na dużej, ogólnopolskiej próbie dorosłej ludności Polski, natomiast w 2018 r. badania zrealizowano na próbie z populacji młodych – w wieku od 18 do 32 lat – mieszkańców Mazowsza). Dla uzyskania względnej porównywalności wyodrębniliśmy w ogólnej próbie badań COV-WORK frakcję młodzieży pracującej (n = 117). Pomimo różnicy między demograficzno-społecznymi cechami młodzieży wydzielonej z próby ogólnopolskiej a cechami młodzieży mazowieckiej (miejsce zamieszkania, wykształcenie), a także niemożności przeprowadzenia procedury ważenia, porównanie jest, naszym zdaniem, zdecydowanie warte podjęcia. Analiza jest bowiem funkcjonalna wobec stawianego sobie przez nas w tej książce (jak również w badaniach COV--WORK w ogólności) naczelnego celu poznawczego, czyli uchwyceniu dynamiki zmian obiektywnych i subiektywnych wymiarów pracy w życiu Polaków.

Porównując wyniki badań z 2021 r. i z 2018 r., można wskazać, które wymiary środowiska pracy o charakterze organizacyjnym i społecznym uległy zmianie, jakie były kierunki tych zmian, a także jaka była ich skala. W 2021 r. lepsze były opinie o takich warunkach pracy jak: dostępność informacji o aktualnej sytuacji przedsiębiorstwa (+13,8 p.p., poziom odpowiedzi twierdzących: 68,3%), poparcie dla pracy zespołowej (+10,4 p.p., poziom odpowiedzi twierdzących: 83,8%),

Tabela 4.1. Wskaźnik organizacyjnych i społecznych warunków pracy, porównanie wyników badań 2018 i 2021 (proc.)

Czy zgadza się Pan(i) z podanymi niżej stwierdzeniami dotyczącymi Pana(-ni) głównego miejsca pracy?	2018			2021		
	Tak	Ani tak, ani nie	Nie	Tak	Ani tak, ani nie	Nie
Przełożeni mają autorytet u pracowników	78,4	14,1	7,5	74,3	15,2	10,5
Przełożeni sprawiedliwie oceniają i nagradzają pracowników	69,6	21,3	9,1	70,5	14,3	15,2
Przełożeni wysłuchują i uwzględniają uwagi pracowników	69,2	22,7	8,1	74,5	10,4	15,1
Pracownicy są informowani o sytuacji przedsiębiorstwa/instytucji	54,5	25,9	19,6	68,2	8,7	23,1
Przełożeni ufają pracownikom i nie kontrolują ich na bieżąco	–	–	–	61,0	14,3	24,7
Popiera się pracę zespołową, tworzy się atmosferę zgodnej współpracy między pracownikami	73,3	17,5	9,2	83,8	9,5	6,7
Popiera się ostrą rywalizację, konkurencję między pracownikami i liczą się przede wszystkim osobiste osiągnięcia	34,7	26,5	38,8	14,4	12,5	73,1
Pracownicy ufają przełożonym	–	–	–	76,7	8,7	14,6
Przestrzega się zasad bezpieczeństwa i higieny pracy	82,9	12,7	4,4	93,3	1,9	4,8
Pracownicy są szkoleni lub doszkalani na koszt pracodawcy	67,9	15,2	16,9	82,8	4,8	12,4
Pracownicy mają możliwość realizowania w pracy swoich własnych pomysłów	58,7	21,1	20,2	66,3	8,7	25,0
Atmosfera w pracy nie jest stresująca	–	–	–	61,0	11,4	27,6
Panuje zaufanie między przełożonymi a podwładnymi	71,8	20,4	7,8	–	–	–

Uwagi: W 2018 r. zadano pytanie o to, czy w głównym miejscu pracy panuje zaufanie między przełożonymi a podwładnymi; w 2021 r. posłużono się dwoma pytaniami sondującymi zaufanie: „Przełożeni ufają pracownikom i nie kontrolują ich na bieżąco" oraz „Pracownicy ufają przełożonym".
Pytanie z 2021 r. „Pracownicy są informowani o sytuacji przedsiębiorstwa/instytucji" zadane w 2018 r. brzmiało: „Pracownicy są informowani o sytuacji przedsiębiorstwa/instytucji, znają plany zarządu/dyrekcji?".
Pytanie z 2021 r. „Pracownicy mają możliwość realizowania w pracy swoich własnych pomysłów" zadane w 2018 r. brzmiało: „Czy w Pana(-ni) głównym miejscu pracy: popiera się pomysłowość i innowacyjność, swobodę i oryginalność?".
Pytanie z 2021 r. „Atmosfera w pracy nie jest stresująca" nie zostało zadane w 2018 r.

Źródło: badania własne COV-WORK (2021), n = 117; badania PREWORK *Młodzi na rynku pracy województwa mazowieckiego* (2018), n = 548.

dbałość o przestrzeganie zasad BHP (+10,4 p.p., poziom odpowiedzi twierdzących: 93,3%), dostępność szkoleń na koszt pracodawcy (+15 p.p., poziom odpowiedzi twierdzących: 82,9%), zakres, w jakim pracownicy mają możliwość realizowania w pracy swoich pomysłów (+7,5 p.p., poziom odpowiedzi twierdzących: 66,3%), a wreszcie presja na rywalizację i konkurencję między pracownikami (−20,3 p.p., poziom odpowiedzi twierdzących: 14,4%). Minimalnie gorzej niż w 2018 r. widziane są takie aspekty środowiska pracy jak sprawiedliwość ocen pracowników (−0,9 p.p.), poziom autorytetu przełożonych (−4,1 p.p.) oraz skłonność przełożonych do wysłuchiwania i uwzględniania uwag pracowników (−4,8 p.p.). Co do zmiennej, której w starszych badaniach nie było, tj. pytania o to, czy atmosfera w pracy nie jest stresująca, wyniki (60,6% odpowiedzi twierdzących) należy uznać za raczej wysokie, mając na uwadze okoliczności sondażu, a więc czas, w którym zachodziła nadzwyczajna sytuacja w sferze zdrowia publicznego i uwarunkowana tym niepewność, nie tylko związana z sytuacją pracy i wykonywaniem ról zawodowych, ale także z całokształtem spraw życiowych ludzi czynnie pracujących.

W poprzednich badaniach realizowanych w SGH wiele uwagi poświęcaliśmy na opis i wyjaśnianie zróżnicowania warunków pracy w przedsiębiorstwach ze względu na wielkość ich zatrudnienia. Jest to obszar analizy o tyle ciekawy, że pomiędzy podmiotami rozmaitej wielkości występowały różnice, niekiedy bardzo znaczące.

W odniesieniu do wyników wcześniejszych badań, szczególnie *Polaków pracujących* (por. Gardawski, 2009: 34), zbudowaliśmy hipotezę, zgodnie z którą pracownicy mikroprzedsiębiorstw prywatnych mieli być najmniej zadowoleni z panujących w ich miejscach pracy warunków społecznych i organizacyjnych. Okazuje się jednak, że po ponad piętnastu latach, jakie upłynęły od pierwszej edycji tamtych badań (2005), sytuacja wygląda zgoła odmiennie. W niemal wszystkich wymiarach to właśnie firmy o stanie zatrudnienia poniżej 10 osób są oceniane najkorzystniej, a tam, gdzie różnice w rozkładach są statystycznie istotne, palma pierwszeństwa należy do nich bezapelacyjnie. Hipoteza zostaje zatem sfalsyfikowana. Warto ponadto zwrócić uwagę na to, że w wielu wypadkach o największych firmach (stan zatrudnienia od 250 osób wzwyż) wydawano najbardziej krytyczne opinie, a odsetek odpowiedzi pozytywnych był niższy od średniej we wszystkich wymiarach, w których zarejestrowano istotne statystycznie wyniki. Duże przedsiębiorstwa są więc przestrzenią, w której atmosfera jest relatywnie najbardziej stresująca, pracownicy wykazują względnie najsłabsze poczucie sprawstwa, panuje względnie wysoki deficyt wzajemnego zaufania, a ponadto relatywnie najrzadziej czują się sprawiedliwie oceniani przez przełożonych, którzy wyraźnie rzadziej niż w mniejszych firmach cieszą się autorytetem u podwładnych.

Tabela 4.2. Wskaźnik organizacyjnych i społecznych warunków pracy a wielkość zatrudnienia w przedsiębiorstwie (proc.)

Czy zgadza się Pan(i) z podanymi niżej stwierdzeniami dotyczącymi Pana(-ni) głównego miejsca pracy?	Wielkość zatrudnienia				
	Poniżej 10 osób	10–49	50–249	250 i lub więcej	Ogółem
19.1. Przełożeni mają autorytet u pracowników**	81,7	79,1	71,2	60,0	70,8
19.2. Przełożeni sprawiedliwie oceniają i nagradzają pracowników**	78,9	69,8	62,3	51,2	63,0
19.3. Przełożeni wysłuchują i uwzględniają uwagi pracowników**	85,7	77,7	67,6	61,0	70,9
19.4. Pracownicy są informowani o sytuacji przedsiębiorstwa/instytucji	72,7	66,2	62,0	63,2	65,3
19.5. Przełożeni ufają pracownikom i nie kontrolują ich na bieżąco*	70,5	64,9	59,4	47,8	58,7
19.6. Popiera się pracę zespołową, tworzy się atmosferę zgodnej współpracy między pracownikami	79,5	76,9	84,5	76,3	79,0
19.7. Popiera się ostrą rywalizację, konkurencję między pracownikami i liczą się przede wszystkim osobiste osiągnięcia	22,7	17,1	23,1	22,1	21,4
19.8. Pracownicy ufają przełożonym*	76,4	73,8	63,4	56,0	65,5
19.9. Przestrzega się zasad bezpieczeństwa i higieny pracy	92,1	92,3	85,0	91,0	90,0
19.10. Pracownicy są szkoleni lub doszkalani na koszt pracodawcy	72,9	77,4	76,9	84,7	79,0
19.11. Pracownicy mają możliwość realizowania w pracy swoich własnych pomysłów**	77,0	66,7	59,9	51,7	61,7
19.12. Atmosfera w pracy nie jest stresująca**	80,5	58,5	69,5	46,9	61,2

Uwaga: podano zagregowane odpowiedzi definitywne, pominięto odpowiedź „trudno powiedzieć" * p < 0,05; ** p < 0,01; *** p < 0,001.

Źródło: badania własne, COV-WORK.

Na oceny warunków pracy rzutuje także status ekonomiczno-zawodowy. Opierając się na wynikach wcześniejszych badań w SGH, zwłaszcza *Przedsiębiorców 2011* (Gardawski, 2013) przyjęliśmy hipotezę, że grupy cieszące się względnie wyższym statusem na rynku pracy będą względnie lepiej oceniać warunki pracy. Co za tym idzie, spodziewaliśmy się, że opinie przedsiębiorców, a także przedstawicieli kadry menedżerskiej, będą korzystniejsze od wyrażanych przez pracowników niewykwalifikowanych (wykonujących prace proste), robotników

oraz pracowników usług (z przyczyn oczywistych pominęliśmy farmerów, domi-
nują bowiem wśród nich farmerzy samodzielni).

Tabela 4.3. Wskaźnik organizacyjnych i społecznych warunków pracy a pozycja
ekonomiczno-zawodowa (klasowa) (proc.)

Czy zgadza się Pan(i) z podanymi niżej stwierdzeniami dotyczącymi Pana(-ni) głównego miejsca pracy?	Pozycja ekonomiczno-zawodowa (klasowa)						
	Przedsiębiorcy	Zarząd i specjaliści	Urzędnicy	Usługi	Robotnicy	Prace proste	Ogółem
Przełożeni mają autorytet u pracowników*	82,9	77,0	73,7	66,4	52,8	60,0	70,2
Przełożeni sprawiedliwie oceniają i nagradzają pracowników	85,7	62,0	58,1	58,6	59,4	65,0	62,3
Przełożeni wysłuchują i uwzględniają uwagi pracowników*	85,7	74,6	68,2	62,9	66,2	72,5	70,1
Pracownicy są informowani o sytuacji przedsiębiorstwa/ instytucji**	79,1	74,5	66,5	54,0	61,1	52,5	65,2
Przełożeni ufają pracownikom i nie kontrolują ich na bieżąco*	69,0	54,4	51,9	57,1	73,6	67,5	59,3
Popiera się pracę zespołową, tworzy się atmosferę zgodnej współpracy między pracownikami	78,6	79,9	76,9	77,1	79,2	87,2	79,0
Popiera się ostrą rywalizację, konkurencję między pracownikami i liczą się przede wszystkim osobiste osiągnięcia*	28,6	27,7	16,3	30,9	11,3	7,5	22,2
Pracownicy ufają przełożonym*	73,2	63,0	67,5	69,1	66,2	37,5	65,5
Przestrzega się zasad bezpieczeństwa i higieny pracy	97,7	92,2	92,9	83,6	88,7	76,2	89,3
Pracownicy są szkoleni lub doszkalani na koszt pracodawcy*	90,5	79,3	83,4	74,8	83,1	53,1	79,3
Pracownicy mają możliwość realizowania w pracy swoich własnych pomysłów**	82,9	74,8	63,5	55,7	52,8	31,7	62,1
Atmosfera w pracy nie jest stresująca*	83,7	55,3	63,2	52,9	68,1	51,2	60,7

Uwaga: podano zagregowane odpowiedzi definitywne, pominięto odpowiedź „trudno powiedzieć" * $p < 0,05$;
** $p < 0,01$; *** $p < 0,001$.

Źródło: badania własne, COV-WORK.

W świetle zgromadzonych wyników (szczególnie w przypadku statystycznie
istotnych różnic w rozkładach zmiennych możemy uznać, że nasze przypuszczenia

częściowo się potwierdzają. Wyniki poniżej (a w przypadku pytania o indywidualną konkurencję powyżej) średniej na ogół obserwujemy wśród pracowników o niższym statusie. Pracownicy niewykwalifikowani w sześciu wymiarach warunków pracy okazują najniższy stopień zadowolenia, w siedmiu jest niższy od przeciętnej. Wyniki poniżej średniej obserwowalne są także u pracowników usług w dziewięciu przypadkach oraz wśród robotników – w siedmiu. Jednakże i przedstawiciele kategorii w założeniu uprzywilejowanej, czyli menedżerowie i specjaliści, także okazują sceptycyzm w ocenach niektórych wymiarów warunków pracy. Poziomy wskazań pozytywnych są w ich przypadku niższe od przeciętnej, kiedy wypowiadają się o sprawiedliwości ocen pracowników, zaufaniu do nich, czy natężeniu stresu w pracy.

Jako że głównym celem niniejszej monografii jest oszacowanie wpływu pandemii na polski świat pracy, przyglądamy się, jak wyglądały zmiany w percepcji społecznych i organizacyjnych warunków pracy po wymuszonych nadzwyczajnymi środkami sanitarnymi modyfikacjami organizacji pracy. Jeśli chodzi o zmianę sytuacji na rynku pracy w pandemii, to postawiliśmy hipotezę, że osoby, których – według deklaracji – zmiany te dotknęły, będą krytyczniej oceniać społeczne i organizacyjne warunki pracy niż respondenci pozostający w niezmienionej sytuacji. Z kolei wśród dotkniętych zmianą, respondenci wskazujący na COVID-19 jako jej przyczynę, mieli – według naszego założenia – wyrażać na temat swoich warunków pracy opinie bardziej krytyczne niż ci, którzy zmiany doświadczyli za sprawą innych (niezwiązanych bezpośrednio z pandemią) czynników. Odniesienie do siebie zmiennych tworzących wskaźnik jako zależnych oraz tych, które diagnozują zmianę i jej przyczyny, nie przyniosło jednak konkluzywnych rezultatów, ponieważ wyniki w przeważającej większości nie są istotne statystycznie. Można więc przyjąć, że ani zmiana sytuacji badanych na rynku pracy, ani wskazane przez nich jej przyczyny nie stanowią ważnych sił określających percepcję warunków pracy.

Dla oceny skutków pandemii na percepcję społeczno-organizacyjnych warunków pracy musimy więc spojrzeć przez pryzmat innych zmiennych, poprzez które, w sposób zapośredniczony, pandemia wpływa na percepcję warunków pracy. W szczególności weźmiemy pod uwagę zmienne, takie jak zapewnienie środków ochrony osobistej przez pracodawcę. Podczas pandemii urosło ono do rangi jednego z kluczowych czynników określających warunki pracy, również w wymiarze społecznym i organizacyjnym. Co za tym idzie, warto przyjrzeć się bliżej, jak tego rodzaju działania korelują z ocenami warunków pracy. Zakładaliśmy, że oceny będą lepsze tam, gdzie pracownikom dostarcza się środki ochrony, jak maseczki, płyny dezynfekcyjne, odzież ochronną czy testy na obecność wirusa SARS-CoV-2.

Tabela 4.4. Zapewnienie środków ochrony osobistej przez pracodawcę (proc.)

A czy Pana(-ni) pracodawca zapewnia środki ochrony osobistej?	Tak, zawsze	Tak, czasami	Nie	Ogółem
Przełożeni mają autorytet u pracowników	70,8	64,9	78,6	70,6
Przełożeni sprawiedliwie oceniają i nagradzają pracowników**	66,1	41,0	63,4	62,6
Przełożeni wysłuchują i uwzględniają uwagi pracowników	71,2	61,0	79,1	70,5
Pracownicy są informowani o sytuacji przedsiębiorstwa/instytucji*	68,0	50,6	63,2	65,4
Przełożeni ufają pracownikom i nie kontrolują ich na bieżąco*	61,1	44,9	53,5	58,4
Popiera się pracę zespołową, tworzy się atmosferę zgodnej współpracy między pracownikami*	80,7	76,9	57,9	78,7
Popiera się ostrą rywalizację, konkurencję między pracownikami i liczą się przede wszystkim osobiste osiągnięcia*	19,5	29,9	25,6	21,2
Pracownicy ufają przełożonym*	68,3	50,0	58,1	65,2
Przestrzega się zasad bezpieczeństwa i higieny pracy**	94,5	78,9	62,8	90,3
Pracownicy są szkoleni lub doszkalani na koszt pracodawcy**	83,3	68,8	48,7	79,1
Pracownicy mają możliwość realizowania w pracy swoich własnych pomysłów **	65,6	46,8	42,1	61,7
Atmosfera w pracy nie jest stresująca*	62,3	51,9	63,2	61,0

Uwaga: * p < 0,05; ** p < 0,01; *** p < 0,001; pominięto odpowiedzi: „trudno powiedzieć" i braki odpowiedzi.

Źródło: badania własne, COV-WORK.

Nasze założenie jednoznacznie się potwierdza. W większości wymiarów (dziesięciu) respondenci deklarujący, że ich pracodawcy zapewniają środki ochrony osobistej, oceniają swoje warunki pracy korzystniej niż ankietowani, którzy podają, że owe środki otrzymują czasem lub wcale. W szczególności respondenci otrzymujący środki ochrony najczęściej potwierdzali, że przełożeni sprawiedliwie oceniają i nagradzają pracowników (66,1%) oraz ich wysłuchują i uwzględniają uwagi (68,0%), ufają im (61,1%), za co sami są obdarzani zaufaniem (68,3%), do tego popiera się pracę zespołową (80,7%), przestrzega zasad BHP, a pracownicy są szkoleni na koszt pracodawcy (83,3%) i mogą realizować swoje własne pomysły (65,6%). Ponadto najniższy (19,5%) jest wśród nich odsetek twierdzących, że w ich miejscu pracy zachęca się do indywidualnej, ostrej konkurencji.

Niespełna jedna trzecia respondentów zaprzeczających, że otrzymują środki ochrony osobistej od pracodawców, twierdzi, że w ich miejscu pracy przestrzega się zasad BHP, co daje asumpt do pogłębionej dyskusji na temat społecznej konstrukcji pojęcia bezpieczeństwa pracy (i będących jego antytezą zagrożeń w środowisku pracy) oraz jego definicji wykonawczych budowanych przez mieszkańców Polski doby pandemii. Ponad połowa pracowników oświadczających, że środków ochrony osobistej od pracodawcy nie dostaje, twierdzi, że w ich miejscu pracy nie ma również szkoleń dla pracowników na koszt zatrudniającego. Mimo tego najwyższy odsetek ocen pozytywnych atmosfery w pracy pod względem stresogenności spośród wszystkich wyróżnionych przy użyciu kryterium zaopatrzenia w środki ochronne obserwujemy właśnie wśród ankietowanych, którzy ich nie otrzymują. Wypada jednak dodać, że poziom wskazań jest o niespełna 1 p.p. wyższy od zarotowanego u respondentów, którym pracodawcy środki ochronne wydają.

Z uwagi na gwałtowną, wymuszoną niespodziewanym kryzysem zdrowia publicznego, konieczność reorganizacji pracy w sensie fizycznym i przestrzennym przez masowy zwrot ku pracy zdalnej i hybrydowej (por. rozdział 1), na bliższe przyjrzenie się zasługuje niewątpliwie relacja między deklarowanym miejscem pracy w trakcie pandemii a ocenami społecznych i organizacyjnych warunków pracy. Nasze założenie było takie, że opinie o warunkach pracy będą lepsze u osób deklarujących, iż ich głównym miejscem pracy w czasie pandemii pozostał zakład pracy, niż w przypadku osób podających jako codzienny ośrodek aktywności zawodowej własny dom lub inne miejsce, czy to wskazane przez pracodawcę, czy będące wynikiem oddziaływania innych czynników.

Tabela 4.5. Opinie o społecznych i organizacyjnych warunkach pracy a miejsce pracy w pandemii (proc.)

Miejsce pracy w trakcie pandemii	Miejsce zamieszkania	Zakład pracy	Inne miejsca (wskazane lub wybrane)	Ogółem
Przełożeni mają autorytet u pracowników**	82,9	66,1	64,9	70,2
Przełożeni sprawiedliwie oceniają i nagradzają pracowników*	76,5	68,0	76,5	70,3
Przełożeni wysłuchują i uwzględniają uwagi pracowników*	77,5	66,8	69,7	70,0
Pracownicy są informowani o sytuacji przedsiębiorstwa/ instytucji.	72,8	62,1	60,4	64,6
Przełożeni ufają pracownikom i nie kontrolują ich na bieżąco	63,8	56,3	60,0	58,8

Tabela 4.5. – cd.

Miejsce pracy w trakcie pandemii	Miejsce zamieszkania	Zakład pracy	Inne miejsca (wskazane lub wybrane)	Ogółem
Popiera się pracę zespołową, tworzy się atmosferę zgodnej współpracy między pracownikami**	83,4	80,6	63,2	78,5
Popiera się ostrą rywalizację, konkurencję między pracownikami i liczą się przede wszystkim osobiste osiągnięcia*	23,3	17,4	36,5	22,0
Pracownicy ufają przełożonym*	71,1	64,8	63,3	66,2
Przestrzega się zasad bezpieczeństwa i higieny pracy	90,8	90,4	84,0	89,5
Pracownicy są szkoleni lub doszkalani na koszt pracodawcy	79,2	80,5	77,2	79,7
Pracownicy mają możliwość realizowania w pracy swoich własnych pomysłów*	70,2	58,6	61,5	62,0
Atmosfera w pracy nie jest stresująca	62,5	60,3	59,8	60,8

Uwaga: * $p < 0,05$; ** $p < 0,01$; *** $p < 0,001$; pominięto odpowiedzi: „trudno powiedzieć" i braki odpowiedzi.

Źródło: badania własne, COV-WORK.

Rozkłady odpowiedzi, jakie widzimy w tabeli 4.5, są niezmiernie interesujące, bowiem unaoczniają, że praca z domu sprzyja bardziej pozytywnym ocenom warunków pracy niż wykonywanie swoich obowiązków w innych trybach. Jeśli chodzi o autorytet przełożonych u pracowników, to przewaga opinii pozytywnych u ankietowanych pracujących z domu nad respondentami, którzy wykonywali pracę w zakładzie pracy, jest o niemal 17 p.p. wyższa. Względnie lepsza, choć nie tak mocno, jest ocena tego, czy przełożeni sprawiedliwie oceniają i nagradzają pracowników; tu przewaga opinii pośród pracujących z domu nad świadczącymi pracę stacjonarną wynosi ponad 8 p.p. Podobnie jest w odniesieniu do skłonności wysłuchiwania i uwzględniania uwag pracowników (różnica blisko 9 p.p.). Nawet w kwestii poparcia dla pracy zespołowej różnica wskazań wynosi prawie 4 p.p. Brak bezpośrednich interakcji społecznych (*face-to-face*) jest czynnikiem, który sprzyja, według opinii ankietowanych, presji na indywidualną rywalizację i konkurencję między pracownikami. Zaufanie, jakie pracownicy pokładają w przełożonych, jest najwyższe pośród pracujących z domu, o ponad 6 p.p. wyższe w porównaniu do osób kontynuujących pracę w zakładzie pracy. Dystans społeczny w czasie pracy również mocniej sprzyja wydawaniu pozytywnych opinii na temat warunków pracy w aspekcie autonomii, jaką cieszą się pracujący. Przewaga zdań aprobujących jest w tym wypadku o ponad 11 p.p. wyższa w kategorii pracujących z domu w porównaniu do tych, którzy pracują w zakładzie pracy.

Wyniki przedstawione w tabeli 4.5 rzucają dodatkowe światło na kwestię silnej preferencji dla pracy hybrydowej, jaką pokazaliśmy w rozdziale 1. To daje z kolei nowy impuls dla toczącej się od wielu lat dyskusji na temat warunków pracy w kontekście ich determinowania przez nieprzyjazną kulturę organizacyjną polskich przedsiębiorstw, nie tylko na gruncie tezy o kulturze folwarcznej. Pytanie, które się rodzi, jest bowiem następujące: dlaczego ludzie w sytuacji pracy oceniają jej warunki lepiej – z własnej, osobistej perspektywy – kiedy przychodzi im pracować z dala od zakładu pracy?

Możliwości wyjaśnień jest z pewnością wiele, my skupimy się na trzech: na czynniku pokoleniowym, czynniku klasowym i czynniku kultury organizacyjnej. W pierwszym przypadku hipoteza głosi, że dostrzeżona różnica rozkładów wynikać miałaby z deklaracji młodzieży, której głosy przeważyły. Dla większej jasności: rola czynnika pokoleniowego w tym wypadku mogłaby być taka, że ludzie zaliczani do generacji millenialsów (inaczej: pokolenia Y)[26], zakorzenieni w świecie wirtualnym (tzw. tubylcy internetowi), a więc „usieciowieni", w pozytywny sposób reagują na zmianę trybu organizacji pracy na zdalny lub hybrydowy, co może się przekładać na lepszą ocenę społecznych i organizacyjnych warunków pracy. Weryfikowaliśmy tę hipotezę, analizując korelacje grupy młodzieży pracującej (18–30 lat; n = 117). Okazało się, że wprawdzie młodzież pracująca w domu istotnie wyżej ocenia warunki pracy niż wskazuje średnia (np. autorytet przełożonych u pracowników 95,2% przy średniej 82,9%), lecz to nie deklaracje młodzieży przeważyły.

Jeśli chodzi o „czynnik klasowy", pracę w miejscu zamieszkania w pandemii wykonywali najczęściej (oprócz farmerów, co było mankamentem metodologicznym pytania) specjaliści, kadry zarządzające, urzędnicy i przedsiębiorcy, a zatem pracujący o wyższym statusie, którzy również bardziej pozytywnie na tle pozostałych oceniali warunki organizacyjne pracy. Czynnik kultury folwarcznej działałby z kolei tak, że przy subiektywnie źle ocenianych przez pracowników stosunkach społecznych w miejscu pracy, realna możliwość jej świadczenia na odległość

---

[26] Howe i Strauss (2009), którym przypisuje się autorstwo pojęcia, wskazali przedział obejmujący roczniki 1982–2004; można jednak spotkać inne propozycje wyznaczenia granic wiekowych, z dolną sięgającą nawet drugiej połowy lat 70. (np. Wey Smola, Sutton, 2002).

wpływałaby pozytywnie na opinie o jej warunkach. Nie mamy, niestety, na razie możliwości przetestowania tej hipotezy, lecz zamierzamy do niej powrócić, kiedy będziemy już posiadać wyniki drugiej fali naszego badania sondażowego.

Zastrzegając, że jest to na razie naskórkowa diagnoza problemu, wymagająca pogłębienia (co z całą pewnością będzie elementem analizy danych po zamknięciu naszego ilościowego badania podłużnego w 2023 r.), możemy jednak wysnuć wniosek, że praca z domu (zdalna lub hybrydowa) poprawia percepcję warunków pracy w takim układzie, jaki oferuje wskaźnik. W większości przypadków wyniki są statystycznie istotne. Co za tym idzie, nasza początkowa hipoteza została sfalsyfikowana.

WNIOSKI

Oceny społecznych i organizacyjnych warunków pracy w dobie pandemii nie wypadają źle. Minorowe w tonie prognozy formułowane we wczesnej fazie epidemii COVID-19, zgodnie z którymi ten bezprecedensowy kryzys zdrowia publicznego i jego konsekwencje miały pozostawić głębokie i trwałe piętno na organizacyjnych i społecznych warunkach pracy, nie potwierdziły się.

Sytuując wyniki sondażu z 2021 r. w kontekście wiedzy, jaką zebraliśmy we wcześniejszych badaniach realizowanych w SGH (także we współpracy z Uniwersytetem Wrocławskim) w XXI wieku, dostrzeżemy pewne ciekawe i nieoczywiste zjawiska. Frapujące jest porównanie wyników ubiegłorocznych z danymi sondażu z 2018 r., nie tylko z powodu zastosowania wskaźnika społecznych i organizacyjnych warunków pracy w bardzo zbliżonej postaci, ale także ze względu na fakt, że sondaż na Mazowszu zrealizowany został niedługo przed nadejściem COVID-19. Dane, jakie możemy zestawić, pokazują, że opinie o większości aspektów środowiska pracy uległy poprawie, a jedynie w trzech elementach (sprawiedliwość w ocenach pracowników, skłonność do ich wysłuchiwania oraz autorytet przełożonych) oceny się pogorszyły.

Szczególnie interesujący wydaje się silny zwrot w ocenach społecznych i organizacyjnych warunków pracy, który zarysował się w przypadku przedsiębiorstw najmniejszych. O ile przez lata tworzyły one enklawę substandardowych, przynajmniej w oczach samych pracowników, warunków pracy, to nowe dane, jakimi dysponujemy, pokazują je w innym świetle. Respondenci oceniają mikrofirmy pod względem panujących tam realiów środowiska pracy względnie lepiej niż podmioty większe, a szczególnie ostry kontrast widoczny jest w porównaniu z firmami dużymi.

Wymuszone okolicznościami szerokie przechodzenie na pracę zdalną (o czym szczegółowo mówi rozdział 1) wyeksponowało intrygujące zjawisko, przejawiające się tym, że oceny społecznych i organizacyjnych warunków pracy są względnie lepsze u osób wskazujących dom jako główny ośrodek aktywności zawodowej w czasie pandemii, aniżeli u respondentów, którzy oznaczali jako swoje główne miejsce pracy zakład lub inne miejsce. O ile nie sposób budować na tej podstawie kategorycznych wniosków, o tyle podane potencjalne wyjaśnienia tej prawidłowości (millenialsi przeorientowujący się na pracę w domu, klasowe uprzywilejowanie osób wykonujących pracę zdalną oraz odstraszający od fizycznej obecności w pracy efekt spetryfikowanej kultury folwarcznej) zasługują na dalszą weryfikację.

ROZDZIAŁ 5

WIZJE GOSPODARKI DOBRZE URZĄDZONEJ W KONTEKŚCIE PANDEMII COVID-19

WPROWADZENIE

Rozdział rozpoczyna część końcową monografii, poświęconą omówieniu trzech problemów badawczych w okresie pandemii COVID-19: normatywnych wizji gospodarki, struktury społecznej oraz wybranych aspektów dobrostanu społecznego.

W niniejszym rozdziale będziemy starali się odpowiedzieć na pytania o wpływ pandemii na wyobrażenia Polaków o dobrym ładzie gospodarczym. W części końcowej rozdziału analizowana jest problematyka struktury społecznej, podjęta pod kątem wyodrębnionych wizji gospodarki dobrze urządzonej, traktowanych zarówno w roli zmiennych zależnych, objaśniających różnice między kategoriami społeczno-gospodarczymi, jak też zmiennych niezależnych, strukturalizujących społeczeństwo równolegle z klasami ekonomiczno-zawodowymi.

BADANIA WIZJI GOSPODARKI DOBRZE URZĄDZONEJ PRZEZ ZESPOŁY Z SGPiS I SGH

Badania normatywnych wizji gospodarki prowadziły zespoły socjologów ekonomicznych i socjoekonomistów pod kierunkiem Leszka Gilejki od 1986 r. Pierwsze były przeprowadzone w stoczni w Gdyni przez Wojciecha Widerę i Juliusza Gardawskiego przy współpracy innych członków zespołu Leszka Gilejki (wymienimy tu Marka Czarzastego, Grzegorza Nowackiego, Mieczysława Groszka, Andrzeja Tudka). Korzystaliśmy wówczas z kwestionariusza autorstwa Witolda Morawskiego i Bogdana Cichomskiego. Badania na dużą skalę, w których wyróżnionym przedmiotem były wizje gospodarki, prowadziliśmy w latach 1991–1995 ze środków przekazanych przez Fundację im. Eberta (Gardawski, 1992, 1996).

Zespoły z SGPiS korzystały z wielu inspiracji. Obok bezpośredniej pomocy w postaci zgody na wykorzystanie kwestionariusza, udzielonej przez Witolda

Morawskiego, nawiązywaliśmy do szeregu zastanych propozycji metodologicznych. Nie wymienimy ich wszystkich, wskażemy wybrane.

W analizach kultury ekonomicznej, wartości ekonomicznych i zagadnień pokrewnych korzystaliśmy z wyników badań m.in. Witolda Morawskiego, Jacka Kochanowicza, Mirosławy Marody, Kazimierza Doktóra, Wiesławy Kozek, Jacka Sroki, Pawła Ruszkowskiego i Włodzimierza Pańkowa. Obecnie chcemy zwrócić uwagę na wcześniejsze koncepcje, z których korzystaliśmy, mianowicie na badania z okresu autorytarnego socjalizmu i propozycje autorstwa Stefana Nowaka, Jana Szczepańskiego, a także Janusza Reykowskiego. Nowak wyodrębniał dwie grupy znaczeń terminu „wartość". Pierwsza odnosi się do aktu wartościowania konkretnego przedmiotu, nadawania mu dodatniej bądź ujemnej wartości, co wiązało się z psychologicznym pojęciem „postawy", obejmującym wymiar poznawczy, dyspozycję do zachowań oraz wartościowanie. W tym przypadku, jak pisał Nowak, wartości są „uprzedmiotowione". Druga grupa znaczeń terminu „wartość" („wartość sensu stricto") odnosi się do stanów pożądanych, oczekiwanych, które wskazują, jakimi powinny być przedmioty naszych postaw. W tym znaczeniu wartości są pewnymi standardami czy normami. Nowak wskazał, że „są to wartości o wyraźnie normatywnym, powinnościowym charakterze – określające, jaki powinien być świat (…). Potraktowane jako kryteria wartościowania pozwalają nam odróżnić – w ramach uznawanego przez nas systemu – rzeczy, zdarzenia, zachowania słuszne od niesłusznych" (Nowak, 1989: 14). Ten powinnościowo--słusznościowy charakter wartości był uwypuklony w definicji wartości danej przez Jana Szczepańskiego: wartością nazywał on „dowolny przedmiot materialny lub idealny, ideę lub instytucję, przedmiot rzeczywisty lub wyimaginowany, w stosunku do którego jednostki lub zbiorowości przyjmują postawę szacunku, przypisują mu ważną rolę w swoim życiu i dążenie do jego osiągnięcia odczuwają jako przymus" (Szczepański, 1970: 97–98). We wskazanych powyżej badaniach Nowaka wyróżnionym problemem badawczym było zagadnienie, czy wartości społeczno-ekonomiczne układają się w syndromy dające się interpretować jako przejawy określonych ideologii. W badaniach z lat 70. przy zastosowaniu analizy rankingowej nie udało się wyodrębnić spójnych syndromów ideologicznych; Nowak notował specyficzne niespójności, zwłaszcza odnoszące się do pojęcia demokracji. Mimo niespójności postaw, wyodrębnienie syndromów stało się procedurą badawczą powszechnie stosowaną, począwszy od wczesnych lat 80. W badaniach wartości stawiany był także problem struktury wartości pod kątem ich trwałości.

W tym zakresie ważna była propozycja autorstwa Janusza Reykowskiego. Wyróżniał on w ramach „sieci poznawczej" dwie formy: „sieć operacyjną", opisową, która odzwierciedla strukturę i wzajemne relacje przedmiotów, oraz „sieć wartości". Ta druga stanowiła „uporządkowanie elementów poznawczych ze względu na przypisywaną im wartość (...) znaczy to, że w umyśle podmiotu przedmioty i zjawiska organizowane są (...) nie ze względu na ich obiektywne relacje, lecz ze względu na ich subiektywne (...) znaczenie". Znaczenie nadawane jest w wyniku subiektywnych emocjonalnych doświadczeń podmiotu, lecz także w procesie wtórnej socjalizacji. Reykowski charakteryzował je następująco: „przedmioty (czynności) uzyskują także wartościowość (valence [walentność]) dzięki temu, że społeczność, której jednostka jest członkiem, ocenia je w określony sposób. Tak więc dla jednostki określony przedmiot bądź określona czynność mogą być wartościowe dlatego, że są źródłem pewnych stanów emocjonalnych lub też dlatego, że są one cenione w grupie, do której jednostka należy" (Reykowski, 1986: 239–240). I dalej Reykowski pisał: „im bardziej reprezentacja przedmiotu lub aktywności rozbudowana jest w umyśle jednostki, im bardziej spójny system ona tworzy, a także im bardziej centralnie jest ona położona w systemie powiązań, tym większa jest jej wartościowość (...). Nie można jednak zapominać, że stopień rozbudowy reprezentacji i stopień jej spójności są funkcją doświadczeń jednostki, a to uzależnione jest od właściwości kultury, w której życie jednostki przebiega. To kultura formuje w umyśle reprezentacje otoczenia, to od niej zależy, ile i jak podporządkowanych informacji o rzeczywistości jednostka otrzymuje" (Reykowski, 1986: 240–241).

Nawiązując do tematu naszej monografii – pytanie badawcze odnosi się do społecznych definicji wartości i pojęć o wysokiej walentności w obliczu pandemii COVID-19 – czy ulegną zmianie treści pojęć, czy nastąpią istotne przesunięcia w sieci wartości i hierarchii wyborów, czy więc walentność pojęć ulegnie zmianie? Temu pytaniu towarzyszy pytanie o jeszcze większej wadze z punktu widzenia wieloletnich badań socjoekonomistów z SGH – jaki zmiany nastąpią w zakresie syndromów wartości sensu stricto?

Trzy wizje gospodarki dobrze urządzonej (GDU)

Badania wizji gospodarki dobrze urządzonej (dalej GDU) rozpoczęliśmy w zespole SGPiS w roku 1986, lecz dopiero w 1991 r. przeprowadziliśmy badania na ogólnopolskiej reprezentacji pracowników przemysłu, które w nowych politycznych, społecznych i ekonomicznych warunkach ujawniły trójdzielną strukturę wizji GDU (omówienie tych badań: Czarzasty 2020, Gardawski 2021). Główna wizja, określana przez nas jako modalna, miała charakter niespójny z teoretycznego punktu widzenia, niemniej dawała się trafnie interpretować z punktu widzenia psychologii społecznej, a także wykazywała podobieństwo do niespójnych wizji, wykrytych w badaniach brytyjskich przez Franka Parkina w drugiej połowie lat 60. XX wieku (Gardawski, 1996; Parkin, 1974). Kolejne badania prowadzone przy wykorzystaniu wskaźnika opracowanego w 1991 r. przy współpracy Franciszka i Pawła Sztabińskich, ujawniały stabilność akceptacji niektórych wartości społeczno-ekonomicznych, ale także stabilność trzech wizji (syndromów) GDU (posługiwaliśmy się eksploracyjną analizą czynnikową jedno- i dwustopniową, a także analizą skupień). Dowodem stabilności jest zbieżność wizji GDU uzyskanych w badaniach PRWORK z roku 1991 i wizji uzyskanych w wyniku aktualnych badań COV-WORK z 2021 r.

Jednym z najważniejszych wniosków z tych wieloletnich badań było stwierdzenie, że w mentalności ekonomicznej Polaków trwa stosunkowo niezmienny w głębszej warstwie syndrom oczekiwań, który ulegał wprawdzie zmianom w rytmie kryzysów, ale dotyczyły one raczej oczekiwań wobec niektórych zasad gospodarczych, natomiast rzadko naruszał zasadniczy układ wizji gospodarki dobrze urządzonej. Przedstawiając krótką syntezę naszych badań, na pierwszym miejscu wypada podkreślić, że poziomy wyborów pewnych wartości społeczno-gospodarczych utrzymywały się w długim okresie na względnie zbliżonym poziomie, a także ranking wartości był względnie stabilny. Pozwalało to empirycznie wyodrębnić zasady o większej walentności (mówiąc za Reykowskim), centralnie położonych wewnątrz syndromów. W ujęciu średnim mamy na uwadze trwale wysokie poparcie dla zasady konkurencji w gospodarce, dla finansowania technologicznego rozwoju polskiej gospodarki czy – z drugiej strony – wysoki poziom odrzucenia propozycji, aby otwierać rynek polskich przedsiębiorstw dla kapitału zagranicznego przy akceptowaniu tworzenia przez ten kapitał nowych przedsiębiorstw, także niechęci wobec radykalnej liberalizacji rynku pracy.

Również syndromy zasad, wizje gospodarki dobrze urządzonej, utrzymały się, jak wspomnieliśmy, w postaci względnie niezmiennej. Użyliśmy kilkakrotnie przysłówka „względnie", odchylenia bywały niekiedy duże, jednak biorąc pod uwagę około 30 sondaży, w większości wykrawaliśmy zbliżone rozkłady omawianych zmiennych i ich syndromów. Relacje między wizjami (mierzone wyjaśnianiem ogólnej wariancji w procedurze analizy czynnikowej oraz poziomem akceptacji najbardziej walentnych wartości społeczno-ekonomicznych, właściwych każdej z trzech wizji) potwierdza wniosek o względnej stabilności obserwacji.

Wskazana stabilność jest jednak względna, okresowe zaś zmiany (przerwy ciągłości notowane co pewien czas) mogły być traktowane jako swoisty barometr stosunku społeczeństwa do gospodarki rynkowej. Pod tym kątem będziemy porównywali wyniki badań młodzieży pracującej z lat 2016 i 2021.

Ujmując wizje pod kątem długiego ich trwania, można je następująco określić:
• Wizja pierwsza, świadcząca o dystansowaniu się, w większym lub mniejszym stopniu, od rynku. Była to wizja egalitarno-etatystyczna, której głównymi zasadami było wyrównywanie dochodów, interwencja państwa w gospodarkę i ochrona pracowników przez różnorodne instytucje (polityczne, korporacyjne,

społeczne). Wizja ta reprezentowała nie tylko niechęć do mechanizmów rynkowych, zawierała w niektórych pomiarach oczekiwanie na rozwinięcie instytucji partycypacji pracowniczej. W początkowym okresie stosowaliśmy
pojęcie „wizja tradycjonalna", w badaniach z ostatniego okresu wprowadziliśmy termin „wizja antyliberalnej bezpiecznej gospodarki korporacyjnej",
biorąc pod uwagę wzór wartości przypisanych w trakcie analizy czynnikowej
do tej wizji;

- Wizja druga – był to syndrom gospodarki rynkowej, jednak względnie bezpiecznej zarówno dla pracowników, jak i dla krajowej przedsiębiorczości
w kontekście międzynarodowej konkurencji. Głównymi zasadami było tu
wspieranie rozwoju krajowej gospodarki, chronienie jej przed ekspansją wyżej rozwiniętych gospodarek krajów zachodnich, wspomaganie własności
prywatnej w gospodarce, lecz krajowej, nie zagranicznej (protekcjonizm),
akceptacja zasady konkurencji w gospodarce, chociaż w ograniczonym zakresie, zwłaszcza odnośnie do rynku pracy (wizja była wyrazem przeświadczenia,
że powinna istnieć gospodarka rynkowa, pociągająca pewne uciążliwości dla
pracowników, jednak wolna od bezrobocia). Wizja ta, w odróżnieniu od pierwszej, dystansowała się od instytucji państwa, mimo że zawierała oczekiwania
ochrony z jego strony. W początkowym okresie badań określaliśmy tę wizję
jako „umiarkowanie modernizacyjną", na podstawie badań z 2016 r. określi-
liśmy ją jako „protekcjonistyczną gospodarkę rozwojową". Protekcjonizm
przybierał postać specyficzną – niechętną interwencji państwa w gospodarkę.
- Wizja trzecia cechowała się poparciem liberalnych wartości gospodarczych
z dwoma kluczowymi zasadami, czyli dopuszczeniem do sprzedawania przedsiębiorstw polskich kapitałowi zagranicznemu bez ograniczeń oraz swobodne-
go rynku pracy, dopuszczającego bezrobocie. Określaliśmy ją jako „liberalną".

Możemy teraz rozwinąć pytanie kończące poprzedni paragraf rozdziału. Sytuacje kryzysowe lub przeciwnie, sytuacje wysokiego prosperity społeczno-gospodarczego, wywoływały zmiany poparcia wartości społeczno-gospodarczych,
a także zmiany w strukturze syndromów. Wahaniom uległ stosunek do instytucji
państwa (należałoby powiedzieć: stopień niechęci do interwencji państwa w gospodarkę), stosunek do trybu zwalniania z pracy czy stosunek do zwiększania
roli kapitału zagranicznego. Jeśli z kolei pojawiały się zmiany syndromów, to
oznaczały one zanik wizji drugiej z wymienionych i redukcję oczekiwań do wizji
skrajnych: syndromu antyliberalnego i syndromu liberalnego. W pierwszych miesiącach pandemii COVID-19 można było oczekiwać, że wywoła ona kryzys, który
wpłynie na trójdzielną strukturę wizji gospodarki dobrze urządzonej i nastąpi takie
właśnie przesunięcie. Można było spodziewać się, że poziom poczucia niepewności i społecznego lęku spowoduje wzrost oczekiwań egalitarno-etatystycznych,
niechętnych rynkowi i w rezultacie ulegną marginalizacji oczekiwania bezpiecznej

gospodarki rynkowej, bezpieczeństwa będzie się szukało nie w rynku, lecz w instytucji państwa, wzrośnie oczekiwanie równości. Taką wizję zrekonstruował w niedawnych badaniach Paweł Ruszkowski z zespołem (Ruszkowski, Przestalski, Maranowski 2020).

W czasie prowadzenia badań CATI (jesień 2021 r.) już było wiadomo, że pandemia COVID-19 takiego skutku nie wywołała, niemniej nie wiadomo było, czy układ wizji się nie zmieni. Jak pisaliśmy, układ ten był traktowany jako swoisty społeczny barometr postaw wobec gospodarki rynkowej.

WPŁYW PANDEMII COVID-19 NA WIZJE GOSPODARKI DOBRZE URZĄDZONEJ

Wyjątkowo dobrą okazją do stwierdzenia wpływu pandemii COVID-19 na świadomość ekonomiczną dało porównanie wyników badań młodzieży pracującej (18–30 lat), przeprowadzonych przy użyciu bardzo podobnego wskaźnika jesienią 2016 r. i pięć lat później – jesienią 2021 r. Pierwsze badanie (PREWORK) było przeprowadzone na ogólnopolskiej próbie młodzieży, z wyodrębnieniem młodzieży pracującej, drugie, stanowiące przedmiot monografii, było przeprowadzone na próbie dorosłych mieszkańców Polski (COV-WORK). Dla celów porównania została w tych badaniach wyodrębniona z próby kategoria młodzieży pracującej w wieku 18–30 lat (w statystycznym ważeniu była brana warstwa odpowiedniej kategorii wiekowej). Pomijamy więc dane z badań ogółu pracujących, chcemy jednak dodać, że różnice między zbiorowościami dotyczyły stopnia, nie relacji (młodzież była bardziej liberalna na tle ogółu), lecz wyniki statystyk (analiza klastrowa i czynnikowa) nie różniły się istotnie.

Hipotezy

Pierwszym celem badań było porównanie rozkładów odpowiedzi na pytania wskaźnika GDU. Uznaliśmy, że pandemia wywoła wstrząs, który pociągnie za sobą zmiany preferencji ekonomicznych. W literaturze, której obfitość pojawiła się od marca 2020 r., znaleźć można wiele przewidywań co do wpływu pandemii COVID-19 na ład gospodarczy i na społeczne oczekiwania odnośnie do gospodarki jako całości i odrębnych instytucji gospodarczych. Wymienimy jednak tylko te hipotezy, które odnoszą się do problematyki GDU, tak jak jest ona operacjonalizowana we wskaźniku wykorzystywanym w badaniach z lat 2016 i 2021, w podziale na wartości egzystencjalne, systemowe (społeczno-gospodarcze) i polityczno-ideologiczne.

Po pierwsze, pandemia COVID-19 wywoła kryzys służby zdrowia, zwłaszcza publicznej (bezpłatnej), a co za tym idzie, pociągnie oczekiwania wzrostu efektywności opieki zdrowotnej. W kwestionariuszu odpowiada to pytaniu o zapewnienie powszechnej bezpłatnej opieki zdrowotnej (H1).

Po drugie, pojawi się kryzys na rynku pracy, zwłaszcza tracić mają zatrudnienie osoby zaangażowane na warunkach prekaryjnych (umowa o dzieło, umowa-zlecenie, ale także umowa na czas określony), których posiadacze są najpóźniej zatrudniani, a najwcześniej zwalniani. Wywoła to oczekiwania na ochronę stosunku pracy, co przekłada się na pytanie kwestionariusza o gwarancję pracy godnej, w tym przypadku pracy stałej (na czas nieokreślony) (H2).

Po trzecie, dojdzie do osłabienia liberalizmu rozumianego jako urynkowienie instytucji stosunków pracy i innych form życia zbiorowego, przy równoległym zaniku wiary w rynek jako efektywny mechanizm alokacyjny. W kwestionariuszu zawarte są pytania zarówno o liberalne instytucje makroekonomiczne i dotyczące rynku pracy, jak i dotyczące rynku i konkurencji (H3).

Po czwarte, w niestabilnej sytuacji społeczeństwo będzie się orientowało na to, co względnie pewne i trwałe – instytucję państwa i partie rządzące, których poparcie, jak się zakłada, wzrośnie. W kwestionariuszu są zawarte pytania o interwencję państwa w gospodarkę i o elektoraty partii politycznych (H4).

Po piąte, nastąpi wzmocnienie orientacji protekcjonistycznej, położenie większego nacisku na ochronę krajowych sił wytwórczych, mniej narażonych na dyslokację niż te należące do zagranicznych właścicieli. We wskaźniku zawarte jest pytanie dotyczące tworzenia lepszych warunków działalności firmom krajowym niż firmom zagranicznym (H5).

PORÓWNANIE POPARCIA ZASAD WIZJI GOSPODARKI DOBRZE URZĄDZONEJ Z BADAŃ PREWORK 2016 I Z BADAŃ COV-WORK 2021 U MŁODZIEŻY PRACUJĄCEJ

Materiał porównawczy dotyczy, jak pisaliśmy, jedynie wybranej grupy respondentów – pracującej młodzieży w grupie wiekowej 18–30 lat. Rozpoczniemy od porównania poziomu poparcia zasad ekonomicznych, aby w dalszej części rozdziału porównać strukturę wizji. Z tabeli 5.1 wynika, że w latach 2016–2021 nie nastąpiły zasadnicze zmiany w hierarchii preferencji, podzielonych na trzy segmenty: wysokiego, średniego i niskiego poparcia, deklarowanych przez młodych pracujących Polaków. W każdej z trzech grup znalazły się te same zasady w 2021 r., które były wymienione w 2016 r. Nastąpiły natomiast zmiany w porządku zasad w ramach każdego z trzech segmentów, a także w częstotliwości niektórych wyborów.

Tabela 5.1. Ranking poziomu poparcia zasad gospodarki dobrze urządzonej w badaniach z lat 2016 i 2021, w podziale na trzy grupy zasad wyodrębnionych ze względu na wysokość poparcia (proc.)

	Zasady/wartości społeczno-gospodarcze	PREWORK 2016	COV-WORK 2021	2021–2016
	Grupa pierwsza: 5 zasad wysoko preferowanych			
1	V30. Pracownicy, którzy chcą być zatrudnieni na stałe (na umowę na czas nieokreślony) powinni mieć zagwarantowaną stałą umowę	88,2	93,9	+5,7
2	V24. Powinno się tworzyć sprzyjające warunki dla rozwoju polskich przedsiębiorstw i banków, lepsze niż dla zagranicznych przedsiębiorstw i banków	79,7	75,4	–4,3
3	V16. Zasada konkurencji jest dobra dla gospodarki	78,4	78,6	+0,2
4	V23. Powinno się finansować z pieniędzy podatników ośrodki badawcze rozwijające w kraju najnowocześniejsze technologie	77,7	74,3	–3,4
5	V29. Powinno się zapewniać wszystkim obywatelom bezpłatną służbę zdrowia	72,1	83,5	+11,4
	Grupa druga: 5 zasad średnio preferowanych			
6	V19. Powinno się popierać swobodny przepływ pracowników z jednego kraju do innego w ramach Europy	69,6	71,4	+1,8
7	V22. Powinno się dofinansowywać z pieniędzy podatników zakładanie firm przez ludzi rozpoczynających działalność gospodarczą	56,2	49,1	–7,1
8	V21. Należy zlikwidować powszechny, obowiązkowy system emerytalny i pozwolić, aby obywatele sami decydowali czy chcą oszczędzać na emeryturę	55,3	61,7	+6,4
9	V28. Polityka podatkowa powinna dążyć do zmniejszania różnicy między zarobkami ludzi	53,4	47,4	–6,0
10	V26. Pracownicy wykonawczy powinni mieć wpływ na zarządzanie firmami, w których są zatrudnieni	46,9	48,2	+1,3
	Grupa trzecia: 5 zasad nisko preferowanych			
11	V25. Związki zawodowe powinny mieć wpływ na sprawy ważne dla gospodarki kraju	46,8	46,5	–0,3
12	V20. Należy radykalnie obniżyć podatki i pozwolić, aby obywatele sami finansowali usługi edukacyjne, zdrowotne itp.	46,4	X	X

Tabela 5.1. – cd.

	Zasady/wartości społeczno-gospodarcze	PREWORK 2016	COV-WORK 2021	2021–2016
13	V27. Państwo powinno regulować gospodarką, tzn. tworzyć plany gospodarcze, kontrolować ceny, określać poziom płac	40,1	38,1	–2,0
14	V17. Pracodawcy powinni mieć prawo zwalniać bez odszkodowań pracowników, dla których nie ma pracy w danym momencie	20,5	7,8	–12,7
15	V18. Powinno się zezwalać kapitałowi zagranicznemu na kupowanie bez ograniczeń polskich przedsiębiorstw	16,2	19,8	+3,6
	Zasady dodane do kwestionariusza z 2021 r.			
16	W gospodarce rynkowej bezrobocie powinno być dopuszczalne	X	36,8	X
17	Państwo powinno zapewniać każdemu obywatelowi podstawowe środki utrzymania, także temu, który nie pracuje	X	30,7	X

Źródła: badania w ramach projektu PREWORK, zrealizowane w listopadzie–grudniu 2016, podpróba młodych pracujących Polaków, n = 574; Badania w ramach projektu COV-WORK zrealizowane metodą CATI w listopadzie 2021 – podpróba młodych pracujących Polaków n = 117.

Pierwsze pięć zasad w 2016 r. układało się w porządek następujący: bezpieczne zatrudnienie (kontrakt na czas nieograniczony), protekcjonizm, gospodarka rynkowa, gospodarka rozwojowa, opieka zdrowotna. W 2021 r. układ zmienił się: na pierwszym miejscu pozostało bezpieczne zatrudnienie, lecz drugie miejsce zajęła opieka zdrowotna, protekcjonizm zaś spadł z drugiego na czwarte miejsce.

Licząc punktami procentowymi, największe przesunięcie dotyczyło opieki zdrowotnej, której poparcie wzrosło o 11,4 p.p. Oczekiwanie bezpiecznych warunków zatrudnienia wzrosło o 6,4 p.p. Te dwie obserwacje potwierdzają odpowiednie hipotezy H1 i H2. Jednocześnie protekcjonizm stracił 4,3 p.p. Tak więc egzystencjalne potrzeby bezpieczeństwa (pracowniczego i zdrowotnego) zepchnęły na drugi plan oczekiwania systemowe: protekcjonizm gospodarczy i technologiczny rozwój polskiej gospodarki. Podniesienie rankingowej pozycji oczekiwań egzystencjalnych – zdrowia, pracy – jest łatwe do wytłumaczenia w kontekście pandemii COVID-19, jednak równocześnie nastąpiło obniżenie poparcia dla protekcjonizmu i pewne złagodzenie stosunku do kapitału zagranicznego, co przeczy H5, zakładającej wzmocnienie protekcjonizmu.

Nastąpiły także pewne zmiany w dwóch pozostałych segmentach preferencji. Kierunek tych zmian to bardzo głębokie obniżenie i tak niewysokiego poziomu przyzwolenia na liberalizację rynku pracy (zwalnianie bez odpraw ze strony pracodawcy z 20,5% na 7,8%, o 12,7 p.p.), co potwierdza częściowo hipotezę H3. Równolegle nie nastąpiło jednak obniżenie wiary w mechanizm rynku i konkurencji w perspektywie ogólnej, co przeczy częściowo hipotezie H3. Obserwacja wymaga głębszych analiz – nawiążemy do nich w kolejnym podrozdziale.

Należy w kontekście akceptacji mechanizmów rynkowych zwrócić uwagę na znacznie wyższy, niż zakładaliśmy, poziom przyzwolenia na bezrobocie – nieomal co drugi młody pracujący mieszkaniec Polski godzi się z tezą, że bezrobocie jest (bywa) nieuchronnym komponentem stosunków rynkowych. W przeszłych badaniach wizji GDU odpowiedni wskaźnik nie przekraczał 20 p.p. W przypadku wartości społeczno-gospodarczych, systemowych, odnoszących się do ustroju gospodarczego, stan sprzed pandemii COVID-19 pod wieloma względami pozostał nieomal niezmieniony, jednak wysoki poziom poczucia nieuchronności bezrobocia każe z ostrożnością traktować tezę o stabilności stanu świadomości ekonomicznej.

Odnosząc się do hipotezy o zwiększaniu oczekiwań interwencji ze strony instytucji państwa, zanotowaliśmy umiarkowane obniżenie lub pozostanie na dotychczasowym poziomie preferencji egalitarnych, etatystycznych, partycypacyjnych. W większości tych zasad zmiany nie były duże, jednak ich kierunek nie pozostawiał wątpliwości i przeczył H4, przewidującej zwróceniu się ku etatyzmowi.

Aktualne obserwacje na poziomie 16 zasad wskaźnika GDU dowodzą względnie niewielkiej zmiany, zwłaszcza jeśli wziąć pod uwagę notowane w trakcie wieloletnich badań załamania poparcia dla mechanizmów rynkowych (okres przełomu ustrojowego w 1990 r.) czy zwrot ku liberalizmowi w roku 2007.

Względnie stabilny stan w zakresie normatywnych wizji gospodarki nie znaczy, że wskazane zmiany nie są istotne, jednak nie wywołały głębszego wstrząsu i podważenia akceptacji systemu rynkowego – używając przenośni, uderzenia pandemii nie można (w przypadku świadomości ekonomicznej) przyrównać do kamienia wrzuconego do wody, który wywołuje falę i rozchodzące się kolejne kręgi na tafli wody, co zaburza stabilność na powierzchni całego stawu. W naszych badaniach świadomości ekonomicznej nie stwierdziliśmy takich konsekwencji pandemii COVID-19. Okazał się on punktowy, poza obawami egzystencjalnymi nie wywołał oczekiwanych w hipotezach konsekwencji. Tym samym nasze wnioski są zbieżne z wnioskami zawartymi w rozdziałach 1 i 2 naszej monografii.

PORÓWNANIE WIZJI GOSPODARKI DOBRZE URZĄDZONEJ Z BADAŃ PREWORK 2016 I Z BADAŃ COV-WORK 2021 U MŁODZIEŻY PRACUJĄCEJ

Główna hipoteza, którą postawiliśmy, przystępując do badań COV-WORK w 2020 r., to zastąpienie trójstronnej wizji gospodarki dobrze urządzonej przez wizję dychotomiczną, z którą zetknęliśmy się w czasie pierwszego kryzysu świadomości ekonomicznej we wczesnych latach 90. Polegał on na zaniku w obliczu kryzysu oczekiwań na „umiarkowaną modernizację", na polski wariant społecznej gospodarki rynkowej, w którym to wariancie zasady rynku dadzą się pogodzić z bezpieczeństwem stosunków pracy. Wówczas, już po półtora roku, wróciło oczekiwanie na „umiarkowaną modernizację" a wraz z nim powrót trójdzielnej struktury wizji. W aktualnych badaniach oczekiwaliśmy więc takiej zmiany, chociaż już w momencie rozpoczynania badań CATI (jesień 2021 r.) nic nie wskazywało na to, że pandemia wywrze taki skutek.

Było więc wiadomo, że pandemia COVID-19 nie wywołała głębokiego kryzysu, nie można było jednak przewidzieć *a priori* czy, a jeśli tak – to jakie zmiany spowodowała w strukturze wizji. W kwestionariuszu z 2021 r. wprowadzono niewielkie zmiany – dodano dwie zasady (dopuszczenie do bezrobocia i wprowadzenie bezwarunkowego dochodu podstawowego) oraz usunięto jedną z zasad. Odnośnie do dwóch wprowadzonych zasad zwracał uwagę niższy, niż oczekiwaliśmy, poziom poparcia instytucji bezwarunkowego dochodu podstawowego, a zarazem wspomniany poprzednio znacznie wyższy poziom pogodzenia się z nieuchronnością bezrobocia.

Macierze korelacji PREWORK 2016 i COV-WORK 2021

Macierze korelacji pozwalają na zdefiniowanie znaczeń nadawanych zasadom przez korelacje z pozostałymi zasadami wskaźnika GDU, co jest główną wartością prezentowanych macierzy zasad wskaźnika. Obok tego, zaletą macierzy jest zarysowanie korelacji między zasadami, które wytyczają ścieżkę analizom klastrowym i analizom czynnikowym. Na wstępie zatrzymamy się przy treści zasady konkurencji w gospodarce, która jest położona centralnie w strukturze świadomości ekonomicznej młodzieży pracującej, nosi wyjątkowo wysoką walentność (przypomnijmy rozważania z lat 80. na temat mitu rynku, podejmowane m.in. przez Lenę Kolarską).

Notowaliśmy bardzo wysokie poparcie tej zasady w większości badań prowadzonych od 1986 r. Wyniki dwóch omawianych obecnie badań potwierdzają wcześniejsze wnioski z szeregu badań prezentowanych w monografii poświęconej GDU (Gardawski, 2021: 100, 113, 129, 133, 185). Wnioski te wskazywały, że konkurencja niezmiennie kojarzy się z rozwojem krajowej gospodarki i konkurencją z międzynarodowym otoczeniem, w niewielkim stopniu kojarzy się z ryzykiem bezrobocia i w równie niewielkim stopniu podlega wahaniom koniunktury gospodarczej i wahaniom na rynku pracy. To między innymi powodowało, że nie wchodziła ona w wysokie negatywne korelacje z zasadami, które z punktu widzenia racjonalnego wyboru są jej przeciwstawne. Tak jest z zasadą etatyzmu, która była popierana w 2016 r. przez 37,9% zwolenników konkurencji, przy średnim poparciu etatyzmu przez ogół badanych – 40,1%[27]. W przypadku egalitaryzmu w 2016 r. poparcie ze strony zwolenników konkurencji wynosiło 50% przy średnim poparciu przez ogół badanych 53,4%, natomiast w roku 2021 odpowiednio 49,4% i 47,4%.

Dodajmy, że uznanie nieuchronności bezrobocia było specyficznie skorelowane z innymi zasadami, co dobrze obrazuje macierz korelacji (tabela 5.3). Uznanie bezrobocia wiąże się w niewielkim stopniu lub nie wiąże się dodatnio ze stosunkiem do zasad liberalnych, natomiast wiąże się umiarkowanie negatywnie z zasadami egalitarno-etatystyczno-opiekuńczymi. Dla przykładu, na sprzedawanie przedsiębiorstw państwowych kapitałowi zagranicznemu bez ograniczeń zgadza się 20,5% akceptujących bezrobocie przy średnim poparciu przez ogół badanych 19,8%, podczas gdy na ingerencję państwa w gospodarkę zgadza się jedynie 37,5% akceptujących bezrobocie przy średnim poparciu 40,1%.

---

[27] Tu potrzebna jest uwaga: odnosząc rozkłady korelacji do średniego poziomu poparcia, mamy na uwadze średnie poparcia danej zasady w całej podpróbie młodzieży pracującej.

Tabela 5.2. Macierz korelacji zmiennych wskaźnika gospodarki dobrze urządzonej (macierz R) dla zatrudnionych młodych Polaków w badaniach z 2016 r. (PREWORK)

		V16	V17	V18	V19	V20	V21	V22	V23	V24	V25	V26	V27	V28	V29	V30
V16	r	1														
	p															
V17	r	−0,030	1													
	p	0,486														
V18	r	−0,029	0,136	1												
	p	0,495	0,001													
V19	r	0,152	0,072	0,249	1											
	p	0,000	0,089	0,000												
V20	r	−0,013	0,210	0,057	−0,038	1										
	p	0,762	0,000	0,181	0,372											
V21	r	−0,036	0,296	0,051	−0,073	0,420	1									
	p	0,390	0,000	0,228	0,081	0,000										
V22	r	0,014	−0,037	−0,055	0,141	−0,088	0,013	1								
	p	0,743	0,383	0,195	0,001	0,037	0,757									
V23	r	0,216	−0,019	−0,164	0,178	0,004	−0,015	0,341	1							
	p	0,000	0,650	0,000	0,000	0,932	0,722	0,000								
V24	r	0,174	0,004	−0,277	−0,020	0,084	0,027	0,148	0,279	1						
	p	0,000	0,934	0,000	0,637	0,046	0,528	0,000	0,000							
V25	r	−0,118	−0,234	−0,154	−0,102	−0,087	−0,137	0,168	0,126	0,178	1					
	p	0,005	0,000	0,000	0,016	0,040	0,001	0,000	0,003	0,000						
V26	r	−0,101	−0,074	0,038	−0,040	−0,044	0,077	0,134	0,110	0,008	0,291	1				
	p	0,016	0,083	0,368	0,343	0,300	0,067	0,001	0,009	0,850	0,000					
V27	r	−0,124	−0,083	−0,066	−0,130	−0,184	−0,120	0,160	−0,018	0,075	0,273	0,193	1			
	p	0,003	0,050	0,119	0,002	0,000	0,004	0,000	0,671	0,075	0,000	0,000				
V28	r	−0,111	−0,107	−0,114	−0,020	−0,143	−0,063	0,133	0,027	0,088	0,228	0,141	0,403	1		
	p	0,009	0,012	0,007	0,639	0,001	0,139	0,002	0,518	0,038	0,000	0,001	0,000			
V29	r	−0,102	−0,326	−0,086	−0,051	−0,234	−0,219	0,197	0,102	0,174	0,327	0,174	0,298	0,313	1	
	p	0,014	0,000	0,041	0,224	0,000	0,000	0,000	0,015	0,000	0,000	0,000	0,000	0,000		
V30	r	0,024	−0,281	−0,164	0,004	−0,086	−0,119	0,258	0,213	0,159	0,248	0,197	0,245	0,228	0,383	1
	p	0,568	0,000	0,000	0,918	0,041	0,004	0,000	0,000	0,000	0,000	0,000	0,000	0,000	0,000	

Treść zasad:

V16. Zasada konkurencji jest dobra dla gospodarki.

V17. Pracodawcy powinni mieć prawo zwalniać bez odszkodowań pracowników, dla których nie ma pracy w danym momencie.

V18. Powinno się zezwalać kapitałowi zagranicznemu na kupowanie bez ograniczeń polskich przedsiębiorstw.

V19. Powinno się popierać swobodny przepływ pracowników z jednego kraju do innego w ramach Europy.

V20. Należy radykalnie obniżyć podatki i pozwolić, aby obywatele sami finansowali usługi edukacyjne, zdrowotne itp.

V21. Należy zlikwidować powszechny, obowiązkowy system emerytalny i pozwolić, aby obywatele sami decydowali czy chcą oszczędzać na emeryturę.

V22. Powinno się dofinansowywać z pieniędzy podatników zakładanie firm przez ludzi rozpoczynających działalność gospodarczą.

V23. Powinno się finansować z pieniędzy podatników ośrodki badawcze rozwijające w kraju najnowocześniejsze technologie.

V24. Powinno się tworzyć sprzyjające warunki dla rozwoju polskich przedsiębiorstw i banków, lepsze niż dla zagranicznych przedsiębiorstw i banków.

V25. Związki zawodowe powinny mieć wpływ na sprawy ważne dla gospodarki kraju.

V26. Pracownicy wykonawczy powinni mieć wpływ na zarządzanie firmami, w których są zatrudnieni.

V27. Państwo powinno regulować gospodarką, tzn. tworzyć plany gospodarcze, kontrolować ceny, określać poziom płac.

V28. Polityka podatkowa powinna dążyć do zmniejszania różnicy między zarobkami ludzi.

V29. Powinno się zapewniać wszystkim obywatelom bezpłatną służbę zdrowia

V30. Pracownicy, którzy chcą być zatrudnieni na stałe (na umowę na czas nieokreślony) powinni mieć zagwarantowaną stałą umowę.

Źródło: badania w ramach projektu PREWORK, zrealizowane w listopadzie–grudniu 2016; podpróba młodych pracujących Polaków, n = 574.

Tabela 5.3. Macierz korelacji zmiennych wskaźnika gospodarki dobrze urządzonej (macierz R) dla zatrudnionych młodych Polaków w badaniach z 2021 r. (COV-WORK)

		1	2	3	4	5	6	7	8	9	10	11	12	13	14	15	16
r9x1	r	1															
	p																
r9x2	r	0,109	1														
	p	0,257															
r9x3	r	0,101	0,172	1													
	p	0,291	0,068														
r9x4	r	-0,028	-0,132	0,035	1												
	p	0,776	0,171	0,719													
r9x5	r	0,001	0,197	0,007	0,174	1											
	p	0,994	0,040	0,944	0,072												
r9x6	r	0,077	-0,051	0,009	0,228	0,157	1										
	p	0,421	0,591	0,921	0,016	0,100											
r9x7	r	0,058	-0,027	0,027	0,069	0,240	0,098	1									
	p	0,545	0,774	0,774	0,475	0,011	0,303										
r9x8	r	0,211	-0,121	0,114	0,111	-0,063	0,034	0,345	1								
	p	0,025	0,201	0,227	0,248	0,509	0,718	0,000									
r9x9	r	0,140	-0,050	-0,002	-0,318	0,039	-0,089	0,058	0,094	1							
	p	0,141	0,598	0,987	0,001	0,681	0,349	0,544	0,321								
r9x10	r	-0,036	-0,317	-0,217	0,083	-0,109	-0,048	-0,033	0,245	0,184	1						
	p	0,705	0,001	0,021	0,390	0,255	0,615	0,731	0,009	0,053							
r9x11	r	0,024	-0,259	-0,094	0,127	-0,264	-0,017	-0,037	0,063	0,120	0,286	1					
	p	0,800	0,006	0,321	0,190	0,005	0,862	0,700	0,506	0,207	0,002						
r9x12	r	0,094	-0,197	-0,191	-0,067	-0,166	0,030	-0,190	0,022	0,274	0,359	0,523	1				
	p	0,325	0,038	0,042	0,488	0,082	0,750	0,044	0,818	0,003	0,000	0,000					
r9x13	r	-0,042	-0,283	-0,231	-0,183	-0,042	-0,233	0,039	0,066	0,282	0,196	0,152	0,226	1			
	p	0,660	0,002	0,013	0,056	0,661	0,013	0,682	0,486	0,002	0,037	0,109	0,016				
r9x14	r	-0,193	-0,165	-0,059	-0,181	0,162	0,020	0,172	0,143	0,122	0,014	-0,145	0,036	0,279	1		
	p	0,042	0,082	0,536	0,058	0,091	0,836	0,068	0,130	0,199	0,880	0,126	0,703	0,003			
r9x15	r	-0,052	-0,253	-0,290	0,060	0,059	-0,090	0,115	0,154	-0,002	0,208	0,200	0,162	0,230	0,222	1	
	p	0,588	0,007	0,002	0,536	0,536	0,342	0,224	0,102	0,983	0,027	0,033	0,086	0,013	0,018		
r9x16	r	-0,169	-0,217	-0,217	-0,119	-0,270	-0,222	-0,031	-0,040	0,207	0,216	0,129	0,326	0,218	0,175	0,119	1
	p	0,076	0,022	0,021	0,218	0,004	0,018	0,744	0,674	0,027	0,022	0,174	0,000	0,020	0,064	0,208	

Treść zasad:

R9x1. Zasada konkurencji jest dobra dla gospodarki.

R9x2. W gospodarce rynkowej bezrobocie powinno być dopuszczalne.

R9x3. Pracodawcy powinni mieć prawo zwalniać bez odprawy pracowników, dla których nie ma pracy w danym momencie.

R9x4. Powinno się zezwalać kapitałowi zagranicznemu na kupowanie polskich przedsiębiorstw bez ograniczeń.

R9x5. Powinno się popierać swobodny przepływ pracowników z jednego kraju do innego.

R9x6. Należy zlikwidować powszechny, obowiązkowy system emerytalny i pozwolić, aby obywatele sami decydowali czy chcą oszczędzać na emeryturę.

R9x7. Powinno się finansować z pieniędzy podatników ośrodki badawcze rozwijające w kraju najnowocześniejsze technologie.

R9x8. Powinno się dofinansowywać z pieniędzy podatników zakładanie firm przez ludzi rozpoczynających działalność gospodarczą.

R9x9. Powinno się tworzyć sprzyjające warunki dla rozwoju polskich przedsiębiorstw i banków, lepsze niż dla zagranicznych przedsiębiorstw i banków.

R9x10. Związki zawodowe powinny mieć duży wpływ na gospodarkę kraju.

R9x11. Państwo powinno regulować gospodarką, tzn. tworzyć plany gospodarcze, kontrolować ceny, kontrolować płace.

R9x12. Polityka podatkowa powinna dążyć do zmniejszania różnicy między zarobkami ludzi.

R9x13. Powinno się zapewniać wszystkim obywatelom bezpłatną ochronę zdrowia.

R9x14. Pracownicy wykonawczy powinni mieć wpływ na zarządzanie firmami, w których są zatrudnieni.

R9x15. Pracownicy, którzy chcą być zatrudnieni na stałe (na umowę na czas nieokreślony) powinni mieć zagwarantowaną stałą umowę.

R9x16. Państwo powinno zapewniać każdemu obywatelowi podstawowe środki utrzymania, także temu, który nie pracuje.

Źródło: badanie w ramach projektu COV-WORK zrealizowane metodą CATI w listopadzie 2021; podpróba młodych pracujących Polaków n = 117.

Nie wnikając obecnie szczegółowo w analizę korelacji zawartych w macierzach (tabela 5.2 i 5.3), chcemy podkreślić wyraźne zaznaczenie specyfiki zasady konkurencji: V16 i P9x1 (neutralność wobec zasad liberalnych, negatywna relacja z zasadami egalitarno-etatystyczno-opiekuńczymi). Na tym tle wyraźnie akcentuje się specyfika liberalnej zasady zwalniania bez odszkodowań (V17, P9x3). Obydwie macierze wskazują na wyodrębnianie się zbioru zasad egalitarno-etatystyczno-opiekuńczych (silniejszego w 2016 r., słabszego w 2021): w 2016 r. były to zmienne V25 – V30 (tabela 5.2), w 2021 zmienne Rx10 – Rx16 (tabela 5.3). Jest to sygnałem, że podejście, określane jako tradycyjne, będzie stanowiło odrębny czynnik i klaster o wyższej niż inne spoistości.

Analizy klastrowe PREWORK 2016 i COV-WORK 2021

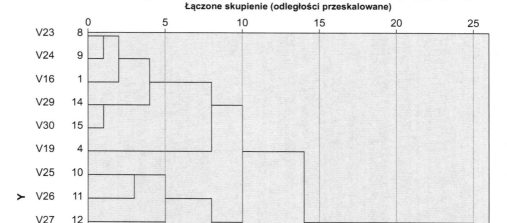

n = 574

Dendrogram 1. Klastrowa analiza wizji gospodarki dobrze urządzonej u zatrudnionych młodych Polaków, badania PREWORK 2016

Treść zasad jak w tabeli 5.2.

Źródło: jak w tabeli 5.2.

Struktura syndromatyczna wizji GDU, widoczna w macierzy korelacji (tabela 5.2 i 5.3), ulega wyostrzeniu w trakcie analizy skupień (dendrogram 1 i dendrogram 2). Pamiętając o opisanych już wieloletnich analizach normatywnych wizji gospodarki, łatwo stwierdzić utrzymanie się trzech wizji zarówno w analizach danych uzyskanych podczas sondaży z roku 2016, jak i z 2021 r. Tak więc pandemia COVID-19 nie wpłynęła na strukturę wizji.

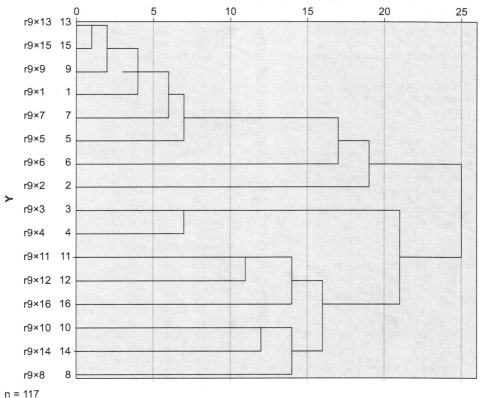

Dendrogram 2. Klastrowa analiza wizji gospodarki dobrze urządzonej u zatrudnionych młodych Polaków, badania COV-WORK 2021

Treść zasad jak w tabeli 5.3.

Źródło: jak w tabeli 5.3.

Tabela 5.4. Charakterystyka skupień w badaniach PREWORK 2016 i w badaniach COV-WORK 2021

Badania PREWORK 2016 n = 574		Badania COV-WORK 2021 n = 117	
Skupienia pierwsze			
„Rozwojowa bezpieczna gospodarka protekcjonistyczna"	**proc.**	**„Rozwojowa bezpieczna gospodarka protekcjonistyczna"**	**proc.**
V23. Powinno się finansować z pieniędzy podatników ośrodki badawcze rozwijające w kraju najnowocześniejsze technologie	77,8	R9x13. Powinno się zapewniać wszystkim obywatelom bezpłatną ochronę zdrowia	83,5
V24. Powinno się tworzyć sprzyjające warunki dla rozwoju polskich przedsiębiorstw i banków, lepsze niż dla zagranicznych przedsiębiorstw i banków	79,6	R9x15. Pracownicy, którzy chcą być zatrudnieni na stałe (na umowę na czas nieokreślony), powinni mieć zagwarantowaną stałą umowę	93,9
V29. Powinno się zapewniać wszystkim obywatelom bezpłatną służbę zdrowia	72,2	R9x9. Powinno się tworzyć sprzyjające warunki dla rozwoju polskich przedsiębiorstw i banków, lepsze niż dla zagranicznych przedsiębiorstw i banków	75,4
V30. Pracownicy, którzy chcą być zatrudnieni na stałe (na umowę na czas nieokreślony), powinni mieć zagwarantowaną stałą umowę	88,2	R9x1. Zasada konkurencji jest dobra dla gospodarki	78,6
V16. Zasada konkurencji jest dobra dla gospodarki	78,5	R9x7. Powinno się finansować z pieniędzy podatników ośrodki badawcze rozwijające w kraju najnowocześniejsze technologie	74,3
V19. Powinno się popierać swobodny przepływ pracowników z jednego kraju do innego w ramach Europy	69,6	R9x5. Powinno się popierać swobodny przepływ pracowników z jednego kraju do innego	71,4
		R9x6. Należy zlikwidować powszechny, obowiązkowy system emerytalny i pozwolić, aby obywatele sami decydowali, czy chcą oszczędzać na emeryturę (oddalone)	61,7
		R9x2. W gospodarce rynkowej bezrobocie powinno być dopuszczalne	36,8
Skupienia drugie			
„Korporatyzm, etatyzm, egalitaryzm"	**proc.**	**„Etatyzm, egalitaryzm, korporatyzm"**	**proc.**
V25. Związki zawodowe powinny mieć wpływ na sprawy ważne dla gospodarki kraju	46,7	R9x11. Państwo powinno regulować gospodarką, tzn. tworzyć plany gospodarcze, kontrolować ceny, kontrolować płace	38,1
V26. Pracownicy wykonawczy powinni mieć wpływ na zarządzanie firmami, w których są zatrudnieni	46,9	R9x12. Polityka podatkowa powinna dążyć do zmniejszania różnicy między zarobkami ludzi	47,4

Tabela 5.4. – cd.

Badania PREWORK 2016 n = 574		Badania COV-WORK 2021 n = 117	
V27. Państwo powinno regulować gospodarką, tzn. tworzyć plany gospodarcze, kontrolować ceny, określać poziom płac	40,1	R9x10. Związki zawodowe powinny mieć duży wpływ na gospodarkę kraju	46,5
V28. Polityka podatkowa powinna dążyć do zmniejszania różnicy między zarobkami ludzi	53,7	R9x14. Pracownicy wykonawczy powinni mieć wpływ na zarządzanie firmami, w których są zatrudnieni	48,2
V22. Powinno się dofinansowywać z pieniędzy podatników zakładanie firm przez ludzi rozpoczynających działalność gospodarczą	56,4	R9x8. Powinno się dofinansowywać z pieniędzy podatników zakładanie firm przez ludzi rozpoczynających działalność gospodarczą	49,1
Skupienia trzecie			
Trzecie „Anarcholiberalizm" (V20 i V21) i czwarte „Liberalizm otwarty" (V17, V18)	**proc.**	**„Liberalizm"**	**proc.**
V20. Należy radykalnie obniżyć podatki i pozwolić, aby obywatele sami finansowali usługi edukacyjne, zdrowotne itp.	46,4	R9x3. Pracodawcy powinni mieć prawo zwalniać bez odprawy pracowników, dla których nie ma pracy w danym momencie	7,8
V21. Należy zlikwidować powszechny, obowiązkowy system emerytalny i pozwolić, aby obywatele sami decydowali, czy chcą oszczędzać na emeryturę	55,2	R9x4. Powinno się zezwalać kapitałowi zagranicznemu na kupowanie polskich przedsiębiorstw bez ograniczeń	19,8
Skupienie trzecie bis „Anarcholiberalizm"			
V17. Pracodawcy powinni mieć prawo zwalniać bez odszkodowań pracowników, dla których nie ma pracy w danym momencie	20,5		
V18. Powinno się zezwalać kapitałowi zagranicznemu na kupowanie bez ograniczeń polskich przedsiębiorstw	16,3		

Źródło: jak w tabelach 5.2 i 5.3.

WIZJE GOSPODARKI DOBRZE URZĄDZONEJ JAKO WYRAZ ZRÓŻNICOWAŃ STRUKTURALNYCH

Przedstawione powyżej wyniki analiz klastrowych (tabela 5.4) potwierdziły, z pewnymi odchyleniami, wyniki analizy hierarchii wyborów zasad wskaźnika GDU w latach 2016 i 2021 (tabela 5.1). Pozwala to wrócić do pytania, czy trój-dzielna struktura świadomości ekonomicznej w aspekcie normatywnych wizji go-spodarki, powtarzająca się od nieomal trzech dekad, powinna być interpretowana jako wyraz ukrytych podziałów społeczno-kulturowych polskiego społeczeństwa (przejaw względnie trwałych zróżnicowań), czy jako efekt zastosowania narzędzia, czy też jako wynik innych, niedostrzeganych przez nas przyczyn. Stając wobec takiej wieloczłonowej alternatywy, uważamy, że trójdzielna struktura wizji jest odzwierciedleniem trwałych środowiskowych podziałów świadomości ekonomicznej cechujących polskie społeczeństwo. Podziały te są skorelowane ze zmiennymi społeczno-demograficznymi, ekonomicznymi i polityczno-ideologicznymi, korelacje nie są jednak silne; chciałoby się powiedzieć, że nie wyjaśniają dostatecznie dużego odsetka wariancji ogólnej, natomiast ukrywają się za nimi spetryfikowane wzory kultury, wpływające do pewnego stopnia stabilizująco na strukturę społeczną. Zakładamy ostrożnie, że położenie jednostki w strukturze społecznej i ekonomiczno-zawodowej, klasowej, polskiego społeczeństwa jest w znacznym, chociaż trudnym do oszacowania stopniu, determinowane przez środowiskowe habitusy wytyczające społeczne wartości i aspiracje. Kluczowa naszym zdaniem jest obecność w polskim społeczeństwie dominującego wzoru wartości, który określaliśmy w przeszłości jako „umiarkowanie modernizacyjny", a obecnie jako „rynkowo-protekcjonistyczny", wzór polskiej klasy średniej, do której zaliczamy klasę robotniczą. Wzór ten został wyśmienicie uchwycony przez Stefana Nowaka i opisany przez niego w tekstach z końca lat 70. Wskazał on w nich na wysoki poziom łączącego, inkluzyjnego kapitału społecznego, niski – kapitału pomostowego, z tendencją ku „amoralnemu familizmowi", z zaradnością, pracowitością, ale też z pewnym deficytem mentalnej otwartości.

Na marginesie dodamy, że argumentem, który może posłużyć obronie głębokiego społecznego zakorzenienia wizji, ich statusu zmiennych objaśnianych, a nie objaśniających, są wyniki porównawczych badań młodzieży pracującej przeprowadzone w Polsce (2016) i w Niemczech (2017) w ramach PREWORK. Badania młodzieży z Niemiec były prowadzone przy wykorzystaniu omawianego obecnie wskaźnika i użyciu tych samych metod statystycznych, które były stosowane w badaniach młodzieży polskiej, przyniosły jednak istotnie odmienne wyniki. Wizje GDU u młodzieży niemieckiej były wprawdzie pod pewnymi względami podobne do uzyskanych w badaniach polskich (zwłaszcza wizja antyliberalna), jednak układ nie był trójdzielny, a ponadto zasadniczo odmienną treść niosły zasady o wysokiej walentności, zwłaszcza etatyzm i protekcjonizm (Gardawski, 2021: 229–258).

Kolejnym krokiem porównawczego badania wizji GDU były eksploracyjne analizy czynnikowe, którymi posługiwaliśmy się w badaniach normatywnych wizji gospodarki niezmiennie od 1991 r. W niniejszej monografii nie będziemy przedstawiali wyników tych analiz z lat 2016 i 2021, dodamy jednak, że analizy czynnikowe wskaźnika GDU przeprowadzone w badaniach młodzieży pracującej w dostatecznym stopniu potwierdziły trójdzielną strukturę normatywnych wizji gospodarki. W 2016 r. eksploracyjna analiza czynnikowa „wyrotowała" pięć czynników-wizji: dwa antyliberalne, dwa liberalne i jeden centralny – „protekcjonistyczną rynkową gospodarkę rozwojową" (Gardawski, 2021: 170–192). W 2021 r. „wyrotowane" zostały cztery czynniki-wizje, które ułożyły się następująco: dwie antyliberalne, liberalna i protekcjonistyczna. Cechą charakterystyczną rozkładu wizji była każdorazowa znacznie większa spoistość wizji antyliberalnej, mierzona poziomem wyjaśnienia wariancji, niż spoistość każdej z pozostałych. We wskazanych badaniach trójstronność wizji była dowodzona przez korelacje czynników, a także przez analizę czynnikową drugiego stopnia. Ważne było także ustalenie w drodze analizy czynnikowej, które z zasad miały największe „ładunki czynnikowe" (mierzone współczynnikami korelacji z czynnikami-wizjami), co ułatwiło skonstruowanie wskaźnika GDU.

Wskaźnik typologii GDU

Celem naszych analiz było skonstruowanie wskaźnika normatywnych wizji gospodarki, który mógłby służyć w analizach korelacyjnych. W przeszłości stosowaliśmy dwie metody: w pierwszej konstruowaliśmy typologię wizji – koniunkcję poparcia zasad syndromatycznych dla poszczególnych wizji (np. Gardawski, 1996), w drugiej wykorzystywaliśmy wyniki analiz czynnikowych i średnie ładunki czynnikowe, wyliczane dla respondentów, zwolennikami zaś wizji stawali się ci, których indywidualne ładunki czynnikowe przekraczały medianę dla danej wizji (Gardawski, 2021: 304 i n.). Z metodologicznego punktu widzenia metoda druga bardziej rzetelnie mierzyła wizje, wymagała ona jednak odpowiednich wyników analizy czynnikowej. Pierwsza metoda była znacznie mniej subtelna, lecz przy spełnieniu warunku trafnego dobrania zmiennych syndromatycznych dawała dobre wyniki, a ponadto pozwalała w prosty sposób fizycznie wyodrębniać zbiorowości nosicieli wizji. Tę drogę wybraliśmy obecnie. Skonstruowaliśmy wskaźnik o trzech wartościach, odpowiadających każdej z wizji, który obejmował 75,9% ogółu badanych w ramach COV-WORK. Zasady wybrane do konstrukcji wskaźnika miały uzasadnienie zarówno statystyczne (częstotliwość wyborów), jak i merytoryczne (walentność). Wskaźnik jest przedstawiony w tabeli 5.5.

Charakterystyki wskaźnika:

1. Kobiety zdecydowanie częściej niż mężczyźni opowiadały się za wizją korporacyjno-egalitarną (44,7% wobec 25,1%), różnice między płciami były mniejsze w odniesieniu do wizji rynkowo-protekcjonistycznej, natomiast ponownie silniejsze przy liberalizmie – mężczyźni 29,3%, kobiety 16,1% ($chi^2 = 52,05$; $df = 2$; $p < 0,001$). Wiek wiązał się liniowo: osoby opowiadające się za wizją korporacyjno-egalitarną miały średni wiek 50 lat, rynkowo-protekcjonistyczną 48 lat, liberalną – 46 lat. Wśród najmłodszych respondentów (18–24 lata) było

dwukrotnie mniej zwolenników wizji korporacyjno-egalitarnej niż w najstarszej grupie (60 i więcej lat). Wizje były neutralne w odniesieniu do miejscowości zamieszkania.

2. Wykształcenie różnicowało istotnie: wizję korporacyjno-egalitarną akceptowało 51% absolwentów szkół zasadniczych, 20,5% osób o wykształceniu wyższym i 32,2% średnim. Wizja rynkowo-protekcjonistyczna była ponadprzeciętnie wybierana przez absolwentów uczelni wyższych. Wysokość zarobków rozkładała się liniowo: liberałowie – 4216 zł, rynkowi protekcjoniści – 3866 zł, korporacyjni egalitaryści – 2937 zł.

3. Wizje silnie różnicowały elektoraty partyjne (chi^2 = 146,96; df = 8; p < 0,001). Udział liberałów w elektoratach rozkładał się następująco: największy udział mieli nosiciele wizji w Koalicji Obywatelskiej (40,2%), następnie w SLD (32,2%), dwukrotnie mniejszy udział mieli w elektoracie Konfederacji (16,2%) i najmniejszy w PSL i PiS (odpowiednio 8,3% i 7%). Korporacyjni egalitaryści dominowali wśród elektoratu PiS (54,2% przy średniej 33,4%), natomiast rynkowi protekcjoniści dominowali w elektoracie Konfederacji (63,55%) i PSL (61,1%) przy średniej 44,8%. Zgodnie ze zróżnicowaniem elektoratów następowały identyfikacje ideologiczne: wśród deklarujących lewicowość 32,7% stanowili liberałowie, a 26,2% korporacyjni egalitaryści, podczas gdy wśród prawicowców liberalizm deklarowało 14%, a korporacyjny egalitaryzm 39,4%.

Dodajmy, że korelacje wskaźnika GDU ze zmiennymi strukturalnymi (ekonomiczno-zawodowymi) będą przedmiotem kolejnego rozdziału.

Tabela 5.5. Wskaźnik typologii Gospodarki Dobrze Urządzonej

Wizja	Nazwa wizji stosowana w przeszłości	Zasady, których koniunkcja składa się na wizje (poza „liberalizmem")	Odsetek w ramach wskaźnika (proc.)
1. Korporatyzm i egalitaryzm	Wizja tradycjonalna	łącząc poparcie (zdecydowane i umiarkowane) dwóch zasad: wpływu związków zawodowych na gospodarkę i wyrównywania zarobków (P9X10 i P9X12)	35,1
2. Rynek i protekcjonizm	Wizja umiarkowanie modernizacyjna	sprzyjające warunki dla krajowej przedsiębiorczości, lepsze niż dla zagranicznej oraz konkurencja między przedsiębiorstwami (P9X9 i P9X1)	42,3
3. Liberalizm	Wizja liberalna	sprzedawanie przedsiębiorstw państwowych kapitałowi zagranicznemu bez ograniczeń (P9X2)	22,6

Badania COV-WORK; n = 1063; 75,9% próby.

Źródło: badania COV-WORK (jak w tabeli 5.3); n = 1063; 75,9% próby.

WNIOSKI

W rozdziale poddano analizie wpływ pandemii COVID-19 na świadomość ekonomiczną. Analizę przeprowadzono w dwóch płaszczyznach: pierwszą były porównawcze badania stosunku młodzieży pracującej do 16 zasad wskaźnika gospodarki dobrze urządzonej w dwóch sondażach – PREWORK z 2016 r. i aktualne badania COV-WORK z 2021 r. Drugą płaszczyzną było porównanie typów wizji gospodarki dobrze urządzonej w obydwu sondażach. Ponadto w rozdziale postawiono pytanie o stabilność typów wizji gospodarki dobrze urządzonej i ich rolę w reprodukcji struktury nierówności ekonomiczno-zawodowych (klasowych). Częściowa odpowiedź na to pytanie będzie udzielona w kolejnym rozdziale.

W odniesieniu do pierwszej płaszczyzny stwierdzono utrzymanie się względnie zbliżonej hierarchii wyborów zasad w okresie sprzed pandemii i w aktualnym pomiarze z jesieni 2021 r. Niemniej odnotowano kilka zmian. Zgodnie z założeniem, pandemia COVID-19 spowodowała wzrost oczekiwań rozszerzenia zakresu opieki zdrowotnej oraz zwiększenie bezpieczeństwa pracowników na rynku pracy. Zgodnie z założeniem nastąpiło obniżenie akceptacji instytucji rynkowych w obszarze stosunków pracy, natomiast nie rzutowało to na poziom akceptacji zasady swobodnej konkurencji między przedsiębiorstwami. Wbrew założeniom nie nastąpił wzrost oczekiwań na interwencję państwa w gospodarkę, nie nastąpił wzrost oczekiwań na zmniejszanie nierówności i zwiększanie partycypacji pracowniczej. Nie nastąpiło także wzmocnienie orientacji protekcjonistycznej (oczekiwań wzmożonej ochrony krajowych sił wytwórczych przed kapitałem zagranicznym).

Druga płaszczyzna to wyniki analizy klastrowej oraz czynnikowej, które pozwoliły na stwierdzenie stabilności układu trzech typów wizji gospodarki dobrze urządzonej. Zarodki tej struktury stwierdzono w ostatnim okresie autorytarnego socjalizmu, a od początku lat 90. była ona względnie trwale obecna w ekonomicznej świadomości polskiego społeczeństwa. Trzy typy przybierały następującą postać: tradycyjny (egalitarno-etatystyczny), umiarkowanie rynkowy (konkurencyjny, ale zapewniający pracownikom względne bezpieczeństwo) oraz liberalny, radykalnie rynkowy. W aktualnych badaniach te trzy typy przybrały postać korporacyjno--egalitarną, rynkowo-protekcjonistyczną i liberalną. W rozdziale była rozważana hipoteza, dyskutowana także w kolejnym rozdziale, o strukturotwórczym wpływie wzorów kulturowych skrywających się za trzema normatywnymi wizjami gospodarki. Wymienione typy wizji byłyby więc symbolami kultur cechujących środowiska, które z kolei tworzyłyby dyspozycje do podejmowania określonych ról zawodowych.

Z punktu widzenia problemu społecznych skutków COVID-19, któremu poświęcona jest monografia, główna hipoteza, którą postawiliśmy, przystępując do badań COV-WORK w 2020 r., czyli zastąpienie trójstronnej wizji gospodarki dobrze urządzonej przez wizję dychotomiczną, została sfalsyfikowana. Nie nastąpił w obliczu kryzysu zanik oczekiwań na „umiarkowaną modernizację", czyli gospodarkę rynkową względnie bezpieczną dla pracowników. Ta obserwacja wymaga szczególnego podkreślenia, w przeszłości bowiem głębokie wstrząsy wywołały utratę oczekiwań na gospodarkę rynkową z „czynnikiem humanistycznym". Między innymi z tego powodu uznajemy badania wizji gospodarki dobrze urządzonej za swoisty barometr mierzący głębokość kryzysu w odbiorze społecznym. Po dwóch latach pandemii COVID-19 dostrzec można drgnięcie wskazówki barometru, lecz bez przesunięcia się w kierunku „burzy".

ROZDZIAŁ 6

STRUKTURA SPOŁECZEŃSTWA POLSKIEGO A PANDEMIA COVID-19

WPROWADZENIE

W badaniach omawianych w niniejszej monografii ważną rolę zmiennej objaśniającej spełniają kategorie struktury społecznej, które w tym rozdziale określamy jako kategorie ekonomiczno-zawodowe, klasowe. Uznaliśmy, że w studium socjologicznym dotyczącym kwestii kryzysu związanego z pandemią COVID-19, należy poddać analizie sytuację podstawowych kategorii struktury społecznej w postaci, jaką uzyskały po dwóch latach, które upłynęły od początku pandemii COVID-19 w Polsce. Główne pytanie badawcze, rozważane w tym rozdziale, rozwija kwestię postawioną w rozdziale poprzednim, lecz w odniesieniu do struktury społecznej. Czy więc z punktu widzenia struktury społecznej był to tektoniczny wstrząs całej struktury, czy ograniczył się do niektórych kategorii ekonomiczno-zawodowych, a może, patrząc z perspektywy dwóch lat, nie dotknął żadnej kategorii?

Hipotezy egzystencjalne, makroekonomiczne i polityczne

Rozpoczynając badania w 2020 r., postawiliśmy hipotezę o wpływie pandemii COVID-19 na kategorie ekonomiczno-zawodowe, a za ich pośrednictwem na klasy ekonomiczne. Hipoteza (H1) zakładała, że kryzys odbije się w zróżnicowanym stopniu na kategoriach: w większym stopniu na klasie robotniczej, klasie pracowników fizyczno-umysłowych, niższej klasie średniej (urzędnikach), gdzie wywoła wzrost bezrobocia, natomiast wpłynie w mniejszym stopniu na klasę średnią i klasę wyższą. Nawiązywaliśmy tym samym do obaw, które pojawiły się w początkowym okresie kryzysu z 2008 r. Wówczas przewidywano, że kryzys pojawi się na polskim gruncie w sekwencji znanej z lat 30. XX wieku: przyjdzie do Polski później niż do krajów Europy Zachodniej, jednak będzie głębszy i będzie trwał dłużej. Dodamy na marginesie: podczas negocjacji związków zawodowych i organizacji pracodawców wiosną 2009 r. obawiano się nadejścia tak wysokiego bezrobocia, że większość pracowników będzie musiała się zgodzić na redukcję płac do poziomu minimalnego.

W ramach tej hipotezy zakładaliśmy hipotezy szczegółowe: ogólne pogorszenie sytuacji pracowników na rynku, zmniejszenie poziomu zatrudnienia na warunkach kontraktu na czas nieograniczony (H2), wzrost obaw egzystencjalnych o utratę zatrudnienia i o sytuację finansową ze strony reprezentantów kategorii składających się na klasę niższą i średnią (H3), a także wzrost oczekiwań makroekonomicznych i politycznych: wzmożonej interwencji instytucji państwa w gospodarkę i wyższego poziomu identyfikacji z partią polityczną sprawującą władzę, zwłaszcza ze strony reprezentantów wymienionych powyżej kategorii (H4).

*   *   *

Niniejszy rozdział będzie poświęcony głównie opisowi społecznej sytuacji reprezentacji kategorii ekonomiczno-zawodowych. Analizę empiryczną poprzedzimy krótkim omówieniem metodologiczno-teoretycznego aspektu struktury. Ten wątek pozwoli pod koniec rozdziału na uporządkowanie kategorii struktury w układzie klas ekonomicznych po dwóch latach pandemii COVID-19. Pomocne przy tym będą także wyniki analiz postaw związanych z pandemią (obawa o utrzymanie zatrudnienia, obawa o sytuację finansową).

Podstawą badań struktury społecznej w okresie COVID-19 były wcześniejsze badania struktury, prowadzone począwszy od lat 60. XX wieku przez zespoły organizowane w ramach Szkoły Głównej Planowania i Statystyki (SGPiS) przez Leszka Gilejkę, a po przełomie ustrojowym – w Szkole Głównej Handlowej (SGH), następczyni SGPiS – przez jego następców.

Od połowy lat 80. badaniom struktury towarzyszyły badania wizji gospodarki dobrze urządzonej, omówione w poprzednim rozdziale monografii. W połowie drugiej dekady XXI wieku rozpoczęła się bliska współpraca między badaczami z SGH i badaczami z Uniwersytetu Wrocławskiego. Badacze wrocławscy wnieśli do badań strukturalnych nowe metody oraz cenne rozszerzenie teoretyczno--metodologiczne i wyniki swoich badań empirycznych.

Badania kierowane przez Leszka Gilejkę koncentrowały się na problemie upodmiotowienia klasy robotniczej w niesprzyjającym otoczeniu sztywnego socjalistycznego fordyzmu. Gilejko ujmował problemy tej klasy w perspektywie filozofii społecznej młodego Marksa, w tym duchu były prowadzone badania stosunków pracy, demokracji przemysłowej i instytucji samorządu robotniczego (pracowniczego). Od tego czasu wątki neomarksistowskie stały się trwałym elementem badań zespołu z SGH.

W niniejszym rozdziale nie będziemy odnosili się do teorii, o niej sporo było pisane na marginesie kolejnych badań empirycznych prowadzonych w naszych zespołach (Czarzasty, Mrozowicki, 2022: 74–96; Gardawski, 2009: 52–85, 2021: 13–49; Gilejko, 2002: 102–150, 2010: 17–44; Mrozowicki, 2011, 2017: 41–60). Tym, co w aktualnym wstępie będzie zaznaczone, to skrótowe wskazanie schematów teoretycznych, które były stosowane w zespołach z SGPiS/SGH, i które, jak już podkreślaliśmy, wpływały na badania omawiane w tej monografii. W tym miejscu chcemy zwrócić uwagę na ważne dla badań w SGPiS/SGH inspiracje, które płynęły z jednej strony z ośrodka poznańskiego (Stanisław Kozyr-Kowalski i Jacek Tittenbrun, z którym blisko współpracowali badacze z SGH), a z drugiej strony z prac Pawła Ruszkowskiego, który od wielu lat zajmuje się strukturą klasowo-warstwową społeczeństwa, a ostatnio opublikował ważną teoretyczną propozycję niehierarchicznej struktury polskiego społeczeństwa, niosącej rezydua poprzedniego reżimu. Ścieranie się tych dwóch wymiarów można interpretować, jak czyni to Ruszkowski, wyodrębniając dwa wymiary: klasowy i warstwowy (Ruszkowski, Przestalski, Maranowski 2020).

W badaniach klasy robotniczej z pierwszej połowy lat 90. wprowadziliśmy podział klasy na segment „podstawowy" i „wtórny" (Gardawski, 1996: 11–19). Korzystaliśmy pośrednio z inspiracji neomarksistowskiej, oddzielając „jednoznaczną lokalizację klasową" od „sprzecznej lokalizacji klasowej" czy, inaczej mówiąc, oddzielając nosicieli „spójnych cech położenia klasowego" od nosicieli „cech ulegających dekompozycji". W późniejszych badaniach na reprezentatywnych próbach ogólnospołecznych odwoływaliśmy się w planie teoretycznym do tradycji weberowskiej w jej brytyjskiej kontynuacji (schemat EGP) i wariancie polskim, rozwijanym zwłaszcza przez Henryka Domańskiego i jego zespół, chociaż bliskie zostały nam idee neomarksistowskie (Gardawski, 2009: 138).

Przy okazji badań PREWORK (2016) skonstruowaliśmy specyficzne narzędzie do analizowania nierówności młodzieży pracującej (18–30 lat), zatrudnionej w warunkach prekaryjnych. Ogólna koncepcja badań prekariatu została opracowana przez Adama Mrozowickiego, który stawiał pytanie dotyczące „klasowego znaczenia zachodzących na rynku pracy procesów prekaryzacji zatrudnienia" (Mrozowicki, 2017: 44). Badając ogólnopolską reprezentację młodzieży, założyliśmy, że bezpieczeństwo na rynku pracy jest bardziej użytecznym kryterium badania nierówności tego środowiska niż status ekonomiczno-zawodowy. Nowa zmienna łączyła własność środków produkcji oraz bezpieczeństwo stosunku pracy. Zawierała ona skalę, rozpoczynającą się od przedsiębiorcy-pracodawcy, a kończącą na najbardziej niepewnych, prekaryjnych formach zatrudnienia (staż, okres próbny). Analizy wykazały, że nowa zmienna była użyteczną zmienną objaśniającą zróżnicowania klasowe środowiska młodzieży pracującej (Gardawski, 2021: 316–338). Nawiązaniem do narzędzia z 2016 r. będzie zwrócenie się w aktualnych analizach do braku bezpieczeństwa wywoływanego przez pandemię i użyteczność tej zmiennej przy rekonstrukcji struktury społecznej.

SCHEMAT EKONOMICZNEJ STRUKTURY SPOŁECZNEJ

W aktualnych badaniach struktury odwołaliśmy się do propozycji Maxa Webera oraz do schematu stosowanego przez Henryka Domańskiego z IFiS PAN
i schematu stosowanego w badaniach CBOS. W Polsce kluczowa klasyfikacja
autorstwa Henryka Domańskiego z Instytutu Filozofii i Socjologii PAN obejmuje 6 kategorii klasowych (Domański, 2015: 114–127, 2017: 17). W badaniach
COV-WORK analizowanych obecnie zastosowaliśmy schemat o następujących
kategoriach ekonomiczno-zawodowych (klasowych):

1. Właściciele(-ki) lub współwłaściciele(-ki) firmy poza rolnictwem („przedsiębiorcy" 8,3% całej próby, N = 1400);
2. Właściciele(-ki) lub współwłaściciele(-ki) gospodarstwa rolnego („farmerzy"
   3,6%);
3. Dyrektorzy, prezesi i wyższa kadra kierownicza („zarząd" 1,9%);
4. Zawody twórcze i specjaliści z wyższym wykształceniem („specjaliści" 8,2%);
5. Pracownicy administracyjno-biurowi, kierownicy i specjaliści niższego szczebla („urzędnicy" 11,2%);
6. Pracownicy fizyczno-umysłowi, pracownicy sklepów, punktów usługowych
   itp. („sprzedawcy, pracownicy fizyczno-umysłowi" 10%);
7. Robotnicy wykwalifikowani i brygadziści („robotnicy": 5,1%);
8. Pracownicy niewykwalifikowani („prace proste" 2,9%);
9. Zajmujący(-ce) się domem (0,2%).

W analizach połączyliśmy „zarząd" i „specjalistów" w jedną kategorię („zarząd i specjaliści") ze względu na bardzo małą liczebność osób zaliczonych do
„zarządu", niekiedy jednak przeprowadzaliśmy analizy odrębne dla tych grup.

Używaliśmy także schematu oddzielającego przedsiębiorców najmujących
pracowników i nienajmujących pracowników; wydzielał on cztery kategorie: „pracodawców", „samozatrudnionych", „farmerów korzystających z pracy najemnej"
i „samodzielnych farmerów" (niekorzystających z pracy najemnej).

Klasowość struktury opartej na grupach ekonomiczno-zawodowych ma mocne
empiryczne uzasadnienie w badaniach socjologów z IFiS PAN – Henryka Domańskiego i jego współpracowników, zespołu kierowanego przez Kazimierza
Słomczyńskiego, a także kilku zespołów badawczych z szeregu uniwersytetów.
Badana struktura jest jednak „słaba" – że odwołamy się do dystynkcji „słabych klas
społecznych" popularyzowanej przez Raya Pahla (szerzej: Gardawski 2009: 66).
W rezultacie obiektywne stosunki o charakterze klasowym, chociaż nie tylko nie
osłabły, lecz wzmocniły się, zniknęły z dyskursu społecznego.

Hipoteza strukturalna

Aktualny rozdział jest poświęcony analizie cech typu klasowego, dzielących kategorie ekonomiczno-zawodowe, ujmowane w perspektywie długotrwałych wzorów świadomości ekonomicznej – normatywnych wizji gospodarki (GDU) oraz zjawisk społecznych wywołanych przez COVID-19. Trójdzielny układ wizji, któremu poświęciliśmy poprzedni rozdział, wyraża klasowy porządek, w który układają się kategorie ekonomiczno-zawodowe społeczeństwa polskiego. Wiąże się on z fenomenem trwającym trzy dekady – reprodukowaniem się trzech normatywnych wzorów. Pierwszy, centralny, protekcjonistyczny, wyrażał zarówno aktywizm rynkowy (poparcie konkurencji), jak i przyzwolenie, chociaż ograniczone, na działanie praw rynku (zwolnienia zbędnych pracowników, lecz bez systemowego bezrobocia), a także oczekiwanie ochrony wobec konkurencji międzynarodowej (kompleks niedorozwoju rodzimej gospodarki). Pozostałe wzory to liberalizm otwarty na międzynarodowe otoczenie i wolny od kompleksu wobec zagranicy oraz tradycjonalizm kontestujący rynek. Trwanie tych specyficznych wzorów jest wyrazem skumulowanego doświadczenia, za którym ukrywają się środowiskowe habitusy. Dochodzi tu do zetknięcia dwóch porządków: jednego wywiedzionego z badań obiektywnych wyznaczników klas ekonomicznych i drugiego wyprowadzonego z analiz normatywnych wizji gospodarki odniesionych do zbiorowości reprezentantów poszczególnych wizji. Nie podejmując obecnie problemu kulturowego zakorzenienia, będziemy chcieli ustalić, czy wyniki badań COV-WORK potwierdzą tę zależność, a więc czy istnieje związek między kategoriami ekonomiczno--zawodowymi a oczekiwaniami wobec ładu gospodarczego i jaką przybierze formę.

Kwestią otwartą było więc, czy utrzyma się trójpodział wiążący wzory wartości społeczno-ekonomicznych z usytuowaniem respondentów w kategoriach ekonomiczno-zawodowych, czy też sytuacja kryzysu pandemicznego doprowadzi do przeobrażenia tej struktury. Przyjęliśmy w tym kontekście hipotezę, że kryzys mógłby doprowadzić do tak głębokiego pogorszenia się położenia materialnego i usytuowania na rynku pracy grup ekonomiczno-zawodowych, zaliczonych do klasy średniej, że zepchnąłby on je „w dół", ku klasie niższej.

Przystępując do badań, zakładaliśmy, zgodnie z wynikami badań PREWORK z 2016 r. i badań wcześniejszych, że klasa niższa składa się z kategorii ekonomiczno-zawodowych, których reprezentanci, częściej od reprezentantów innych kategorii, akceptują wizję korporacyjno-egalitarną, klasa średnia ma nadreprezentację nosicieli wizji rynkowo-protekcjonistycznej, klasa wyższa zaś nadreprezentację nosicieli wizji liberalnej. Ta zależność została przez nas potraktowana jako główna hipoteza strukturalna (H5).

Podczas formułowania hipotez zakładaliśmy możliwość fundamentalnych zmian relacji klasowych, podobnie znaczących, jak te z okresu przełomu

ustrojowego 1989 r. W takim przypadku zaniknęłaby wizja umiarkowanego poparcia rynku (wizja rynkowo-protekcjonistyczna), co wiązałoby się z brakiem
wiary, że może istnieć bezpieczna dla pracowników gospodarka rynkowa (polska
wersja społecznej gospodarki rynkowej). Pociągnęłoby to za sobą wspomnia-
ną w poprzednim rozdziale dychotomizację wizji gospodarki, a wraz z nią dychotomizację układu grup ekonomiczno-zawodowych i klas ekonomicznych.
Prawdopodobieństwo tak głębokiego kryzysu było małe, jednak braliśmy je pod
uwagę, mieliśmy bowiem w pamięci kryzys pierwszego okresu transformacji oraz
początkowy okres kryzysu z 2008 r. Tę hipotezę, najdalej idącą, przeciwstawną
hipotezie poprzedniej, określmy jako H6.

ANALIZA KATEGORII EKONOMICZNO-ZAWODOWYCH

W analizach kategorii ekonomiczno-zawodowych wyodrębnialiśmy cztery
bloki zmiennych objaśniających:
1. Demograficzne i terytorialne (wieś – miasto);
2. Ekonomiczne: wykształcenie, dochody, forma zatrudnienia, obawy o osobisty
stan finansów w czasie trwania pandemii COVID-19 i obawy o bezpieczeństwo zatrudnienia w tym czasie, cechy zakładu pracy;
3. Zmienne polityczno-ideologiczne (elektoraty wyborcze, orientacje ideologiczne i stosunek do szczepień przeciwko COVID-19);
4. Rozkład wizji gospodarki dobrze urządzonej (GDU) u reprezentantów kategorii ekonomiczno-zawodowych.

W analizach będziemy wielokrotnie porównywali poziom danej cechy u przedstawicieli kategorii z poziomem średnim – będzie to poziom średni dla ogółu
pracujących (n = 754), a nie dla ogółu badanych (N = 1400), chyba że będzie
inaczej zaznaczone. Średnie odnosić się będą do konkretnych statystyk, stąd mogą
się minimalnie wahać zależnie np. od wpływu braków danych w korelowanych
zmiennych. Ponadto nie będziemy omawiali korelacji o niskim stopniu istotności
merytorycznej i statystycznej.

„Przedsiębiorcy"

1. Kategoria była połączeniem kategorii pracodawców i samozatrudnionych.
Uczyniliśmy tak ze względu na porównania z wynikami innych badań, a także ze
względu na niewielką liczebność kategorii pracodawców.
Była to kategoria o przewadze mężczyzn (75,2% przy średniej 59%), o przecięt-
nym wieku 47 lat (przy średniej wynoszącej 43 lata) z bardzo niską reprezentacją

najmłodszych grup wiekowych (jedynie 1,7% przedsiębiorców deklarowało wiek 25–30 lat).

Pod względem rodzajów wykształcenia bardzo zbliżony odsetek miał wykształcenie średnie (38,8%) i wyższe (37,9%).

2. Przedsiębiorcy deklarowali najwyższe w próbie dochody miesięczne (7656 zł przy średniej wynoszącej 4880 zł), jedynie 26,2% deklarowało dochody miesięczne niższe od 4000 zł. Pytaliśmy o osobiste bezpieczeństwo finansowe w czasie badań i podczas pierwszego roku pandemii. 42,9% reprezentantów kategorii odczuwało takie obawy w trakcie naszych badań. Deklarowali, że ich obawy zmniejszyły się w tym zakresie w porównaniu z pierwszym rokiem pandemii o 8,3 p.p.

Biorąc pod uwagę kryteria bezpieczeństwa stosunku pracy, przedsiębiorcy mieli w pełni bezpieczną formalną sytuację na rynku pracy, sami stanowili o zatrudnieniu. Natomiast odpowiedź na kluczowe pytanie związane z COVID-19, dotyczące obaw o „stratę pracy w najbliższych miesiącach z powodu pandemii" dało poziom obaw 23,9% wobec średniej 28,3%. Tak więc pandemia była postrzegana jako ewentualna przyczyna utraty zatrudnienia przez co czwartego przedsiębiorcę.

3. W rozkładzie elektoratu wyborczego zanotowaliśmy poparcie odpowiadające średniej w próbie pracujących wobec wszystkich partii, poza Konfederacją (10,5% wobec średniej 15,6%). Ten odpowiadający typowemu dla polskiego świata pracy rozkładowi elektoratu odpowiadał równie bliski średniej rozkład wyborów ideologicznych (lewica 27% przy średniej 24,1%, prawica 27% przy średniej 25,8%).

Wśród przedsiębiorców był niższy od średniej odsetek przeciwników szczepień przeciwko COVID-19 (13,8% wobec 19,1%).

4. Pod względem wizji gospodarki dobrze urządzonej zanotowaliśmy najwyższy odsetek reprezentacji kategorii „zwolennicy rynkowego paternalizmu" (54,1% przy średniej 46,2%).

Pracodawcy a samozatrudnieni – dystans klasowy

1. Chcemy zwrócić uwagę na charakterystyczne różnice między dwoma kategoriami przedsiębiorców.

2. Samozatrudnieni mieli istotnie niższe dochody miesięczne niż pracodawcy, nieco częściej obawiali się utraty zatrudnienia w wyniku pandemii niż pracodawcy (24,6% wobec 21% u samozatrudnionych), natomiast rzadziej obawiali się o swoją sytuację finansową – 37% wobec 42,9% (podobne zależności dzieliły farmerów-pracodawców od farmerów samodzielnych). Pandemia COVID-19 bardziej negatywnie wpływała na pracodawców niż na pozostałych przedsiębiorców.

3. Pod względem elektoratu wyborczego silne różnice dotyczyły Konfederacji (wybierało ją 3% pracodawców i 16,3% samozatrudnionych) oraz PiS, który był z kolei częściej wybierany przez pracodawców (36,4%), rzadziej zaś przez samozatrudnionych (27,9%). U pracodawców poparcie dla lewicy wynosiło 34,1%, a dla prawicy 17,1%, u samozatrudnionych zaś odpowiednie wielkości różniły się o 15 p.p. i wynosiły 20,4% dla lewicy i 34,7% dla prawicy.

Wśród pracodawców był znacznie niższy odsetek przeciwników szczepień przeciwko COVID-19 niż wśród samozatrudnionych (4,8% wobec 18,9%).

4. Pod względem wizji GDU pracodawcy różnili się istotnie od samozatrudnionych. Pracodawcy zdecydowanie częściej od reprezentacji innych kategorii byli zwolennikami wizji rynkowego protekcjonizmu (73,1% wobec 40,8%). Korporatyzm i egalitaryzm przyciągał 30,8% samozatrudnionych i 11,5% pracodawców. Różnica wizji była wyraźna w rozkładzie odpowiedzi na pytania o formy zatrudnienia – w przypadku gwarantowania każdemu pracownikowi stałego etatu na życzenie, przedsiębiorcy zgadzali się w 66,7%, samozatrudnieni w 91,9%. Ingerencję państwa w gospodarkę popierało 26,2% pracodawców i 37,8% samozatrudnionych, wpływ związków zawodowych na gospodarkę popierało odpowiednio 11,6% i 31,9%. Pracodawcy byli nieco bardziej wstrzemięźliwi wobec finansowania z budżetu rozwoju technologicznego gospodarki kraju – 65,1%, gdy samozatrudnieni w 74,3%.

"Zarząd i specjaliści"

1. W odróżnieniu od zmaskulinizowanych "przedsiębiorców" była to grupa o średnim dla próby rozkładzie pod względem płci (39,4% kobiet przy średniej dla pracujących 41%), również o średnim wieku. Rozkład kategorii pod względem miejsca zamieszkania wskazywał na nadreprezentację mieszkańców miast powyżej 500 tys. mieszkańców (28,2% wobec średniej 12,2%), jednak niemało członków kategorii mieszkało na wsiach (26,1%).

Pod względem wykształcenia bezwzględnie dominowały osoby o wykształceniu wyższym (81,6%, przy średniej w próbie 40,7%) wobec jedynie 18,4% osób o wykształceniu średnim.

2. Osoby należące do kategorii deklarowały drugie co do wysokości (za przedsiębiorcami) średnie zarobki – 6779 zł.

Wskaźniki odnoszące się do COVID-19 ukazywały kategorię bliską przedsiębiorcom: jej reprezentanci obawiali się o swoją sytuację finansową w 29,3% (w pierwszym roku pandemii obawiali się w 33,3%), natomiast obawa przed utratą zatrudnienia była deklarowana przez 34,6% reprezentantów kategorii, a więc o ok. 10 p.p. częściej niż w przypadku przedsiębiorców (tam 23,9%).

Ponad trzy czwarte członków omawianej kategorii było zatrudnionych „na czas nieokreślony" (77,3% przy średniej 68,7%), zatrudnienie czasowe lokowało się na drugim miejscu (12,1% przy średniej 15,2%).

3. Pod względem elektoratu zanotowaliśmy tu zdecydowanie najwyższe – w porównaniu z pozostałymi kategoriami – poparcie dla Koalicji Obywatelskiej (62,1% wobec średniej 36,6%), natomiast najniższe poparcie dla PiS (14,6% przy średniej 29,9%), najniższe poparcie dla PSL (4,9% przy średniej 6,4%), bardzo niskie dla Konfederacji (8,7% przy średniej 15,6%) i stosunkowo niskie dla SLD (9,7% wobec średniej 11,5%).

Odnośnie do rozkładu wyborów ideologicznych było tu najwyższe w próbie poparcie dla lewicy – 34,9% wobec średniej 24,1%, przy nieco niższym od średniej poparciu dla prawicy (23% wobec średniej 25,8%). Dodajmy, że 42,1% lokowało się w ideologicznym centrum (przy średniej 50%).

Wśród osób zaliczających się do kategorii „zarząd i specjaliści" był najniższy poziom przeciwników szczepień przeciwko COVID-19 (11,3% wobec średniej 19,8%).

4. Pod względem wyboru wizji GDU reprezentanci „zarządu i specjalistów" lokowali się między modalnym „rynkowym protekcjonizmem" a „liberalizmem" – pod względem zasięgu tej ostatniej wizji uczestnicy kategorii zajmowali bardzo wysokie miejsce (38,1%). Zarazem wśród członków kategorii był jeden z najniższych poziomów wyboru wizji „korporacyjno-egalitarnej". W tym kontekście należy zaznaczyć różnicę między kategorią „zarząd" a „specjaliści i twórcy" (dodamy, że obydwie kategorie połączyliśmy ze względu na niską liczebność reprezentacji zarządu). Przy wielu zbliżonych charakterystykach obydwie kategorie różniły się wyborem wizji gospodarki dobrze urządzonej – pierwsi zdecydowanie rzadziej identyfikowali się z liberalizmem.

„Robotnicy"

1. W przypadku środowiska robotniczego notowaliśmy najwyższy odsetek mężczyzn: 77,5%. Pod względem wieku robotnicy należeli do względnie starszej grupy (średnia to 45 lat), przy dominacji osób w wieku 40–59 lat, do której to grupy należało 60,2% osób przy średniej 49,4%. Rozkład kategorii pod względem miejsca zamieszkania wskazywał na wysoką nadreprezentację wśród robotników mieszkańców wsi i małych miasteczek do 20 tys. mieszkańców (65,3% przy średniej dla ogółu pracowników 47,7%).

2. Pod względem wykształcenia bezwzględnie dominowały osoby o wykształceniu zawodowym (52,1%) i średnim (42,3%). Dodajmy, że wśród badanych robotników był najniższy poziom osób z wykształceniem wyższym (2,8%).

Robotnicy osiągali dochody z dolnego segmentu skali: 3760 zł, byli wyprzedzani przez urzędników oraz pracowników usług. Miesięczne dochody robotników minimalnie przekraczały średnie dochody farmerów. Większość robotników była zatrudniona na warunkach kontraktów na czas nieograniczony (78,9%, najwyższy wskaźnik wśród pracujących), a jednocześnie był tu najniższy udział osób posiadających kontrakty czasowe (9,9% przy średniej 15,2%).

Obawy przed utratą pracy w warunkach utrzymującej się pandemii COVID-19 deklarowało w tej grupie 30,7% wobec średniej 28,3%, jak również sytuacja finansowa niepokoiła w ponadprzeciętnym stopniu (47,9%).

3. Pod względem elektoratu wyborczego zanotowaliśmy najniższe poparcie dla Koalicji Obywatelskiej (13,9% przy średniej 37,2%). Poparcie dla PiS lokowało się bardzo blisko średniej dla próby (30,6% wobec 29%), dla Konfederacji było nieco wyższe od średniej (19,4% wobec 15,6%), natomiast najwyższe w próbie dla SLD (22,2% wobec średniej 11,5%) i dla PSL (13,9% przy średniej 6,7%).

4. Pod względem normatywnych wizji gospodarki robotnicy byli najczęściej zwolennikami wizji korporacyjno-egalitarnej (55%).

Stosunek do szczepień przeciwko COVID-19 był raczej ujemny: robotnicy lokowali się na wysokiej, trzeciej pozycji na skali przeciwników (26,4% wobec średniej 19,8%).

Przeprowadziliśmy odrębną analizę pod kątem poziomu miesięcznych dochodów, która dobrze obrazowała zróżnicowanie środowiska robotniczego. Przede wszystkim zwracała uwagę duża różnica zarobków ze względu na płeć (kobiety zarabiały 3134 zł, mężczyźni 4519 zł). Zaskakujący wynik dała zależność wysokości dochodów od wykształcenia: osoby o średnim wykształceniu technicznym otrzymywały 3776, o zasadniczym 4170 zł.

Średnio biorąc, najmniejsze dochody miesięczne wiązały się z pracą w mikrofirmach (do 10 zatrudnionych) – 2979 zł, w pozostałych dochody miesięczne mieściły się w ramach 4023–4237 zł. Wyższe dochody z pracy otrzymywali robotnicy zatrudnieni w przedsiębiorstwach zagranicznych niż zatrudnieni w przedsiębiorstwach polskich, a także o kapitale polsko-zagranicznym (odpowiednio 4526 zł, 3782 zł, 3877 zł).

Istotnie różnicowała forma zatrudnienia: pracujący na czas nieokreślony osiągali miesięczny dochód w wysokości 4034 zł, na czas określony – 3148 zł, na warunkach umowy-zlecenia – 3018 zł.

Pracownicy „fizyczno-umysłowi" (usługi)

1. Na kategorię składają się takie grupy zawodowe jak pracownicy fizyczno--umysłowi, pracownicy punktów usługowych, pracownicy sklepów itp. W naszej

próbie kobiety stanowiły połowę kategorii. Pod względem wieku kategoria cechowała się najniższym wskaźnikiem (średnia wieku 38 lat), przy dominacji osób w wieku 31–49 lat.

Pod względem wykształcenia najliczniej były reprezentowane osoby z dyplomem szkół średnich (48,9% wobec średniej dla pracujących 35,9%). Biorąc pod uwagę specyfikę zawodową przedstawicieli tej kategorii, a także wyniki wcześniejszych badań, były to matury ogólnokształcące. Ponadto wysoki był odsetek absolwentów zasadniczych szkół zawodowych (30,9% przy średniej 21,7%). W porównaniu z innymi kategoriami (nie licząc pracowników niewykwalifikowanych) był tu stosunkowo niski poziom stałych umów pracy (58,6% przy średniej 68,7%).

2. Wielkość zakładów pracy i forma własności nie wyróżniały tej kategorii; nie wyróżniała jej także średnia wysokości miesięcznych dochodów (3839 zł). Miesięczne dochody pracowników usług były zbliżone do średnich dochodów w kategorii rutynowych urzędników i robotników (odpowiednio 3921 i 3760 zł).

Nękająca obawa o sytuację finansową dotyczyła 38,2% reprezentantów kategorii, wskaźnik bliski robotniczego, podobnie rzecz się miała z obawami o utratę pracy (26,9%).

Wśród pracowników usług był także najwyższy poziom zatrudnienia na warunkach umowy-zlecenia i stosunkowo wysoki poziom zatrudnienia na warunkach umów na czas określony. Pracownicy z omawianej kategorii byli w najwyższym stopniu poddani pracy w warunkach prekaryjnych, nie licząc robotników niewykwalifikowanych (wysoki udział zatrudnienia na warunkach niestandardowych: stałe zatrudnienie miało 58,6%), nie wpływało to jednak na zwiększenie obaw o utratę pracy w warunkach kontynuacji pandemii (27,5% przy średniej 28,3%).

3. Pod względem elektoratów partyjnych i deklaracji ideologicznych osoby należące do omawianej kategorii wyróżniały się niższym poziomem poparcia Koalicji Obywatelskiej (23,8% przy średniej 37,2%) i nieco ponad średnią wskazania na PiS (32,1% wobec średniej 29%), natomiast stosunkowo wysokim poparciem Konfederacji (22,3% przy średniej 12%). Wybory ideologiczne odpowiadały średniej (lewica 20%, prawica 28,3%). Zanotowaliśmy natomiast wysoki poziom przeciwników szczepień (30% wobec średniej 19,1%).

„Farmerzy"

Mając do wyboru terminy „chłop" – „rolnik" – „farmer", uznaliśmy, że typ kapitalizmu rozwijający się w Polsce (bliższy liberalnej gospodarce rynkowej niż koordynowanej gospodarce rynkowej), daje podstawę do używania anglosaskiej terminologii, stąd przyjęcie przez nas trzeciego z wymienionych terminów.

1. W kategorii farmerów większość stanowili farmerzy nie zatrudniający pracowników, którym pomagają w pracy członkowie rodzin, znaleźli się jednak w próbie także nieliczni farmerzy-pracodawcy. Rozpoczniemy omówienie, traktując łącznie obydwie kategorie. Podobnie jak w przypadku przedsiębiorców była to kategoria o silnej przewadze mężczyzn (72%). Wśród farmerów dominowały osoby z grupy wiekowej 40–59 lat (stanowili 82%, gdy średnia tej kohorty dla wszystkich kategorii w próbie wynosiła 49,4%). Z kolei średnia wieku wynosiła 47 lat, była to więc kategoria o najstarszym, wraz z przedsiębiorcami, średnim wieku (średnia dla pracujących to 43 lata). Większość mieszkała na wsi (poza wsią mieszkało 18,6% farmerów).

2. Pod względem wykształcenia bezwzględnie dominowały osoby o wykształceniu zasadniczym (58% – wskaźnik wyższy o 6 p.p. od wskaźnika w przypadku robotników) i najniższym wskaźniku wykształcenia ponadzawodowego: średniego i wyższego (32% przy średnim dla próby wynoszącym 74,8%). Farmerzy deklarowali niskie dochody (3742 zł), przewyższające jedynie dochody pracowników niewykwalifikowanych. Zdecydowanie częściej od przedstawicieli innych kategorii obawiali się wpływu pandemii COVID-19 na działalność zawodową (47%), natomiast 52% obawiało się o sytuację finansową (w pierwszym roku pandemii – 61,2%).

3. Pod względem elektoratu wyborczego zanotowaliśmy tu skrajnie wysokie poparcie dla PiS (84%, przy średniej 29,9%) i skrajnie niskie poparcie dla Koalicji Obywatelskiej (4% przy średniej 36,6%). Dodajmy, że 8% popierało partię chłopską PSL (przy średniej 6,4%) i 4% Konfederację (przy średniej 15,6%). Ten wybór poparcia dla partii przenosił się specyficznie na ideologię – farmerzy deklarowali wysoki poziom orientacji centrowej (68,2% przy średniej 51,7%). Identyfikacja ideologiczna na skali „lewica – prawica" miała osobliwy charakter. Deklaracje prawicowe niewiele odbiegały od średniej (29,5% wobec 25%), natomiast bardzo rzadko deklarowano tu orientacje lewicowe (2,3% wobec średniej 23,3%).

Przeciwników szczepień zanotowaliśmy w tej grupie 20%, a więc na poziomie średnim dla próby (19,8%).

Farmerzy zatrudniający pracowników byli nieliczni, warto jednak wskazać ich deklaracje. Pod względem płci nie różnili się od farmerów samodzielnych, byli jednak od nich nieco starsi (dominowały wśród nich osoby z grupy wiekowej 50–59 lat), byli wyłącznie absolwentami szkół zawodowych, deklarowali dochody na poziomie nieco niższym od deklarowanych przez rolników samodzielnych. Prawie połowa z nich prowadziła działalność w małych miasteczkach do 20 tys. mieszkańców (42,9%). Wszyscy deklarowali poparcie dla PiS, jednak częściej od rolników samodzielnych deklarowali orientację prawicową (40% przy średniej 25%). Natomiast nie było wśród nich przeciwników szczepień przeciwko COVID-19.

Pojawiła się wysoka różnica w poziomie obaw co do działalności w warunkach przedłużającej się pandemii. Inaczej niż wśród przedsiębiorców, farmerzy-pracodawcy znacznie rzadziej deklarowali obawy (28,6%), farmerzy samodzielni znacznie częściej (56,4%).

Farmerzy należeli więc do grupy najsilniej uwikłanej w podział polityczny i ich sympatie w stosunku do PiS i niechęć do KO były skorelowane z wyborami ideologicznymi: kilku farmerów-zwolenników KO bez wyjątku deklarowało lewicowość, dominujący zwolennicy PiS – centrowość lub prawicowość.

4. Pod względem wizji GDU farmerzy nieomal w połowie opowiadali się za korporacyjnym egalitaryzmem (47,7%), nieco rzadziej za „rynkowym paternalizmem" (36,4%), natomiast nieliczna grupa farmerów-pracodawców swoje oczekiwania lokowała odmiennie – żaden nie akceptował korporacyjnego egalitaryzmu, natomiast połowa pozostałych opowiadała się za liberalizmem.

„Urzędnicy"

1. W odróżnieniu od menedżerów i specjalistów, kategoria „pracowników administracyjno-biurowych, kierowników i specjalistów niższego szczebla" miała stosunkowo mniejszy udział mężczyzn (40,4%) niż kobiet (59,6%). Pod względem wieku składała się średnio z osób młodszych (39 lat wobec średniej wynoszącej 43 lata). W tej kategorii był także najwyższy odsetek pracowników w wieku poniżej 24 lat (17,8%).

2. Pod względem wykształcenia wyższego zajmowali drugie miejsce (za zarządem i specjalistami – 53,5% przy średniej 40,79%). Otrzymywali stosunkowo wyższe dochody (3920 zł), mieli także stosunkowo wysoki poziom bezpieczeństwa w stosunku pracy – zatrudnienie na czas nieograniczony 72,4%. Reprezentanci tej kategorii obawiali się utraty zatrudnienia w 26,8%, natomiast 38,5% obawiało się o swoją sytuację materialną.

3. Pod względem elektoratu wyborczego deklaracje były bliskie średniej dla próby, z wyjątkiem nieco niższego poparcia dla PiS (24,2% wobec średniej 29%). Podobnie ma się rzecz z orientacjami ideologicznymi – tu rozkład w kategorii trafia dokładnie w średnie wartości dla pracujących.

„Wykonawcy prac prostych"

1. Wśród reprezentantów kategorii był wyższy odsetek mężczyzn niż kobiet (58,7% do 41,3%), średnia wieku osób należących do kategorii była najniższa w stosunku do pozostałych kategorii (41 lat), 26,8% z nich była w grupie wiekowej 18–30 lat, przy średniej 18,6%.

2. Posiadali najniższy poziom wykształcenia (27,5% miało jedynie wykształcenie podstawowe/gimnazjalne, przy średniej w próbie 2,1%) Wykonawcy prac prostych często byli zatrudnieni w przedsiębiorstwach dużych, o liczebności załóg 250 i więcej zatrudnionych (53,8% przy średniej 28%); było tak, mimo że większość uczestników kategorii to mieszkańcy wsi (56,1% przy średniej 34,2%). Rzadko pracowali w przedsiębiorstwach państwowych (6,9% wobec średniej 21,8%), najczęściej w polsko-zagranicznych. Mieli najniższe dochody miesięczne (2987 zł przy średniej 4880 zł). W omawianej kategorii notowaliśmy także najniższy wskaźnik zatrudnienia na czas nieokreślony (40,5% przy średniej 68,7%), ale nie rzutowało to na ponadprzeciętne podniesienie poziomu obaw o negatywny wpływ COVID-19 na zatrudnienie – obawy lokowały się nieomal dokładnie na poziomie średnim (30,7%), natomiast 47,1% obawiało się o swoją sytuację finansową.

3. Zdecydowana większość z nich głosowała w wyborach na PiS (56,3%), pozostali dzielili po równo poparcie na Koalicję Obywatelską i Konfederację (18,8%). Większość z nich uchylała się od odpowiedzi na pytanie o orientację ideologiczną w kategoriach lewicy–prawicy (82,6% lokowało się w centrum). Wśród uczestników tej kategorii był najwyższy odsetek przeciwników szczepień przeciwko COVID-19 (32,5%).

4. Pod względem wizji GDU przedstawiciele kategorii składali deklaracje bliskie wizji, określanej przez nas w przeszłości jako „tradycjonalna" – 55% opowiadało się za korporacyjnym egalitaryzmem, 28% za rynkowym protekcjonizmem i 16,7% za liberalizmem.

Podsumowanie analizy kategorii ekonomiczno-zawodowych

Przedstawione powyżej charakterystyki siedmiu podstawowych kategorii ekonomiczno-zawodowych (wprowadzając kryterium najmu pracowników – dziewięciu kategorii), przeciętych czterema bateriami zmiennych objaśniających, nie są, mimo pewnej mozaikowości, pozbawione dającego się łatwo zauważyć porządku; używając języka analiz wielozmiennowych, można na postawie zewnętrznego oglądu oczekiwać istnienia struktury, układającej się w pewne trendy. Pytanie, na które będziemy chcieli odpowiedzieć w kolejnej części rozdziału, to charakter tej struktury, a w pierwszym rzędzie, czy daje się ona uporządkować hierarchicznie, czy nominalnie (odwołując się do wspomnianych we wstępie do rozdziału sposobach rekonstrukcji struktury nierówności społecznych). Ponadto w końcowej części poprzedniego rozdziału wysunięta została hipoteza, że trójdzielna struktura wizji gospodarki dobrze urządzonej, obserwowana przez ponad trzy dekady, jest odzwierciedleniem trwałych podziałów świadomości ekonomicznej, a te z kolei są nie tylko związane z podziałami klasowymi jako zmienne objaśniające, lecz te podziały kreują, wymagają więc statusu zmiennych objaśnianych. Za tym założeniem kryła się hipoteza, mówiąca, że środowiskowe habitusy społeczeństwa polskiego wpływają w sposób znaczący na reprodukcję kategorii ekonomiczno-zawodowych i utrwalanie dystansów między nimi. W niniejszym rozdziale nadamy tej hipotezie numer piąty (H5).

Objaśniając przedstawione powyżej zarysy charakterystyk kategorii ekonomiczno-zawodowych, zakładamy więc, że ich trafnym symbolem jest metafora splatania się wątków w trójdzielną strukturę. Jeżeli na wyniki naszych analiz nałożymy dane systematycznie gromadzone przez Henryka Domańskiego, mówiące o trwałości relacji klasowych polskiego społeczeństwa, o stosunkowo niskiej ruchliwości międzypokoleniowej, to można założyć trwałość splatania się wymiarów kulturowego i ekonomiczno-zawodowego. Korzystając z inspiracji Bourdieu, chcemy odpowiedzieć na pytanie, czy zgodnie z naszym założeniem struktura nierówności jest osadzona, a jeśli tak, to jak głęboko, na dystynkcjach kulturowych, przejawiających się, między innymi, w normatywnych wizjach gospodarki[28].

Obok tych pytań i hipotez strukturalnych stawiamy pytanie o rolę pandemii COVID-19 na podziały strukturalne, przede wszystkim, czy pogłębia ona dystanse między kategoriami strukturalnymi. Hipoteza, jaką chcemy sformułować, zakłada, że konsekwencje pandemii będą silniej odczuwane wśród reprezentantów kategorii społeczno-zawodowych, ulokowanych na niższych szczeblach drabiny stratyfikacyjnej, niż wyższych (H6).

ZARYS RELACJI KLASOWYCH

Omawiane badania kwestionariuszowe (CATI) miały ograniczony zbiór zmiennych, stąd trudno byłoby zweryfikować wymienioną powyżej trójdzielną hipotezę strukturalną (H5), a także hipotezę „covidową" H6. Poniżej przedstawimy jednak analizy, które pozwolą sformułować kilka wniosków odnośnie do struktury zbiorowości Polaków pracujących pod koniec 2021 r. pod kątem wymienionych hipotez.

Rozpoczniemy od wyników analizy czynnikowej, którą przeprowadziliśmy przy założeniu, że w ramach poszczególnych czynników zostaną ujęte stosunki opozycji, neutralności lub pozytywnego nastawienia między kategoriami

---

[28] Zgodnie z naszymi założeniami niektóre środowiska społeczne, w większym stopniu niż inne, noszą i wciąż reprodukują lęki, których wyrazem jest tradycjonalizm w jego kolejnych odsłonach; inne środowiska niosą w większym stopniu niż pozostałe rynkowy aktywizm, ale także kompleks uczestnictwa w społeczeństwie półperyferyjnym, raczej przegrywającym niż wygrywającym w międzynarodowej konkurencji, wymagającym protekcjonistycznej ochrony. Inne środowiska wyposażają swoich uczestników w taki typ zasobów kapitału ludzkiego i kulturowego, który otwiera się mentalnie na międzynarodowe otoczenie i nie czyni z wiedzy o rozwojowych deficytach przesłanki kompleksów.

ekonomiczno-zawodowymi, a także zostanie uchwycony kontekst zmiennych objaśniających: typy wizji GDU i elektoraty partyjne.

Tabela 6.1. Analiza czynnikowa reprezentantów głównych kategorii ekonomiczno-zawodowych, wizji gospodarki dobrze urządzonej, głównych elektoratów partyjnych wybranych stosunku do szczepień przeciwko COVID-19

Zmienne	Czynniki			
	1	2	3	4
Wizja liberalna	0,696	0,188	−0,135	0,011
Prawo i Sprawiedliwość	−0,634	0,142	−0,214	0,165
Koalicja Obywatelska	0,554	−0,289	−0,346	0,201
Wizja rynkowo-protekcjonistyczna	−0,309	−0,793	0,076	−0,067
Wizja korporacyjno-egalitarna	−0,385	0,733	0,001	−0,002
Robotnik wykwalifikowany	−0,085	0,072	0,703	0,199
Konfederacja Wolność i Niepodległość	−0,015	−0,233	0,574	−0,160
Szczepienie przeciwko COVID-19	0,048	−0,026	0,553	0,026
Pracownik fizyczno-umysłowy	−0,041	−0,097	−0,117	−0,877
Przedsiębiorca	−0,087	−0,149	−0,268	0,431
Urzędnik, specjalista	0,398	−0,205	−0,256	0,291
Sojusz Lewicy Demokratycznej	0,188	0,133	−0,012	−0,316
Farmer	−0,364	0,276	−0,186	0,129
Zarząd	0,179	−0,027	−0,060	−0,002
Wyjaśnione 43,8% wariancji ogólnej	13,6	11,0	9,8	9,1

Uwaga: wszystkie zmienne są dychotomizowane (1 = spełnia kryterium wyodrębnienia, 0 = nie spełnia). Analiza ograniczona do pracujących.

Źródło: badania COV-WORK (jak w tabeli 5.3); n = 639.

*Czynniki:
1. Czynnik wyrażający napięcie między – z jednej strony – kategoriami urzędników i specjalistów oraz, w małym stopniu, kategorią zarządu a – z drugiej strony – kategorią farmerów. Kontekstem napięcia jest przeciwstawienie wizji liberalnej wizjom korporacyjno-egalitarnej i rynkowo-protekcjonistycznej oraz przeciwstawienie Koalicji Obywatelskiej Prawu i Sprawiedliwości.
2. Czynnik wyrażający napięcie między kategorią farmerów – z jednej strony – a kategoriami urzędników-specjalistów i przedsiębiorców – z drugiej. Kontekstem napięcia jest przeciwstawienie wizji korporacyjno-egalitarnej (ale także liberalnej) wizji rynkowo-protekcjonistycznej, a także przeciwstawienia PiS-u zarówno KO, jak i Konfederacji. Dysonansem w czynniku jest pojawienie się wizji liberalnej, które może się brać z istnienia pęknięcia

wewnątrz kategorii farmerów na farmerów korzystających z pracy najemnej i samodzielnych rolników.

3. Czynnik wyrażający napięcie między kategorią robotników wykwalifikowanych – z jednej strony – a kategoriami przedsiębiorców oraz urzędników i specjalistów – z drugiej. Kontekstem napięcia jest przeciwstawienie Konfederacji zarówno PO, jak i PiS-owi. Czynnik zawiera negatywne odniesienie do wizji liberalnej, a także do szczepień przeciwko COVID-19.

4. Czynnik wyrażający napięcie między – z jednej strony – większością kategorii ekonomiczno-zawodowych (przedsiębiorców, urzędników i specjalistów, robotników wykwalifikowanych, a nawet farmerów) a kategorią pracowników fizyczno-umysłowych – z drugiej. Kontekstem w przypadku tego napięcia jest przeciwstawienie KO i PiS zarówno SLD, jak i Konfederacji. Tym razem nie było odniesienia do wizji gospodarki dobrze urządzonej.

Analiza treści tabeli 6.1 wskazuje kilka osi napięć między kategoriami ekonomiczno-zawodowymi, tworzącymi swoistą linię demarkacyjną, dzielącą obraz struktury. Linia ta oddziela kategorie farmerów, robotników wykwalifikowanych i pracowników fizyczno-umysłowych od pozostałych kategorii, na tle różnic wskazanych powyżej elektoratów partyjnych i wizji gospodarki dobrze urządzonej.

Najmniej uwikłana w napięcia między kategoriami, a jednocześnie najbardziej wyrazista w kontekstach, okazała się kategoria zarządu, obecna tylko w pierwszym czynniku. Personifikując wynik analizy, można powiedzieć, że kategoria jest proliberalna, natomiast przeciwna zarówno wizji korporacyjno-egalitarnej, jak i rynkowo-protekcjonistycznej; zdecydowanie popiera Koalicję Obywatelską i jest mocno przeciwna PiS-owi. Analiza czynnikowa wytycza w ten sposób trzy klasy: wyższą (zarząd), niższą (robotnicy, farmerzy, pracownicy usług) i średnią, do której można zaliczyć pozostałe kategorie ekonomiczno-zawodowe. Przedstawione ujęcie jest jednak bardzo uproszczone, wzięte są bowiem pod uwagę tylko dwie zmienne objaśniające: wizje GDU i elektoraty partyjne.

Kolejna analiza problemu różnic klasowych będzie możliwa na podstawie korelacji odniesionych m.in. do wpływu pandemii COVID-19 (H6). W Tabeli 6.2 przedstawiamy rozkład wskaźnika GDU, obawy w sytuacji pandemii, oczekiwań na interwencję państwa, poparcie partii rządzącej i poziom dochodów miesięcznych.

W przypadku zróżnicowań normatywnych wizji gospodarki wyższy segment struktury – definiowany przez nadreprezentację wybierających wizję liberalną – stanowiły cztery kategorie: specjaliści z wyższym wykształceniem, urzędnicy, reprezentanci zarządu i farmerzy-pracodawcy. We wszystkich wymienionych kategoriach co najmniej taki sam odsetek reprezentantów akceptował wizję protekcjonistyczną.

Tabela 6.2. Kategorie ekonomiczno-zawodowe a wskaźnik wizji gospodarki dobrze urządzonej (GDU) i wybrane zmienne objaśniające (proc.)

Kategorie ekonomiczno--zawodowe	I. Typy wizji gospodarki dobrze urządzonej*			II. Obawy związane z COVID-19**		III. Poparcie:		Średnie dochody miesięczne
	1	2	3	4	5	Zasady etatyzmu	PiS-u	
1. Przedsiębiorcy ogółem. W tym:	29,7	51,4	18,9	37,9	23,9	33,6	23,3	7 656
1a. Pracodawcy	11,5	73,1	15,4	42,9	20,9	26,2	27,3	10 553
1b. Samozatrudnieni	38,8	40,8	20,4	35,1	24,7	37,8	20,3	6 217
2. Farmerzy ogółem. W tym:	47,7	36,4	15,9	52,0	47,1	69,4	67,7	3 742
2a. Pracodawcy	0,0	50,0	50,0	57,1	28,6	75,0	100,0	3 636
2b. Samodzielni	52,5	35,0	12,5	52,4	51,2	68,3	85,5	3 759
3. Zarząd i specjaliści ogółem. W tym:	14,3	47,6	38,1	29,6	34,6	11,5	11,4	8 031
3a. Specjaliści	13,8	45,0	41,3	23,3	19,0	22,6	11,4	6 489
4. Urzędnicy	14,6	43,9	41,5	38,2	26,9	33,3	18,1	3 921
5. Usługi	27,4	53,0	19,7	47,1	30,7	52,6	26,2	3 839
6. Robotnicy	34,3	51,0	14,7	47,9	28,2	44,9	19,3	3 761
7. Prace proste	55,0	28,3	16,7	58,5	56,1	56,1	42,9	2 987
Ogółem	31,6	46,2	22,2	40,3	29,3	39,4	22,9	4 910

* 1. Korporacyjny egalitaryzm; 2. Rynkowy protekcjonizm; 3. Liberalizm; ** 4. Obawy o stan finansów; 5. Obawy o trwałość zatrudnienia.

Źródło: badania COV-WORK (jak w tabeli 5.3); n = 510–569.

Z kolei segment niższy, o najwyższym udziale zwolenników wizji korporacyjno-egalitarnej, stanowili samodzielni farmerzy i wykonawcy prac prostych.

Pozostałe kategorie, których uczestnicy cechowali się w większości wysokim poparciem wizji rynkowo-protekcjonistycznej (przedsiębiorcy, robotnicy wykwalifikowani i pracownicy fizyczno-umysłowi), zaliczamy w tym przypadku do wyższej i niższej warstwy segmentu średniego.

Biorąc na warsztat wpływ COVID-19 i związane z pandemią obawy o stan finansów (H5), obraz jest niejednoznaczny. Najniższy poziom lęku deklarowali reprezentanci zarządu i kategorii specjalistów z wyższym wykształceniem, natomiast najwyższy farmerzy, zwłaszcza farmerzy-pracodawcy, wykonawcy prac prostych, robotnicy i pracownicy fizyczno-umysłowi. Z kolei obawy o negatywny wpływ COVID-19 na trwałość zatrudnienia, trwałość pozycji na rynku, deklarowali najrzadziej specjaliści z wyższym wykształceniem, natomiast najczęściej farmerzy i wykonawcy prac prostych, lecz także stosunkowo często reprezentanci kategorii zarząd i specjaliści (34,6% przy średniej 29,3%). Tak więc w ogólnym zarysie hipoteza H5 o strukturalnym wpływie COVID-19 znalazła potwierdzenie, jednak miała kilka znaczących wyjątków.

Stosunek do instytucji państwa był silnie dodatnio skorelowany ze stosunkiem do partii rządzącej PiS. Poszukiwanie wsparcia w instytucji państwa było stosunkowo częste wśród reprezentantów kategorii prac prostych, fizyczno-umysłowych i wśród farmerów, natomiast rzadkie w kategorii zarządu i specjalistów z wyższym wykształceniem. Podobnie zwolennicy partii rządzącej byli wysoko nadreprezentowani wśród farmerów i pracowników wykonujących prace proste, natomiast stosunkowo rzadko zdarzali się wśród przedstawicieli zarządów i wśród specjalistów z wyższym wykształceniem.

* * *

Na zakończenie rozdziału można zadać pytanie o klasowy układ omówionych kategorii ekonomiczno-zawodowych, biorąc za punkt wyjścia typologię wizji GDU. Na wstępie trzeba podkreślić metodologiczny aspekt naszych analiz klasowych. Zwrócenie się ku typologii GDU to gromadzona przez ponad trzy dekady wiedza o trójdzielnej strukturze świadomości ekonomicznej. Na poziomie wysokiej ogólności układała się ona w trzy wymiary, które nie są konstrukcjami teoretycznymi, chociaż takimi teoretyczno-empirycznymi konstrukcjami są zmienne wskaźnika i ich ułożenie.

Jak pisaliśmy powyżej, trzy wizje uznajemy w aktualnych analizach strukturalnych raczej za zmienną objaśnianą, która wyraża triadyczny wymiar ontologiczny społeczeństwa i ma hierarchiczny a nie nominalny charakter (dodamy na marginesie, że zmienne wskaźnika wizji i same wizje pełniły wielokrotnie w naszych badaniach rolę zmiennych objaśniających).

Klasa wyższa składa się z przedstawicieli wysokiego szczebla zarządców (dyrektorów i prezesów). W przypadku tej kategorii – odpowiadającej częściowo „klasie służby publicznej" w schemacie EGP – zbiegają się najwyższe w próbie poziomy wykształcenia, wysoki poziom zarobków i stosunkowo najwyższy odsetek zwolenników wizji liberalnej, dowodzącej otwartości świadomości ekonomicznej (dodajmy ponownie, że co najmniej równie wysoki odsetek reprezentantów tej kategorii popierał wizję rynkowo-protekcjonistyczną). Jest to zarazem klasa o ostro zaznaczonych konturach w zakresie orientacji politycznych. Do tej klasy dołączamy kategorię osób o wysokiej wiedzy i kreatywności – kategorię specjalistów z wyższym wykształceniem.

Na przeciwległym krańcu drabiny hierarchicznej lokuje się klasa niższa, do której zaliczamy kategorie wykonawców prac prostych oraz samodzielnych farmerów.

Reprezentanci kategorii składających się na tę klasę istotnie częściej akceptują wizję korporacyjno-egalitarną, częściej obawiają się utraty zatrudnienia ze względu na pandemię COVID-19, są elektoratem PiS, popierają interwencję państwa w gospodarkę, mają niższe od reprezentantów pozostałych kategorii dochody miesięczne.

Klasa średnia obejmuje warstwę wyższą i niższą. Ta pierwsza obejmuje kategorie przedsiębiorców i urzędników, druga robotników i pracowników fizyczno-umysłowych. Nie licząc urzędników, klasa średnia cechuje się stosunkowo wysokim poparciem wizji rynkowo-protekcjonistycznej, odpowiadającej wizji określanej w przeszłości terminem umiarkowanej modernizacji.

Struktura klasowa ułożyła się hierarchicznie na poziomie trzech klas, natomiast kategorie składające się na klasę średnią układają się w różnych porządkach, zależnie od wziętej na warsztat zmiennej objaśniającej.

WNIOSKI

Z punktu widzenia naszego problemu badawczego ważna była sformułowana w początkowym okresie naszych badań hipoteza o możliwości fundamentalnych zmian relacji klasowych, zgodnie z którą w obliczu głębokiego kryzysu na rynku pracy zaniknęłaby wizja umiarkowanego poparcia rynku (wizja rynkowo-protekcjonistyczna), co wiązałoby się z brakiem wiary, że może istnieć bezpieczna dla pracowników gospodarka rynkowa (H5). Wyniki badań sfalsyfikowały to oczekiwanie – podobnie jak w przypadku poprzedniego rozdziału, poświęconego wizjom gospodarki dobrze urządzonej, nosiciele wizji rynkowo-protekcjonistycznej okazali się mocno osadzeni w strukturze społecznej, nadając tożsamość klasie średniej.

Kończąc analizy struktury klasowej, wrócimy do hipotezy H6 dotyczącej wpływu pandemii COVID-19 na kategorie ekonomiczno-zawodowe (klasowe), według których kryzys miał się odbić w większym stopniu na klasie średniej, zwłaszcza jej niższych segmentach. Okazało się inaczej – hipoteza potwierdziła się jedynie częściowo. Podobnie jak w przypadku normatywnych wizji gospodarki, omówionych w poprzednim rozdziale, tak i w odniesieniu do struktury klasowej, pandemia okazała się czynnikiem o znaczeniu przejściowym.

Związek wizji gospodarki dobrze urządzonej i struktury społecznej, mierzonej kategoriami społeczno-gospodarczymi, okazał się względnie silny w przypadku kategorii granicznych: z jednej strony zarządu i specjalistów o orientacji liberalnej, a z drugiej wykonawców prac prostych i farmerów nie zatrudniających pracowników o orientacji korporacyjno-egalitarnej. W przypadku pozostałych kategorii zanotowaliśmy korelacje ze wskaźnikiem GDU zgodne z założeniami, jednak ich siła nie była duża, była ona słabsza niż w przypadku zmiennych politycznych (elektoratów partyjnych).

ROZDZIAŁ 7

JAKOŚĆ ŻYCIA, DOBROSTAN A PANDEMIA COVID-19

WPROWADZENIE

Problematyka jakości życia i dobrostanu jest w naukach społecznych i ekonomicznych niezwykle rozbudowana (Ciziceno, 2022), a jej intensywny rozwój rozpoczął się wraz ze „zwrotem społecznym", czyli odejściem od utożsamiania jakości życia z dobrobytem mierzonym wartościami ekonomicznymi. Efektem tego zwrotu było opracowanie wielu wskaźników, które były w coraz mniejszym stopniu determinowane czynnikami ekonomicznymi. Ewa Rokicka (2014) w syntezie poświęconej badaniom jakości życia i dobrostanu przytoczyła schemat ewolucji konceptualizacji i operacjonalizacji badań jakości życia. Składają się na ten schemat trzy następujące po sobie nurty badań nad miernikami jakości życia. Pierwszym były badania ekonomicznego dobrobytu (*welfare*), następnym badania społeczno-ekonomicznego dobrobytu, a trzecim stały się badania łączące społeczno-ekonomiczny dobrobyt i psychiczny dobrostan. Każdy kolejny nurt wyrasta z krytyki luk, ujawnianych w nurcie poprzednim. Pierwszy nurt owocował miernikami operującymi wartościami ekonomicznymi, wyrażanymi w pieniądzu, konstruowanymi na podstawie rachunku PKB (Rokicka przytacza szereg przykładów takich mierników, m.in. *Index of Sustainable Economic Welfare*). Drugi nurt metod obejmował mierniki dobrobytu skupione na pomiarze rozwoju społeczno-gospodarczego i konstruowaniu odpowiednich wskaźników ilościowych, chociaż nieograniczających się do mierników finansowych. W tej grupie wskaźników szczególne miejsce zajmuje szeroko znany wskaźnik rozwoju społecznego HDI (*Human Development Index*). We wstępie do omówienia trzeciego nurtu Ewa Rokicka odwołała się do uwag Ryszarda Szarfenberga, że twarde zmienne (długość życia, poziom wykształcenia, dochody itd.) niekoniecznie dowodzą, iż „mamy do czynienia ze społeczeństwem ludzi szczęśliwych": „dobrostan staje się głównym przedmiotem zainteresowań w rozważaniach nad rozwojem społecznym i polityką społeczną, wypierając dobrobyt". Akcent jest stawiany na dobrostan psychiczny, na subiektywne aspekty jakości życia, satysfakcję z życia, poczucie szczęścia.

W *Encyklopedii PWN* znajdujemy następującą psychologiczną definicję dobrostanu: jest to „subiektywnie postrzegane przez osobę poczucie szczęścia, pomyślności, zadowolenie ze stanu życia". Janusz Czapiński, przywoływany przez *Encyklopedię*, definiuje ogólny dobrostan psychiczny jako „świadomą ocenę przez osobę jej własnego życia; odczucia i sądy dotyczące własnego szczęścia zmieniające się pod wpływem okoliczności życiowych" (Czapiński, 1992: 36).

Justyna Cieślińska (2013: 101) określała dobrostan, odwołując się do definicji Czapińskiego, następująco:

Pierwotnie poprzez pojęcie „jakość życia" rozumiano poziom zadowolenia z własnych warunków materialnych, natomiast obecnie bierze się pod uwagę analizę takich wskaźników, które uwzględniają zaspokajanie psychicznych i społecznych potrzeb jednostek. Współcześnie jakość życia rozpatruje się najczęściej w kontekście subiektywnych ocen różnych aspektów funkcjonowania człowieka i jego sytuacji życiowej. Takie pojmowanie tego pojęcia i odwołanie się do subiektywnego osądu jednostki dotyczącego różnych aspektów funkcjonowania (…) sprawia, że stopniowo następuje upodabnianie się znaczenia pojęć jakości życia i dobrostanu psychicznego.

Pandemia COVID-19 wywarła głęboko negatywne skutki w zakresie społeczno-psychologicznego aspektu dobrostanu. Biorąc pod uwagę, że przez większą część roku 2020 w wielu krajach świata wprowadzono twarde warunki dystansu społecznego, aktualnym tematem badań stał się problem destrukcji więzi społecznej i poczucie osamotnienia.

W ramach *World Happiness Report*, edycja z 2021 r., zestawiono wyniki bardzo dużej liczby badań prowadzonych w kilkudziesięciu krajach Europy, Ameryki i Azji (Okabe-Miyamoto, Lyubomirsky, 2021). Autorki poddały szczegółowej analizie zarówno czynniki wzmagające odporność na pandemię, jak i osłabiające tę odporność, dzieląc je na psychologiczne i społeczne. Wśród cech indywidualnych, chroniących pozytywne samopoczucie, wyodrębniono ekstrawersję, konsekwencję w działaniach, życzliwość w stosunku do innych oraz stabilny charakter. Ekstrawertyczna osobowość była uznana za wyjątkowo skuteczny czynnik ochronny, zapewniający względnie dobre samopoczucie (chociaż przytoczono także wynik badań oceniających ekstrawertyczność negatywnie). Podkreślano dobre funkcjonowanie rodziny (w badaniach przeprowadzonych w Hiszpanii). Z badań realizowanych w krajach anglosaskich wynikało, że ważne jest uczestnictwo w szerszej sieci kontaktów słabszych niż w kontaktach silnych, ale nielicznych (zgodnie z koncepcją Marka Granovettera o sile słabych więzi). Badania anglosaskie wskazywały na pozytywny wpływ wzmacniania więzi społecznych, zawiązanych jeszcze przed pandemią, i bardzo negatywny wpływ na zadowolenie, gdy następowało rozluźnianie takich więzi, tracenie wcześniejszych kontaktów.

Notowany jest ambiwalentny wpływ korzystania z Internetu. Wprawdzie jest on nie do przecenienia z punktu widzenia kontaktu z innymi w okresach wymuszonego fizycznego dystansu, lecz korzystanie z mediów społecznościo-wych („przewijanie postów") wywierało szkodliwe skutki psychiczne. Osoby korzystające z tych mediów były bardziej zagrożone depresją, miały podwyższony poziomem lęku. Wiąże się to m.in. z językiem przekazu – jak wskazały cytowane w raporcie badania chińskie, język w czasach pandemii COVID-19 był nasycony pojęciami o negatywnej treści, przekazywał więcej negatywnych emocji niż język sprzed pandemii.

Częstym tematem badań była sytuacja młodego pokolenia w czasach COVID-19. Światowe i europejskie instytucje badawcze realizowały wiele od-powiednich projektów, wśród których chcemy tu wskazać opracowanie konferen-cyjne autorstwa Xiaojun Gene'a Shana i Mohammadaliego Beheshtiego (2021), poświęcone porównaniu wyników badań młodzieży z pierwszego okresu pan-demii, prowadzonych pod kątem zdrowia. Już we wczesnym okresie pandemii stwierdzano, że w przypadku młodzieży czynniki ekonomiczne i społeczne silniej i trwalej wywoływały cierpienia związane z COVID-19 niż zagrożenia zdrowia w wyniku zarażenia SARS-CoV-2: „[z]akłócenia sytuacji ekonomicznej, trybu i stylu życia oraz wywołane tym poczucie beznadziejności były jednymi z najsil-niejszych korelatów cierpienia młodzieży podczas lockdown[u], na które nakładały się doświadczenia wiktymizacji związanej z pandemią i kumulacja stresujących doświadczeń życiowych" (Shanahan i in., 2022).

Ważnym układem odniesienia dla naszych badań są duże badania społeczeństw europejskich, przeprowadzonych w ramach Eurofound. Ankieta elektroniczna została przeprowadzona w trzech turach (wiosna 2020 r. – lato 2020 r. – wiosna 2021 r.) przy użyciu wskaźnika dobrostanu psychicznego WHO-5 (skala 0–100). W ostatniej rundzie odnotowano spadek dobrostanu psychicznego w całej UE, któ-ry obniżył się średnio z 53 do 45 między latem 2020 r. a wiosną 2021 r. Dodajmy, że między pierwszą a drugą turą nastąpiła poprawa.

Wiosną 2021 r. osoby w wieku 50 lat lub starszym miały lepsze wyniki w za-kresie samopoczucia psychicznego niż grupy młodsze (47 w porównaniu z 43 w przypadku osób w wieku 18–34 lata), ale starsza grupa również doświadczyła dużego spadku średniego samopoczucia psychicznego (z 55 latem 202 do 47 wios-ną 2021 r.).

Pomiar z trzeciej rundy wskazywał, że 64% osób z najmłodszej grupy wieko-wej (18–34 lata) było zagrożonych depresją. Dobrostan kobiet w drugiej i trzeciej rundzie spadł z 51 do 44, a wśród mężczyzn z 55 do 47. W przekroju grup wieko-wych i płci najniższy stan psychiczny wiosną 2021 r. odnotowany został wśród kobiet w wieku 18–24 lata oraz kobiet w wieku 35–44 lata (po 41 w obu grupach), zarazem pod względem głębokości spadku na pierwszym miejscu lokowali się najmłodsi mężczyźni (z 54 latem 2020 do 44 wiosną 2021 r.).

Wiosną 2021 r. w większości grup społecznych w UE nastąpił ogólny wzrost negatywnych uczuć, takich jak napięcie/lęk, samotność, przygnębienie i depresja. Wzrost nastrojów depresyjnych odnotowano szczególnie wśród młodszych grup (wzrost o 13 p.p. zarówno dla młodych mężczyzn, jak i kobiet), natomiast największy wzrost samotności odnotowano u kobiet po 50. roku życia (również o 13 p.p.).

Z punktu widzenia aktualnych badań naszego zespołu ważna hipoteza wiąże się z panelem POLPAN, realizowanym w Instytucie Filozofii Socjologii PAN:

[o]soby zamożne są szczęśliwsze niż gorzej sytuowane. Im wyższy poziom edukacji, tym wyższy dobrostan psychiczny. Osoby starsze są mniej szczęśliwe niż młodzi. Co ciekawe, kobiety są w Polsce mniej szczęśliwe od mężczyzn, choć w ogromnej większości krajów rozwiniętych jest na odwrót (Kopycka 2021).

Ta obserwacja z badań poprzedzających bezpośrednio okres pandemii będzie mogła służyć jako układ odniesienia dla naszych analiz zadowolenia z życia polskiego społeczeństwa jesienią 2021 r.

ZADOWOLENIE Z ŻYCIA

Przedstawione powyżej wyniki badań dostarczają szeregu generalizacji empirycznych dotyczących wpływu pandemii COVID-19 na jakość życia i dobrostan.

Analizę zmiennych, odnoszących się do przedstawienia rozkładu głównego pytania o poczucie zadowolenia z życia, prezentuje tabela 7.1.

Zgodnie z założeniem badawczym, wśród dorosłych mieszkańców Polski dominowały deklaracje zadowolenia z życia. Rozpoczynając omawianie tego

Tabela 7.1. Zadowolenie z życia w badaniach z 2021 r. (proc.)

Biorąc wszystko pod uwagę, na ile czuje się Pan(i) zadowolony/a z życia? Czy czuje się Pan(i):			
Bardzo zadowolony(-na)	18,4	71,6	71,8
Raczej zadowolony(-na)	53,2		
Ani niezadowolony(-na), ani zadowolony(-na)	15,6	15,2	15,2
Raczej niezadowolony(-na)	8,8	12,6	12,6
Bardzo niezadowolony(-na)	3,8		
Trudno powiedzieć	0,1	0,2	x
Odmowa odpowiedzi	0,0		

Uwaga: w kwestionariuszu pytanie ma odwróconą skalę. N = 1378 (braki danych = 2).

Źródło: COV-WORK (jak w tabeli 5.3); N = 1400.

zagadnienia, należy dodać, że istnieje empiryczny dowód negatywnego wpływu pandemii na poczucie satysfakcji z życia. W badaniach PREWORK z 2016 r., których przedmiotem były postawy młodzieży pracującej (grupa wiekowa 18– 30 lat), pytaliśmy o „poczucie szczęścia"; wówczas takie poczucie zadeklarowało 82,8% respondentów. W badaniach aktualnych wyodrębniliśmy tę samą kategorię respondentów, którzy byli pytani o „poczucie zadowolenia" (tabela 7.1) i uzyskaliśmy poziom odpowiedzi 69,2%. Treść pytania była wprawdzie odmienna, jednak różnica okazała się zdecydowanie wysoka. Można więc zaryzykować – naszym zdaniem – wniosek, że w przypadku kluczowego wskaźnika dobrostanu sytuacja uległa pogorszeniu w okresie pandemii COVID-19 i z dużym prawdopodobieństwem można przypuszczać, że nastąpiło to właśnie z powodu pandemii.

W obliczu pandemii przyjęliśmy szczegółowe hipotezy, wynikające z przytoczonych wyników badań. O różnicach wieku i płci w związku z odczuciem dobrostanu świadczyły wyniki badań Eurofoundu. Zakładamy więc, że pandemia COVID-19 nie zmieni dodatniego związku zadowolenia z wykształceniem (H1), z poziomem zarobków (H2) z usytuowaniem na skali kategorii ekonomiczno--zawodowych (H3), z bezpieczeństwem zatrudnienia (formą kontraktu pracy H4), natomiast pojawi się negatywny związek z wiekiem (H5). Oparliśmy nasze założenie na wiedzy o bardzo negatywnym wpływie pandemii na społeczne i fizyczne życie zbiorowości młodzieży, nie tylko szkolnej, lecz studenckiej i pracowniczej (związanej z „uzdalnianiem" pracy). Dodajmy, że w literaturze pojawiło się określenie „pokolenie Covid" – pokolenia poddanego deprywacji. Wayne Deeker (2022) pisał:

[e]ksperci ostrzegają, że pandemia COVID-19 pogorszyła wszystko w obliczu trwającego dekadę wzorca pogarszającego się stanu zdrowia psychicznego młodych Europejczyków. W wielu badaniach zaobserwowano gwałtowny wzrost wskaźników depresji, lęku, samotności i prób samobójczych.

Stawiając hipotezę negatywnego wpływu pandemii, braliśmy jednak pod uwagę czynniki łagodzące restrykcyjne formy życia zbiorowego: obecne na dużą skalę w Polsce omijanie restrykcji, lekceważenie przez młode pokolenie Polaków formalnych ograniczeń związanych z pandemią COVID-19.

Założyliśmy silniejszy negatywny wpływ pandemii na mężczyzn niż na kobiety (H6), zwłaszcza z niższej klasy średniej (H7). Ograniczenia kontaktów *face to face*, szczególnie lockdown narzucał silniejsze restrykcje osobom wykonującym zawody manualne lub fizyczno-umysłowe niż przedstawicielom kategorii należących do wyższej klasy średniej i klasy wyższej. Biorąc pod uwagę wnioski z badań Eurofound, założyliśmy, że w Polsce, inaczej niż w większości krajów Europy, nie pojawi się wspomniana różnica między młodzieżą żeńską i męską

(H8), mianowicie najniższy stan psychiczny wśród kobiet w wieku 18–24 lata (41), przy poziomie wskaźnika wśród najmłodszych mężczyzn 44. Przyjęliśmy założenie, że osoby przeciwne szczepieniu przeciwko COVID-19 będą mniej zadowolone z życia, ich krąg doświadczeń bowiem jest naznaczony podejrzliwością wobec szczepionkowej większości i elitom propagującym „groźne dla zdrowia" procedury (H9).

Weryfikację zaczniemy od H1: zwiększania zadowolenia wraz ze wzrostem poziomu wykształcenia. Hipoteza potwierdziła się zdecydowanie – najczęściej deklarowali zadowolenie absolwenci wyższych uczelni (81,8%), najrzadziej absolwenci szkół podstawowych i gimnazjów (55%), w innych kategoriach wskaźnik mieścił się między 69,75 a 76,9%, przy tym zależność była zbliżona do liniowej.

H2: dodatni związek zadowolenia z zarobkami – hipoteza również została zdecydowanie potwierdzona: zadowoleni deklarowali zarobki na poziomie 3979 zł, wahający się 3600 zł, a niezadowoleni jedynie 2408 zł. Znajdowało to odbicie w dodatnim związku zadowolenia z kategoriami ekonomiczno-zawodowymi.

H3: (na co wskazywaliśmy już w rozdziale poprzednim, poświęconym strukturze społecznej). Na czele zadowolonych lokują się farmerzy-pracodawcy (w tej niewielkiej grupie wszyscy deklarowali zadowolenie z życia), następnie przedsiębiorcy-pracodawcy (93%), kolejno przedstawiciele grupy zarządu, prezesi, dyrektorzy (84,6%), wyżsi specjaliści (83,6%), urzędnicy, niżsi kierownicy (80,1%), przedsiębiorcy-samozatrudnieni (71,2%), robotnicy i brygadziści (70,4%), sprzedawcy, pracownicy fizyczno-umysłowi (69,1%), farmerzy samodzielni (64,3%), pracownicy niewykwalifikowani (54,8%; chi^2 = 64,49; df = 20; p = 0,000).

H4: związek zadowolenia z formą kontraktu również potwierdzał hipotezę: czas nieokreślony – 78,2% zadowolonych, czas określony – 71,6%, umowa-zlecenie – 65,4%, okres próbny – 14,3% (w tym przypadku 85,7% wskazywało, że ani nie są zadowoleni, ani niezadowoleni). Inaczej rzecz się miała z umową o dzieło, tu interweniowały zawody grupujące specjalistów i twórców – zadowolenie z życia deklarowało 88,9% osób.

H5: negatywny związek zadowolenia z wiekiem został potwierdzony częściowo – zanotowaliśmy zbliżenie wskaźnika zadowolenia z życia między najmłodszymi badanymi (grupa wieku 18–24 lata) a najstarszymi (60 lat i więcej): 74,2% wobec 72,2%. Dodajmy, że korelacja grup wiekowych z zadowoleniem była nieistotna statystycznie (chi^2 = 13,52; df = 10; p = 0,196). Zebrane przez nas obserwacje potwierdzają negatywny wpływ pandemii COVID-19 na dobrostan młodzieży.

H6: niższe zadowolenie z życia mężczyzn niż kobiet zostało potwierdzone, chociaż na granicy statystycznej istotności – kobiety nieco częściej deklarowały poczucie zadowolenia niż mężczyźni (73,2 wobec 70,2).

H7: zakładała, że w niższej klasie średniej (obejmującej w naszych badaniach kategorię robotników i brygadzistów oraz pracowników fizyczno-umysłowych;

n = 209) różnica między kobietami a mężczyznami odnośnie do zadowolenia jeszcze bardziej przesunie się ku kobietom, co zostało potwierdzone; zadowolenie wśród kobiet z tej klasy – 72,9%, wśród mężczyzn 67,7%.

Tabela 7.2. Zadowolenie z życia a stosunek do szczepienia w całej próbie i w niższej klasie średniej (pracowniczej) (proc.)

Biorąc wszystko pod uwagę, na ile czuje się Pan(i) zadowolony(-na) z życia?	Zadowolony(-na) (zdecydowanie i umiarkowanie)	Ani tak, ani nie	Niezadowolony(-na) (zdecydowanie i umiarkowanie)	Ogółem
Stosunek do szczepienia przeciwko COVID-19 w całej próbie* N = 1397				
Przeciwnicy szczepienia	66,8	17,0	16,2	100,0
Zwolennicy	73,0	15,3	11,7	100,0
Ogółem	71,8	15,6	12,6	100,0
Stosunek do szczepienia przeciwko COVID-19 w niższej kasie średniej (pracowniczej)* n = 211				
Przeciwnicy szczepienia	80,3	11,5	8,2	100,0
Zwolennicy	65,4	21,3	13,3	100,0
Ogółem	69,7	18,5	11,8	100,0

* $p < 0,05$; ** $p < 0,01$; *** $p < 0,001$.

Źródło: jak w tabeli 7.1.

H8: biorąc pod uwagę wnioski z badań Eurofound, założyliśmy, że w Polsce, inaczej niż w większości krajów Europy, nie pojawią się osobliwości płci skorelowanej z wiekiem, jak też się stało.

H9: mówiąca o niższym zadowoleniu z życia przeciwników szczepionki, potwierdziła się na poziomie całej próby, natomiast w przypadku niższej klasy średniej została zweryfikowana negatywnie – w środowisku robotników wykwalifikowanych, brygadzistów, pracowników handlu, przedstawicieli zawodów fizyczno-umysłowych, czyli „rdzennej" klasy pracowniczej, przeciwnicy szczepionki deklarowali istotnie częściej zadowolenie z życia niż jej zwolennicy (tabela 7.2). Szukając wyjaśnienia, można zakładać wsparcie grup uczestnictwa, które w klasie niższej są w większym stopniu nasycone przeciwnikami szczepionki niż w przypadku grup uczestnictwa z klasy średniej i wyższej.

WSPARCIE W CZASACH PANDEMII

Analiza odpowiedzi na pytania o wsparcie pozwala na identyfikację cech osób, które w czasach pandemii COVID-19 deklarowały, że otrzymywały wsparcie lub takiego wsparcia oczekiwały.

Trudno jednoznacznie ocenić wpływ pandemii na omawiany wymiar dobrostanu Polaków, nie dysponujemy odpowiednimi danymi porównawczymi, można jednak ostrożnie wnioskować o dwóch zjawiskach – bardzo wysokim poziomie familizmu (wsparciem służy głównie rodzina, „najbliżsi"), drugim zaś jest – wyższy niż oczekiwaliśmy – poziom wsparcia ze strony organizacji i stowarzyszeń (46,1%, gdy o braku takiego wsparcia mówiło 34,7%, przy wahaniu się pozostałych). To drugie zjawisko nakazuje podchodzić z pewną rezerwą do przenoszenia na czas obecny tezy Stefana Nowaka o polskim społeczeństwie jako „federacji grup pierwotnych", tezie o słabych więziach na poziomie przekraczającym krąg rodzinny i towarzyski, zwłaszcza słabych w odniesieniu do instytucji oficjalnych. Rezerwa nie oznacza jednak wniosku o odrzucenie w aktualnych warunkach formuły Nowaka o federacji grup pierwotnych, wiele innych deklaracji dowodzi jej aktualności.

Tabela 7.3. Samowsparcie i wsparcie ze strony najbliższych, organizacji i stowarzyszeń oraz rządu w badaniach z 2021 r. (proc.)

P2. Proszę wskazać, na ile się Pan(i) zgadza, na ile zaś nie zgadza z następującymi stwierdzeniami:	Zgadzam się (zdecydowanie i umiarkowanie)	Ani tak, ani nie	Nie zgadzam się (zdecydowanie i umiarkowanie)	Ogółem
P2X1. W życiu mogę polegać tylko na sobie	48,5	22,9	28,6	100,0
P2X2. Mogę zawsze liczyć na wsparcie moich najbliższych	82,5	8,9	8,6	100,0
P2X3. Są w Polsce organizacje, stowarzyszenia itp., które pomagają takim ludziom jak ja	46,1	19,3	34,6	100,0
P2X4. Rząd w Polsce pomaga ludziom takim jak ja	27,8	14,9	57,3	100,0

Komentarz: w kwestionariuszu skala była odwrócona.

Źródło: jak w tabeli 7.1.

Tak więc być może pandemia z jednej strony wpłynęła na wzmocnienie i tak silnych więzi na poziomie grup pierwotnych – tezę wypowiadamy z zastrzeżeniami, nie mamy bowiem odpowiednich danych z okresu bezpośrednio poprzedzającego wybuch pandemii. Z drugiej strony rozszerzenie więzi ze stowarzyszeniami i organizacjami może być zarówno efektem kontynuacji procesu rozpoczętego już przed pandemią, jak i wywołanego przez pandemię.

Tę ostatnią tezę zdają się potwierdzać wyniki badań CBOS o podnoszeniu się w długim okresie wskaźnika uczestnictwa w organizacjach i stowarzyszeniach. W przypadku młodzieży poziom wskaźnika podniósł się od 1998 do 2018 r. o 10 p.p. (od 25% do 35%; Grabowska, Gwiazda, 2019: 176). Ten wzrost przynależności nie przekłada się jednak w dostatecznym stopniu na poziom zaufania, stanowiącego podstawę kapitału społecznego. W naszych badaniach młodzieży pracującej z 2016 r. zaufanie do innych mierzone popularnym wskaźnikiem Morrisa Rosenberga deklarowało 22%, podczas gdy brak zaufania – 69,9%, pozostali wahali się (Gardawski, 2021: 284).

Odnośnie do oceny wsparcia ze strony rządu należy zwrócić uwagę na zbieżność zanotowanego w naszych badaniach poziomu deklaracji o wsparciu ze strony rządu z opiniami o rządzie, zanotowanymi w sondażu CBOS, przeprowadzonym w tym samym czasie, gdy było realizowane nasze badanie: zwolennicy 29%, przeciwnicy 41%, obojętni 24%, pozostali nie odpowiedzieli (Omyła-Rudzka, 2022), podczas gdy w naszych badaniach zanotowaliśmy deklaracje wsparcia ze strony rządu na poziomie 27,8% (tabela 7.3).

Wrażenie umiarkowania może czynić poziom deklaracji samowsparcia, mówiących, że badany(-na) może w życiu liczyć „tylko na siebie" (48,5%). Ten wariant pytania może być interpretowany wieloruko. Tu zwrócimy uwagę na dwie, częściowo komplementarne definicje. Po pierwsze, samowsparcie jako wyraz osamotnienia: „muszę polegać tylko na sobie, bo nie mogę polegać na nikim innym". W tym przypadku samowsparcie może być traktowane jako opozycja wobec innych potencjalnych podmiotów udzielających wsparcia, od których respondent takiego wsparcia nie może jednak oczekiwać (ze strony najbliższych, organizacji i stowarzyszeń, rządu). Druga definicja ujmuje deklarację samowsparcia jako wyraz zaufania do siebie. W tym przypadku we frazie „mogę polegać tylko na sobie" partykułę „tylko" trzeba brać umownie, deklaracja samowsparcia nie jest opozycją wobec innych potencjalnych form wsparcia. Przy takim rozumieniu „samowsparcia" należy podkreślić bliskość pojęcia do koncepcji samorealizującej się osobowości Abrahama Maslowa, osobowości kierowanej „od wewnątrz" u Davida Riesmana, czy do opracowanej w połowie lat 80. teorii autodeterminacji Richarda Ryana i Edwarda Deci, którzy wiążą *self-deremination* z dobrostanem (Ryan, Deci, 2018).

W ramach ilościowych badań CATI nie sposób udzielić wyczerpującej odpowiedzi na pytanie o rozumienie przez respondentów samowsparcia, można jednak rekonstruować, do pewnego stopnia, treść nadawaną pojęciu, przez kontekst, w jakim występuje. Tabele 7.4 i 7.5 dają pewien pogląd w tym zakresie.

W macierzy korelacji (tabela 7.4) zwraca uwagę ujemna korelacja samowsparcia z innymi formami pomocy, zwłaszcza ze strony najbliższych, a więc deklaracja samowsparcia powinna raczej kojarzyć się (lub kojarzyć się w dużym stopniu) z osamotnieniem i koniecznością indywidualnego borykania się z trudnościami. Ponadto zwraca uwagę łączenie wsparcia ze strony rządu ze wsparciem organizacyjnym i stowarzyszeniowym, co może sugerować odczuwanie takiego wsparcia przez zbiorowość wśród zwolenników rządu.

Przyjrzyjmy się bliżej relacji samowsparcia i wsparcia ze strony najbliższych. Osoby deklarujące samowsparcie wyraźnie rzadziej wskazywały na wsparcie ze strony rodziny (76,7% przy średniej 82,8%). Z kolei osoby o niskim samozaufaniu (łącznie zdecydowanym i umiarkowanym) deklarowały ponadprzeciętny poziom polegania na najbliższych – 93,7% (chi^2 = 73,60; df = 4; p < 0,001).

Tabela 7.4. Korelacja form wsparcia

Formy wsparcia	Formy wsparcia			
	1	2	3	4
W życiu mogę polegać tylko na sobie	1			
Mogę zawsze liczyć na wsparcie moich najbliższych	−0,241***	1		
Są w Polsce organizacje, stowarzyszenia itp., które pomagają takim ludziom jak ja	−0,144***	0,172***	1	
Rząd w Polsce pomaga ludziom takim jak ja	−0,058	0,047*	0,368***	1

Pięciostopniowa skala Likerta: 1 = zdecydowanie tak ..., 5 = zdecydowanie nie.
* p < 0,05; ** p < 0,01; *** p < 0,001.

Źródło: jak w tabeli 7.1.

Tabela 7.5. Eksploracyjna analiza czynnikowa form wsparcia

Formy wsparcia	Wsparcie ze strony instytucji	Samowsparcie kontra inne formy
Rząd w Polsce pomaga ludziom takim jak ja	0,845	−0,010
Są w Polsce organizacje, stowarzyszenia itp., które pomagają takim ludziom jak ja	0,806	−0,269
W życiu mogę polegać tylko na sobie	−0,093	0,802
Mogę zawsze liczyć na wsparcie moich najbliższych	0,159	−0,793
Metoda wyodrębniania czynników – Głównych składowych. Metoda rotacji – Oblimin z normalizacją Kaisera		

Pięciostopniowa skala Likerta: 1 = zdecydowanie tak..., 5 = zdecydowanie nie.

Źródło: jak w tabeli 7.1.

Analizy korelacji rozkładów odpowiedzi na pytania o wsparcie z zespołem zmiennych objaśniających dały następujący obraz:

A. Samowsparcie

Deklaracja samowsparcia była zależna od wieku. Taką deklarację dawały najczęściej osoby w wieku 60 lat i więcej (63,1%), następnie osoby z grup wiekowych 40–59 lat (44,7–48,1%) i w końcu osoby w wieku 18–39 lat (34,1–38%).

Wykształcenie różnicowało specyficznie – najwyższy poziom deklarowali absolwenci zasadniczych szkół zawodowych (59,6%), podczas gdy deklaracje osób posiadających inne rodzaje wykształcenia mieściły się w granicach 43,5–44,7%.

Obserwacja związana z wykształceniem przenosiła się na kategorie ekonomiczno-zawodowe. Oto pełna skala ekonomiczno-zawodowa, odniesiona do deklaracji samowsparcia, których granicznymi kategoriami okazała się od strony najwyższego samowsparcia kategoria robotników niewykwalifikowanych, a od strony najniższego samowsparcia kategoria specjalistów z wyższym wykształceniem i twórców: (1) Robotnicy wykonujący prace proste (53,7%); (2) Robotnicy wykwalifikowani i brygadziści (51,4%); (3) Właściciele(-ki) lub współwłaściciele(-ki) gospodarstwa rolnego (51%); (4) Właściciele(-ki) lub współwłaściciele(-ki) firmy poza rolnictwem (49,6%); (5) Dyrektorzy, prezesi i kadra kierownicza (44,4%); (6) Pracownicy administracyjno-biurowi, kierownicy i specjaliści niższego szczebla (40,1%); (7) Pracownicy fizyczno-umysłowi, pracownicy sklepów, punktów usługowych itp. (36,7%); (8) Zawody twórcze i specjaliści z wyższym wykształceniem, kierownicy średniego szczebla (33%).

Zależność samowsparcia od położenia ekonomiczno-zawodowego przekładała się na dochody miesięczne: najwyższe samowsparcie deklarowały osoby z grupy dochodów najniższych (53,6%), najniższe z grupy o dochodach najwyższych (41,5%).

Nie ma podstaw do uogólnień, jednak można przyjąć ostrożną tezę, że w warunkach pandemii pewność siebie maleje wraz z wchodzeniem na wyższy poziom drabiny stratyfikacyjnej.

Elektoraty wskazują na najwyższy poziom poczucia samowsparcia u reprezentantów rządzącej PiS (53%) przy niższej KO (47,4%) i najniższej w elektoracie PSL (29,2%). W tym rozkładzie odzwierciedla się, jak można ostrożnie wnioskować, raczej sama aktywność w politycznych podziałach niż orientacja polityczna.

Samowsparcie nie ma przełożenia na autoidentyfikacje ideologiczne według skali lewica–prawica (chi^2 = 12,06; df = 12; p = 0,441), natomiast było związane, chociaż umiarkowanie, ze stosunkiem do szczepienia – wśród osób deklarujących samowsparcie było mniej przeciwników szczepionki niż u osób deklarujących jego brak: 16,4% wobec 22,6% (chi^2 = 6,43; df = 2; p = 0,040).

B. Wsparcie ze strony stowarzyszeń i organizacji
Wsparcie ze strony wymienionych instytucji częściej deklarowały kobiety (49,4%) niż mężczyźni (42,3%), osoby najstarsze (60 lat i więcej – 51,7%) niż młode, z grupy wiekowej 25–30 lat (34,6%).

Najczęściej spotykali się z tym wsparciem farmerzy (39,6%), najrzadziej przedsiębiorcy (52,6%), najczęściej osoby z grupy dochodów najniższych (49,2%), najrzadziej osoby o dochodach najwyższych (39,7%).

Pojawiła się istotna korelacja z elektoratami – wsparcie ze strony organizacji i stowarzyszeń najczęściej deklarowały osoby z elektoratu partii rządzącej PiS (56,9%) i KO (52,8%), najrzadziej z elektoratu PSL (20%). Wśród zwolenników szczepień był wyższy odsetek odczuwających wsparcie organizacji i stowarzyszeń (47,5%) niż wśród przeciwników szczepień (39,6%).

C. Wsparcie ze strony rządu

Otrzymanie takiego wsparcia nieco częściej deklarowały kobiety niż mężczyźni (29,6% wobec 26,1%), i osoby starsze (37,8% z najstarszej grupy wiekowej, w pozostałych 21,5–26,6%).

Poziom wykształcenia wpływał istotnie: najczęściej składały deklaracje takiego wsparcia osoby z wykształceniem podstawowym i gimnazjalnym (41,5%), najrzadziej wyższym (19,1%), najczęściej farmerzy (52%), podczas gdy wskazania reprezentantów pozostałych kategorii ekonomiczno-zawodowych mieściły się w ramach 13,3–21%. Wsparcie rządowe odczuwały częściej osoby o najniższych dochodach (34%), podczas gdy spośród osób o najwyższych dochodach składały takie deklaracje w 14%. Ponadto wsparcie takie deklarowali najczęściej mieszkańcy wsi (35,9%), najrzadziej mieszkańcy Warszawy (6,7%).

Najsilniej rozkład odpowiedzi na pytanie o wsparcie rządowe różnicowały, oczywiście, elektoraty. Najwyższy poziom rządowego wsparcia zadeklarowali zwolennicy PiS (62,7%) najniższy SLD – 6,2% i KO – 9,9% (chi^2 = 333,54; df = 15; p < 0,001), co przenosiło się na identyfikacje ideologiczne; osoby o orientacji prawicowej dostrzegały częściej (45,7%), o orientacji centrowej rzadziej (24,9%), o lewicowej najrzadziej (13,1%). Także w przypadku wsparcia ze strony rządu deklarujący je byli przeciwnikami szczepionki niż niedeklarujący wsparcia (23,9% wobec 28,7%).

Glosa w kwestii robotniczej

Tym tradycyjnym tytułem opatrzyliśmy glosę dotyczącą samowsparcia i, pośrednio, samosterowności w odniesieniu do badanych przez nas kategorii ekonomiczno-zawodowych, a zwłaszcza do obserwacji dotyczących klasy robotniczej. W społeczeństwach gospodarki kapitalistycznej, dominowanej przez rynki, istniała oczywista zależność między lokalizacją ekonomiczno-zawodową, klasową a psychospołecznymi cechami pracowników: im niższa pozycja, tym wyższy poziom psychicznego dyskomfortu, wyższy poziom lęku, wyższy poziom zewnątrzsterowności, wyższy poziom autorytaryzmu itd. Autorytarny socjalizm podważył tę zależność. Głośne badania amerykańsko-polskie z lat 70. XX wieku (zespołami kierowali Melvin Kohn i Kazimierz Słomczyński) dowiodły, że polska „klasa robotnicza miała się psychologicznie znacznie lepiej niż różne grupy pracowników umysłowych, włączając w to wysoko postawionych kierowników" (Ziółkowski, 2000b: 19). Badania prowadzone po przełomie ustrojowym 1989 dowodziły, że osobliwy komfort psychologiczny, którym cieszyła się klasa robotnicza w ostatnich dekadach poprzedniego ustroju, zanikał po wprowadzeniu gospodarki rynkowej. W cytowanym opracowaniu Marka Ziółkowskiego z 2000 r. pojawiła się konkluzja odnośnie do nowych czasów:

[w]zrosła wartość negatywnej korelacji pozycji stratyfikacyjnej z poczuciem niepewności siebie. Ogólnie: sytuacje w Polsce ze względu na determinacją psychologicznego dyskomfortu zbliża się do uniwersalnego wzorca i „wyjątkowość" naszego kraju pod tym względem – notowana w końcu lat siedemdziesiątych – znikła (ibidem).

Niesatysfakcjonująca kondycja, także psychospołeczna, klasy robotniczej, zwłaszcza jej niższych segmentów, była uchwycona w wielu badaniach, w tym zwłaszcza jakościowych – tu wymienimy badania Wiesławy Kozek i osób z jej zespołu, m.in. Julii Kubisy i Justyny Zielińskiej, badania Macieja Gduli, Przemysława Sadury i badania biograficzne naszego zespołu, kierowane i realizowane przez Adama Mrozowickiego.

Mając na uwadze wyniki tych badań, zakładaliśmy, że w omawianym obecnie aspekcie postaw odnajdziemy u przedstawicieli robotniczych kategorii ekonomiczno-zawodowych, zwłaszcza w najniższej warstwie robotników niewykwalifikowanych, połączenia niskiego zadowolenia z życia z zewnątrzsterownością, z wyraźnym deficytem tego, co Ryan i Deci określali terminem *self-determination*. Okazało się, że poczucie samowsparcia, które można wiązać z pewnością siebie i wewnątrzsterownością, cechuje w większym stopniu robotników, w tym robotników niewykwalifikowanych, niż specjalistów z wyższym wykształceniem, a nawet przedstawicieli zarządu. W dalszej części rozdziału odnotujemy, że również obawy o własne zdrowie cechują w mniejszym stopniu reprezentantów kategorii robotniczych niż przedstawicieli kategorii lokowanych wyżej na drabinie stratyfikacyjnej.

Przedstawione w tej glosie uwagi muszą być traktowane ostrożnie ze względu na ograniczenia próby, niemniej biorąc pod uwagę obecność „rynku pracownika", wysoki poziom bezpieczeństwa zatrudnienia naszych respondentów, można brać pod uwagę odżycie w warunkach pandemii dawanego efektu wyższego poziomu psychicznej wytrzymałości robotników w porównaniu z reprezentantami kategorii urzędników, specjalistów, menedżerów. W ramach luźnej hipotezy nawiążemy do oswojenia z kryzysami, które jest być może silniej zakorzenione w habitusach środowisk odpowiadających robotniczym kategoriom klasowym.

POCZUCIE LĘKU W WARUNKACH PANDEMII

Zgodnie z przewidywaniem zarówno rozkłady pytań z tabeli 7.4a, jak i z tabeli 7.4b były zbliżone, w związku z tym współczynniki korelacji między rozkładami były wysokie. Jedynie deklarowane obawy o własne zdrowie częściej nękały podczas poprzednich fal pandemii niż w okresie przeprowadzania badań (różnica 10,7 p.p.).

Tabela 7.5a. Wskaźnik obaw odczuwanych jesienią 2021 (proc.)

P3. Jak opisał(a)by Pan(i) swoje samopoczucie obecnie? Jak często zdarza się, że odczuwa Pan(i) następujące emocje?	Często (zdecydowanie i umiarkowanie)	Ani rzadko, ani często	Rzadko (zdecydowanie i umiarkowanie)	Ogółem
P3X2. Obawiam się o swoje zdrowie	37,7	14,8	47,5	100,0
P3X3. Obawiam się o zdrowie swoich bliskich	66,5	9,1	24,4	100,0
P3X4. Martwię się o swoją sytuację finansową	43,6	14,8	41,6	100,0

Źródło: jak w tabeli 7.1.

Tabela 7.5b. Wskaźnik obaw odczuwanych w okresie od marca 2020 do maja 2021 (proc.)

P4. Jak często zdarzało się, że odczuwał(a) Pan(i) następujące emocje w okresie od marca 2020 do maja 2021?	Często (zdecydowanie i umiarkowanie)	Ani rzadko, ani często	Rzadko (zdecydowanie i umiarkowanie)	Ogółem
P4X2. Obawiałem(-łam) się o swoje zdrowie	47,0	11,5	41,5	100,0
P4X3. Obawiałem(-łam) się o zdrowie swoich bliskich	69,4	9,0	21,6	100,0
P4X4. Martwiłem(-łam) się o swoją sytuację finansową	44,6	12,8	42,6	100,0

Źródło: jak w tabeli 7.1.

Poniżej przedstawimy analizę korelacji rozkładów odpowiedzi ze zmiennymi objaśniającymi jedynie odnośnie do tabeli 7.4a.

A. Własne zdrowie

Obawa była bardzo słabo, statystycznie nieistotnie, skorelowana z płcią i wiekiem: w grupie najmłodszej zadeklarowało obawę 18,9% osób, w grupie najstarszej 15,9%.

Najwyższe obawy o swoje zdrowie deklarowali farmerzy, przedsiębiorcy i członkowie zarządów (46,2–56%), natomiast najrzadziej robotnicy niewykwalifikowani (29,3%) oraz robotnicy wykwalifikowani i brygadziści – 31,9% (chi^2 = 40,47; df = 20; p = 0,004).

Powyższe niejednoznaczne obserwacje przenosiły się na inne cechy respondentów – osoby o wykształceniu zasadniczym zawodowym deklarowały obawy o zdrowie w 49,5%, średnim technicznym 43,8%, z wyższym (magisterskim) 44,3%. Wpływ miała wysokość dochodów – osoby obawiające się o własne zdrowie miały niższe dochody miesięczne niż nieobawiający się (3472 zł wobec 3789 zł); dodajmy, że najwyższe dochody miały osoby obojętnie traktujące własne zdrowie: „ani obawiają się, ani nie obawiają się" (4655 zł).

Pod względem elektoratów najmniejsze obawy o swoje zdrowie deklarowały osoby związane z Konfederacją – partią o elektoracie młodzieżowym (17,4%), podczas gdy w elektoratach pozostałych partii wskaźnik mieścił się w granicach 51,4–58,3%; dodajmy, że osoby niezdecydowane co do preferencji partyjnych rzadko obawiały się o swoje zdrowie – 33,3%. Obawiający się o swoje zdrowie rzadziej byli przeciwnikami szczepionki niż nieobawiający (10,7% wobec 29,8%).

B. Zdrowie najbliższych

Kobiety przejawiały częściej troskę o najbliższych niż mężczyźni (41,1% wobec 34%). Istotną rolę grał wiek – najmłodsi deklarowali obawę o zdrowie bliskich w 18,9%, najstarsi w 54,6%, zależność była liniowa.

Niewielki i zróżnicowany wpływ miało wykształcenie. Wśród osób o wykształceniu podstawionym – 67,1%, gimnazjalnym – 77,8%, podczas gdy wśród licencjatów 69,2%, a magistrów 66,1%. Odpowiednio przekładało się to na kategorie ekonomiczno-zawodowe: robotnicy niewykwalifikowani – 61%, przedstawiciele kategorii specjalistów z wyższym wykształceniem i twórców – 62,1%, z kolei wśród urzędników 70,5%, a dyrektorów i prezesów 70,4%.

Elektoraty różnicowały istotnie, jednak podobnie jak w przypadku obawy o własne zdrowie, także w tym przypadku pojawiło się zapośredniczenie przez cechy demograficzne elektoratów politycznych, zwłaszcza przez wiek – najrzadziej obawy o zdrowie bliskich deklarowali przedstawiciele Konfederacji (55,9%), gdy wśród pozostałych elektoratów poziom wskaźnika mieścił się w granicach 68,8–77,2%.

Przeciwnicy szczepień rzadziej obawiali się o zdrowie bliskich niż zwolennicy (54,5% wobec 72,7%).

C. Sytuacja finansowa

Częściej obawiały się kobiety niż mężczyźni (41,1% wobec 34%), częściej osoby z najstarszej grupy wiekowej niż ci z najmłodszej (54,6% wobec 18,9%).

Najczęściej osobista sytuacja materialna niepokoiła osoby o wykształceniu gimnazjalnym (68,3%), następnie zasadniczym zawodowym (48,7%), najrzadziej absolwentów wyższych uczelni z tytułem magistra (35,6%).

Spośród kategorii ekonomiczno-zawodowych najczęściej deklarowali zaniepokojenie farmerzy (61,2%), natomiast przeciwległy kraniec skali zajęli przedstawiciele dwóch kategorii: specjaliści z wyższym wykształceniem i twórcy (28,7%) oraz przedstawiciele zarządu (33,3%); pozostałe kategorie cechowały się poziomem wskaźnika w granicach 41–48,8%.

Pod względem grup dochodowych zaniepokojenie finansami rozkładało się równomiernie, zgodnie z obniżaniem dochodu – 55,1%, 49,6%, 30,4%, 25,3% i 23,4%.

Deklaracje obaw o osobiste finanse były najrzadziej deklarowane wśród elektorów SLD – 36,1%, gdy wśród pozostałych mieściły się w ramach 41–46,6% (najwyższy poziom obaw był wśród elektoratu PiS).

DOBROSTAN A KLUCZOWE ASPEKTY ŻYCIA SPOŁECZNEGO W POLSCE

W ramach analizy dobrostanu społecznego zadaliśmy cztery pytania o kluczowe, naszym zdaniem, aspekty życia społecznego, które miały mieć wpływ na poczucie społecznego dobrostanu. Pytaliśmy o ogólną ocenę na prostej skali z pięcioma wartościami:
– stan polskiej gospodarki;
– warunki pracy panujące w Polsce;
– warunki życia panujące w Polsce;
– sposób walki rządu polskiego z pandemią.

Pytania każdorazowo dotyczyły trzech wymiarów czasowych: po pierwsze, aktualnego stanu danego aspektu życia społecznego; po drugie, porównania aktualnego stanu (jesień 2021) ze stanem bezpośrednio poprzedzającym pojawienie się w Polsce pandemii (początek roku 2020) oraz, po trzecie, przewidywanie kierunku zmian sytuacji w perspektywie dwóch lat (w roku 2023). Zakładaliśmy zróżnicowany stosunek do każdego z czterech aspektów społecznej sytuacji, zwłaszcza pod względem wykształcenia, kategorii ekonomiczno-zawodowych i pozycji na rynku pracy, mierzonej bezpieczeństwem kontraktu. Odpowiedzi okazały się inne, niż zakładaliśmy: zmienne społeczno-demograficzne i ekonomiczno-zawodowe zeszły na daleki plan – tym, co jesienią 2021 r. istotnie różnicowało, to elektoraty partyjne.

Pojawiła się bardzo wysoka dodatnia korelacja między rozkładami odpowiedzi na trzy sekwencje pytań: respondent, który w określony sposób – optymistyczny, pesymistyczny lub neutralny – oceniał stan aktualny, dawał podobne – optymistyczne, pesymistyczne lub neutralne – odpowiedzi retrospektywne i prospektywne. Zarazem udzielenie przez respondenta określonej odpowiedzi odnośnie do jednego aspektu wiązało się z tak samo określoną odpowiedzią na pytanie o pozostałe trzy aspekty. Przy tym optymistyczne odpowiedzi były udzielane przez zbliżony odsetek respondentów: 22,5–29,6% – różnica ok. 6 p.p. – odpowiedzi świadczące o braku usatysfakcjonowania rozkładały się podobnie, chociaż tu poziom zróżnicowań był nieco większy. Podajemy jako przykład odpowiedzi na pierwsze z czterech pytań (tabela 7.5).

Tabela 7.6. Ocena sytuacji Polski ze względu na stan gospodarki: aktualny, retrospektywny i prospektywny (proc.)

Jak ogólnie ocenia Pan(i) sytuację Polski ze względu na stan polskiej gospodarki?	
Zdecydowanie dobrze i raczej dobrze	22,5
Ani dobrze, ani źle	22,2
Zdecydowanie źle i raczej źle	55,3
Jak ocenia Pan(i) aktualną sytuację polskiej gospodarki w porównaniu z początkiem 2020 r.?	
Zdecydowanie lepsza i raczej lepsza	22,6
Ani lepsza, ani gorsza	18,5
Zdecydowanie gorsza i raczej gorsza	58,9
A jak Panu(-ni) się wydaje, jaka będzie sytuacja polskiej gospodarki za dwa lata, w roku 2023 w porównaniu ze stanem obecnym?	
Zdecydowanie się polepszy lub raczej się polepszy	24,6
Pozostanie taka sama	18,3
Zdecydowanie się pogorszy lub raczej się pogorszy	57,1

Źródło: jak w tabeli 7.1.

Jakie mają cechy osoby odczuwające dobrostan społeczny, a czym charakteryzują się osoby pod tym względem nieusatysfakcjonowane? Weźmiemy pod uwagę jedynie aktualnie usatysfakcjonowanych i nieusatysfakcjonowanych, wahających się pomijając.

Wśród kobiet znajduje się nadreprezentacja nieusatysfakcjonowanych (18,6%, gdy wśród mężczyzn 26,9%), podobnie wśród osób grup wiekowych (18–24 lata – 9,4%; 60 i więcej lat – 33,4%).

Pod względem wykształcenia zaznaczyła się różnica między zbiorowościami: wśród absolwentów szkół zasadniczych usatysfakcjonowani stanowili 31,3%, wśród absolwentów wyższych uczelni 16%.

Kategorie ekonomiczno-zawodowe różnicowały zaskakująco: robotnicy wykwalifikowani i brygadziści – 11,3% usatysfakcjonowanych, wśród robotników niewykwalifikowanych – 39%, wśród specjalistów z wyższym wykształceniem i twórców – 13,9%, wśród menedżerów – 22,2%. Najwyższy poziom usatysfakcjonowania zanotowaliśmy wśród farmerów – 48%. Dodajmy, że dochody miesięczne usatysfakcjonowani mieli niższe od nieusatysfakcjonowanych (3424 zł wobec 3867 zł), różnica była jednak umiarkowana. Wyjaśnieniem tych pozornych anomalii był rozkład odpowiedzi wśród elektoratów partyjnych – kwestią rozstrzygającą okazała się polityka.

Zbiorowość usatysfakcjonowanych ze stanu gospodarki to ludzie partii rządzącej – PiS-u: 54,5% z nich jest usatysfakcjonowana, podczas gdy odpowiedni wskaźnik dla KO wynosi 3,9%, dla SLD 6,8%, dla Konfederacji 7,9%. Jeśli spojrzymy na całą zbiorowość usatysfakcjonowanych, to dominacja PiS będzie zaznaczała się jeszcze silniej – 84,6% ogółu usatysfakcjonowanych to wyborcy PiS. Poziom istotności okazał się niezwykle wysoki (chi^2 = 326,96; df = 8; p < 0,001). Ten podział przekłada się na identyfikacje ideologiczne. Wśród zdecydowanie prawicowych usatysfakcjonowani stanowią 52%, wśród zdecydowanie lewicowych – 10% (chi^2 = 162,21; df = 12; p < 0,001). Powtórzmy, że podobny efekt polityczny pojawił się we wszystkich analizach usatysfakcjonowania, mianowicie wśród usatysfakcjonowanych elektorat PiS zawsze przekraczał 75% zbiorowości. Porównajmy wyniki statystyk chi^2 między korelacjami kategorii ekonomiczno-zawodowych (kategorie klasowe) – 25,85; df = 12, natomiast elektoraty 169,14; df = 8, warunki bytu (odpowiednio) 32,36; df = 12, 185,91; df = 8, walka rządu z pandemią 32,29; df = 12, 356,01; df = 8.

PRZECIWNICY SZCZEPIONKI

Nurt przeciwników szczepionki nie jest jednolity. Wprawdzie jego trzon stanowią antyszczepionkowcy, jednak zbiorowość przeciwników jest zróżnicowana. Są wśród nich zarówno głosiciele spójnych, antyszczepionkowych ideologii, jak i osoby niechętne szczepieniom bez ideologicznych odniesień, wprowadzane w stany lękowe rozpowszechnianymi spiskowymi przekazami internetowymi, żyjące w środowiskach, w których ugruntowały się te obawy, a także przeciwnicy szczepień z innych powodów. Poniżej będziemy używali terminu ogólnego „przeciwnicy szczepionki", a nie „antyszczepionkowcy".

Mimo że utożsamianie przeciwników szczepionki z antyszczepionkowcami, a tych z elektoratem Konfederacji jest w niewielkim stopniu trafna, niemniej to właśnie działania Konfederacji stanowiły o randze i wpływach politycznych ruchu przeciwników szczepionki w społeczeństwie w okresie prowadzenia omawianych w monografii badań. Przypomnijmy artykuł z tygodnika *Polityka* o ideologii antyszczepionkowej autorstwa Mariusza Janickiego[29].

---

[29] „Całkiem duża grupa; są w niej ci, którzy w ogóle nie uznają istnienia covidu, ci, którzy traktują go jak odmianę przeziębienia, przede wszystkim tacy, którzy nie wierzą w skuteczność szczepień albo odrzucają szczepionki jako niebezpieczne lub niemoralne (bo np. „pochodzące z ludzkich

W płaszczyźnie ideologicznej antyszczepionkowcy dysponowali, w odróżnieniu od ekspertów i polityków, bardziej spójnym przekazem, byli lepiej zor-
ganizowani, klarownie lokowali się po prawej stronie sceny politycznej, co przy
prawicowej tendencji, cechującej znaczną część naszego społeczeństwa, wzmac-
niało ich oddziaływanie. Z kolei środowiska ekspertów, podobnie jak środowiska
polityczne, słały sygnały niejednoznaczne, potęgujące poczucie niepewności.

Nasze badania dają dobrą okazję do identyfikacji zbiorowości przeciwników
szczepionki na tle zbiorowości szczepionkowców, do których zaliczamy także
osoby niezaszczepione, lecz oczekujące na szczepienie w czasie realizacji badań
oraz wahające się odnośnie do szczepienia. Na wstępie przedstawimy rozkład
odpowiedzi na dwa pytania, dotyczące szczepień.

Tabela 7.7. Stosunek do szczepień przeciwko COVID-19 (proc.)

Czy zaszczepił(a) się Pan(i) przeciw COVID-19?	
Tak, całkowicie, przyjąłem/przyjęłam wszystkie zalecane dawki szczepionki	65,6
Tak, częściowo, jeszcze nie przyjąłem/przyjęłam wszystkich zalecanych dawek szczepionki	3,4
Nie	28,9
Odmowa odpowiedzi	2,1
Ogółem	100,0
A czy ma Pan(i) zamiar zaszczepić się przeciw COVID-19?	
Tak	5,5
Nie	19,0
Trudno powiedzieć, nie wiem	4,2
Odmowa odpowiedzi	0,2
Ogółem	30,0
Pozostali	71,1
Ogółem	100,0

Źródło: jak w tabeli 7.1.

W korelacjach używać będziemy skróconego dychotomicznego wskaźnika
zaszczepienia, przeciwstawiającego wskazanych w tabeli „przeciwników" szczepienia pozostałym respondentom, łącznie z deklarującymi brak zdania co do przyjęcia szczepionki (określimy ich jako „zwolenników"), to proporcja wyniesie
19% do 81%.

---

płodów"). Słowo to nie jest odrzucane przez zainteresowanych. Grupa ta nieformalnie ma bardzo
duże wpływy w obozie władzy, jako reprezentanci trzonu elektoratu PiS; poza tym od nich zależy
chwiejna większość władzy w Sejmie (…). Antyszczepionkowcy uważają się za bojowników o wol-
ność. (…)" (M. Janicki, Słowa 2021 roku, *Polityka* z 21.12–28.12.2021, nr 52).

Obecnie przedstawimy zbiorowość przeciwników szczepionki pod kątem przyjętego w monografii zbioru zmiennych wyjaśniających. Należy pamiętać, że wiele informacji o przeciwnikach szczepionki zawarliśmy w rozdziale poświęconym strukturze społecznej, będą się one obecnie powtarzać.

Zakładamy, że przeciwnicy szczepionek cechują się raczej niższym niż wyższym statusem ekonomiczno-zawodowym, ich postawy niosą logikę zachowawczą, tradycjonalną, a nie rozwojową, są raczej zamknięte niż otwarte. Biorąc pod uwagę postawy elity antyszczepionkowców, uznaliśmy, że przeciwnicy szczepionki będą się lokowali zdecydowanie bardziej po prawej stronie sceny polityczno--ideologicznej. Mieliśmy niewiele wskazówek, aby formułować szczegółowe hipotezy w odniesieniu do ogółu przeciwników. Rozpoczniemy od korelacji dychotomicznego wskaźnika szczepionki ze zmiennymi objaśniającymi.

Przy braku związków z płcią pojawiła się zależność od wieku. Przeciwnicy byli zdecydowanie młodsi od zwolenników (39 lat w stosunku do 50 lat). Wśród przeciwników szczepionki najmłodsi (18–24 lata) stanowili 19,6%, gdy wśród zwolenników najmłodsi stanowili 9,4%.

Wykształcenie różnicowało istotnie. Wśród przeciwników 17% zakończyło edukację na poziomie podstawowym, gdy w zbiorowości zwolenników stanowili oni 9,4%. Z kolei absolwentów wyższych studiów było dwukrotnie więcej wśród zwolenników niż wśród przeciwników (30,3% wobec 15,5%). Średni dochód miesięczny zwolenników szczepionki to 3827 zł, przeciwników 3197 zł.

Kategorie ekonomiczno-zawodowe także różnicowały istotnie. Wśród przeciwników było 32,6% robotników, gdy wśród zwolenników robotników było 17,9%. Mimo wyraźnie bardziej proletariackiego składu zbiorowości przeciwników, wśród jednych i drugich był taki sam odsetek dyrektorów i prezesów (4%). Pod względem wielkości miejscowości zamieszkania było niewielkie zróżnicowanie – na wsi mieszkał większy odsetek przeciwników, natomiast większy odsetek zwolenników mieszkał w miastach powyżej 500 tys. mieszkańców.

Elektoraty przeciwników i zwolenników szczepionki różniły się istotnie w przypadku KO i Konfederacji, natomiast nie różniły się w przypadku PiS. W efekcie, mimo nadreprezentacji wśród przeciwników szczepionki osób głosujących na Konfederację, w ogólnym rozkładzie elektoratów dominował wśród przeciwników elektorat PiS, za tą partią lokował się elektorat Konfederacji, któremu niewiele ustępował elektorat Koalicji Obywatelskiej. Ten zróżnicowany i obejmujący różne orientacje wzór znajdował potwierdzenie w identyfikacji ideologicznej – dokładnie taki sam odsetek przeciwników szczepionki akceptował lewicę jak prawicę.

Przytoczone zależności skłaniają ku odrzuceniu hipotezy silnego prawicowego nastawienia przeciwników szczepionki (tabela 7.6), natomiast przywoływały pytanie o „antyszczepionkowców", o których już można sformułować wniosek, że stanowią margines środowiska przeciwników szczepionki. Jeśli przyjmie się założenie, że antyszczepionkowcami będą ci przeciwnicy szczepionki, którzy deklarują orientację prawicową, to taki warunek spełni zaledwie 2,8% ogółu badanych.

Tabela 7.8. Elektoraty i identyfikacje ideologiczne a wskaźnik szczepionki przeciwko COVID-19 (proc.)

	Stosunek do szczepienia przeciwko COVID-19		Ogółem
	Przeciwnicy	Zwolennicy i wahający się	
Elektoraty***			
Koalicja Obywatelska	23,5	38,4	36,4
Konfederacja	26,4	8,7	11,0
PSL	8,2	5,4	5,8
PiS	36,3	38,4	38,1
SLD	5,5	9,1	8,6
Ogółem	100,0	100,0	100,0
Identyfikacje ideologiczne**			
Lewica	20,8	22,9	22,5
Centrum	58,6	46,4	48,4
Prawica	20,7	30,7	29,0
Ogółem	100,0	100,0	100,0

Źródło: jak w tabeli 7.1.

Tak więc zjawisko odrzucenia szczepionki przeciwko wirusowi SARS-CoV-2 ma stosunkowo szeroki społeczny zasięg; przeciwnicy nie dają się zredukować do elity antyszczepionkowej, wiązanej z prawicową ideologią i partyjnym elektoratem Konfederacji. Co piąty mieszkaniec Polski o orientacji lewicowej, co piąty wyborca Koalicji Obywatelskiej (a także co siódmy posiadacz wyższego wykształcenia) należeli jesienią 2021 r. do zbiorowości przeciwników szczepionki.

Kończąc analizę stosunku do szczepionki, odniesiemy deklarację przeciwszczepionkową do wizji gospodarki dobrze urządzonej (tabela 7.9). Zbiorowość przeciwników szczepionki ma pewne wspólne cechy demograficzne i strukturalne (młody wiek, niższe pozycje stratyfikacyjne), ale politycznie i ideologicznie jest zdywersyfikowana. Przyjmiemy hipotezę o akceptacji antyliberalnej i korporacyjno-egalitarnej orientacji aksjologicznej przez przeciwników szczepionki. Zweryfikujemy hipotezę, odnosząc deklarację przeciwną szczepionce do 16 zasad wskaźnika gospodarki dobrze urządzonej.

Hipoteza została potwierdzona tylko częściowo: w ramach niejednorodnej zbiorowości przeciwników szczepionki zaznaczył się krytycyzm wobec niektórych zasad rynkowo-liberalnych. W przypadku zasady konkurencji zanotowaliśmy względnie niski poziom poparcia (66,5%, podczas gdy zwolennicy szczepionki popierali konkurencję na poziomie 81,3%), w przypadku zasady dopuszczenia bezrobocia odpowiednie wielkości wynosiły 35,3% wobec 52,3%. Przeciwnicy szczepionki rzadziej od zwolenników szczepionki zgadzali się na finansowanie z budżetu (a więc z ich podatków) rozwoju nowoczesnej technologii (62,8%), podczas gdy zwolennicy szczepionki popierali to finansowanie w 79,5%. Natomiast inne zasady gospodarcze, egalitarne, etatystyczne wraz z protekcjonistyczną, popierali na poziomie średnim.

Tabela 7.9. Korelacja wskaźnika szczepionki przeciwko COVID-19 z zasadami wskaźnika GDU

Zasady wskaźnika GDU	r
Zasada konkurencji jest dobra dla gospodarki	−0,108***
W gospodarce rynkowej bezrobocie powinno być dopuszczalne	−0,132***
Pracodawcy powinni mieć prawo zwalniać bez odprawy pracowników, dla których nie ma pracy w danym momencie	0,006
Powinno się zezwalać kapitałowi zagranicznemu na kupowanie polskich przedsiębiorstw bez ograniczeń	−0,016
Powinno się popierać swobodny przepływ pracowników z jednego kraju do innego	−0,077**
Należy zlikwidować powszechny, obowiązkowy system emerytalny i pozwolić, aby obywatele sami decydowali, czy chcą oszczędzać na emeryturę	0,197***
Powinno się finansować z pieniędzy podatników ośrodki badawcze rozwijające w kraju najnowocześniejsze technologie	−0,151***
Powinno się dofinansowywać z pieniędzy podatników zakładanie firm przez ludzi rozpoczynających działalność gospodarczą	−0,029
Powinno się tworzyć sprzyjające warunki dla rozwoju polskich przedsiębiorstw i banków, lepsze niż dla zagranicznych przedsiębiorstw i banków	0,038
Związki zawodowe powinny mieć duży wpływ na gospodarkę kraju	0,039
Państwo powinno regulować gospodarką, tzn. tworzyć plany gospodarcze, kontrolować ceny, kontrolować płace	0,010
Polityka podatkowa powinna dążyć do zmniejszania różnicy między zarobkami ludzi	0,001
Powinno się zapewniać wszystkim obywatelom bezpłatną ochronę zdrowia	0,033
Pracownicy wykonawczy powinni mieć wpływ na zarządzanie firmami, w których są zatrudnieni	−0,073**
Pracownicy, którzy chcą być zatrudnieni na stałe (na umowę na czas nieokreślony), powinni mieć zagwarantowaną stałą umowę	0,039
Państwo powinno zapewniać każdemu obywatelowi podstawowe środki utrzymania, także temu, który nie pracuje	−0,013

Przeciwnicy = 0; zwolennicy szczepionki = 1.

Źródło: jak w tabeli 7.1.

Przedstawiona analiza dowodzi stosunkowo wysokiego stopnia nieokreśloności zbiorowości przeciwników szczepionki, znacznego jej zróżnicowania.

WNIOSKI

Porównując wyniki badań PREWORK z 2016 r. i COV-WORK z 2021 r. stwierdziliśmy istotną obniżkę zadowolenia z życia (szacujemy ją na ponad 10 p.p.). Stwierdziliśmy utrzymanie się istotnej zależności między poziomem zadowolenia z życia a położeniem na drabinie nierówności ekonomiczno-zawodowych.

Wbrew wielu wynikom badań w krajach europejskich, w naszych badaniach nie kobiety, lecz mężczyźni okazali się mniej zadowoleni z życia, natomiast zgodnie z wynikami badań prowadzonych za granicą przedstawiciele młodszych grup wiekowych deklarowali nieco niższy poziom zadowolenia niż przedstawiciele roczników starszych.

Wpływ postaw szczepionkowych na zadowolenie z życia okazał się nieco inny, niż zakładaliśmy. Wprawdzie w ujęciu ogólnospołecznym przeciwnicy szczepionek deklarowali niższy poziom zadowolenia z życia, to w niższej klasie średniej (robotnicy wykwalifikowani, pracownicy handlu, pracownicy fizyczno-umysłowi) przeciwnicy szczepionki byli bardziej zadowoleni z życia od przedstawicieli pozostałych kategorii.

W czasach pandemii COVID-19 Polacy mogli liczyć powszechnie na wsparcie ze strony najbliższych, a także, chociaż już mniej powszechnie, na wsparcie ze strony stowarzyszeń i organizacji, mogli także liczyć na siebie (lecz tylko połowa deklarowała samowsparcie), ponadto co czwarty Polak mógł liczyć na rząd. Ogólnie biorąc, nasze społeczeństwo zachowało model familijny o silnych więziach na poziomie grup pierwotnych, rodzinnych i towarzyskich i znacznie słabszych instytucjonalnych. Ostoją wsparcia byli najbliżsi i była to sytuacja tak powszechna, że nie różnicowała jej ani demografia, ani czynniki związane z pracą, ani polityka, ani ideologia – w zasadzie w każdej analizowanej kategorii respondentów ponad 80% reprezentujących ją osób wskazywało na najbliższych jako ośrodek wsparcia. Z kolei poczucie istnienia wsparcia ze strony stowarzyszeń, organizacji i rządu było silniej bądź słabiej uzależnione od orientacji politycznych i ideologicznych.

W analizach samowsparcia stwierdziliśmy specyficzne deklaracje przedstawicieli kategorii robotniczych, zwłaszcza robotników niewykwalifikowanych. Deklarowali oni niższy poziom zadowolenia z życia niż przedstawiciele wyższych kategorii stratyfikacyjnych, a jednocześnie wyższy poziom samowsparcia, a także niższy poziom obaw o zdrowie w warunkach pandemii COVID-19. Świadczyłoby to o większej odporności na aktualny kryzys ze strony robotników niż ze strony inteligencji i kręgów menedżerskich (ze względu na małą liczebność niektórych kategorii w badaniach CATI, wnioski powinny być traktowane ostrożnie).

Przeciwnicy szczepionki okazali się zbiorowością różnorodną. Wśród jej reprezentantów dominowały osoby młodsze, zajmujące raczej niższe niż wyższe pozycje w hierarchii ekonomiczno-zawodowej, pod względem wizji gospodarki dobrze urządzonej okazali się przeciwnikami liberalizmu gospodarczego, lecz nie byli wśród nich nadreprezentowani zwolennicy zasad korporacyjno-egalitarnych. Ideologiczni antyszczepionkowcy okazali się marginesem ogółu przeciwników szczepionki.

ZAKOŃCZENIE

Pandemia COVID-19 potraktowana została w niniejszej monografii jako przypadek globalnego kryzysu społecznego, którego efekty w różnorodny sposób rozkładają się w ramach społeczeństw narodowych, grup społeczno-zawodowych, a także kategorii społeczno-demograficznych i ekonomiczno-zawodowych (klasowych). Skoncentrowaliśmy się na efektach pandemii dla świata pracy, stawiając dwie hipotezy ogólne. Nim je przedstawimy, zaznaczymy, że hipotezy projektu COV-WORK formułowane były w czasie I fali pandemii, kiedy powszechne były przewidywania głębokiej recesji gospodarczej i skokowego wzrostu bezrobocia, a ton doniesień medialnych (por. rozdział 2) przypominał retorykę wojenną. Natomiast badania prowadziliśmy jesienią 2021 r., w czasie gdy cykl pandemii był w perygeum (potem zaczął się wznosić). Wyraźny znak zmiany postrzegania sytuacji społecznej na bardziej satysfakcjonującą niż była podczas I fali pandemii, znaleźliśmy w odpowiedziach na pytanie o różne aspekty obaw o zdrowie swoje i bliskich oraz o sytuację finansową. Respondenci deklarowali w nich, że ich obawy nieco ustąpiły i obniżyły się o około 10 p.p. w stosunku do apogeum pandemii[30].

Dwie główne hipotezy, które sformułowaliśmy w szczytowym momencie pandemii, były następujące: pierwsza głosiła, że mamy wprawdzie do czynienia z bezprecedensowym kryzysem społecznym, jednak system społeczno-gospodarczy oraz istotne cechy świadomości społeczno-ekonomicznej wykażą się znaczną odpornością. Przypuszczaliśmy, że pandemia przyspieszy zmiany i pogłębi zjawiska obecne już na długo w przedpandemicznym świecie, ale jej transformacyjny potencjał będzie – przynajmniej w krótkiej, dostępnej dla naszych badań perspektywie – ograniczony. Wskazując na pandemię jako czynnik przyspieszenia istniejących wcześniej trendów, mieliśmy na myśli reprodukcję starych i pojawienie się nowych nierówności na rynku pracy, w tym prekaryzację zatrudnienia (Bambra i in., 2021; Eurofound, EC, 2021; van Barneveld i in., 2020) i ekspansję nowych technologii cyfrowych służących organizacji pracy oraz kontroli nad pracownikami (Hodder, 2020; Śledziewska, Włoch, 2021). Analizując świadomość społeczno-ekonomiczną, zakładaliśmy, że pandemia wzmocni przekonania o konieczności interwencji ochronnej ze strony państwa w stosunku do pracowników, a także

---

[30] Por. tabele 7.5a i 7.5b.

oczekiwanie wzmocnienia wpływów instytucji reprezentujących interesy osób wykonujących pracę najemną – partycypacji pracowniczej, związków zawodowych.

Hipoteza druga mówiła natomiast o kryzysie całego, opartego na zasadach neoliberalnych, systemu społeczno-gospodarczego (Arak, 2021; Crouch, 2022; Tooze, 2021), a także degradacji jakości pracy. Hipoteza zakładała spotęgowany wpływ kryzysu zdrowotnego na świadomość społeczno-ekonomiczną i strategie życiowe Polaków. W ramach tej hipotezy można było oczekiwać, analogicznie do poprzednich załamań gospodarczych (Gallie, 2013), że kryzys będzie skutkował radykalnym pogorszeniem się dobrostanu ogólnego oraz wysokim poziomem krytycyzmu wobec władz państwowych i istniejącego ustroju gospodarczego (gospodarki rynkowej).

Ostatecznie uznajemy za zasadne twierdzenie, że w okresie od wybuchu pandemii do momentu realizacji badań nie wywołała ona zmian tak gruntownych, jak prognozowano w początkowym jej okresie (pomijając prawdopodobne, lecz niedostępne dla naszych badań, wahnięcie „w dół" postaw w tym okresie naznaczonym dużą niepewnością). Przyjmujemy zatem pierwszą ze sformułowanych powyżej hipotez – o przyspieszeniu, pogłębieniu istniejących wcześniej trendów, a także raczej o rekonfiguracji niż rewolucji w świecie pracy. Bez przeprowadzenia dalszych, panelowych i porównawczych analiz, można przypuszczać jedynie, że na taki rekonfiguracyjny aspekt pandemii złożyły się zarówno jej cechy globalne, w tym stosunkowo krótki – jak dotąd – czas jej trwania, jak i właściwości systemu społeczno-gospodarczego i cech świadomości społeczno-ekonomicznej Polaków pracujących. O tym, w jakim stopniu ukształtowane w trakcie radzenia sobie z wcześniejszymi kryzysami zasoby biograficzne i społeczne umożliwiały „oswojenie" pandemii, będziemy w stanie powiedzieć więcej w wyniku realizowanych w projekcie COV-WORK badań biograficznych. Warto jednak od razu zaznaczyć, że w świetle koncepcji polikryzysów (Tooze, 2021) bardzo trudno nam będzie oddzielić skutki pandemii od kolejnych, wzmacniających się i generujących niezamierzone i nieoczekiwane konsekwencje zjawisk i procesów, takich jak wojna w Ukrainie, masowe ruchy uchodźcze, coraz dotkliwiej odczuwany kryzys klimatyczny czy wreszcie oczekiwana, postpandemiczna recesja.

Skoncentrowaliśmy się w monografii na doświadczeniach kryzysu pandemicznego w Polsce, co w wieloraki sposób rzutuje na otrzymane wyniki. Po pierwsze, społeczeństwo polskie doświadcza zjawisk kryzysowych w systematyczny sposób od kilku dziesięcioleci, co przełożyło się, jak dowodziliśmy w jednej z naszych wcześniejszych prac, na oswajanie związanych z nimi problemów, ryzyka i niepewności (Mrozowicki, Czarzasty, 2020). Po drugie, można twierdzić, że ukształtowany w Polsce w wyniku konfrontacji z radykalnymi zmianami społecznymi ostatnich kilku dziesięcioleci model życia gospodarczego i społecznego nosi cechy, które ułatwiać mogą radzenie sobie z nakładającymi się na siebie i wzmacniającymi

„polikryzysami." Jest to między innymi wysoko elastyczny, „patchworkowy" wymiar polskiego kapitalizmu. Cechuje się on słabą osnową podstawowych instytucji formalnych, zwłaszcza instytucji państwa i prawa, a także słabym strukturalnym i kulturowym wsparciem osnowy. Równocześnie porządek patchworkowy stawia nowym elementom (organizacjom, instytucjom) niskie wymogi wchodzenia z zewnątrz do systemu: mogą one stosunkowo łatwo wnosić własne logiki instytucjonalne. Wywołuje to z jednej strony entropijny „dryf rozwojowy" systemu, lecz z drugiej strony ta otwartość niespójnego systemu zwiększa potencjał adaptacji do radykalnych zmian w środowisku zewnętrznym, a także wobec pojawiania się ewentualnych innowacji wewnętrznych (Gardawski, Rapacki, 2021). Dodajmy w tym miejscu, że wyniki naszych badań potwierdziły tezę Stefana Nowaka o familizmie polskiego społeczeństwa, o zakorzenieniu Polaków w kręgu rodzinno-
-towarzyskim, w którym znajdują główne oparcie (rozdział 7), pozwalające na względne uodpornienie w stosunku do patchworkowej rzeczywistości.

Zaprezentowane w książce wyniki odniesiemy w pierwszym rzędzie do stwierdzonych w badaniach prowadzonych w wielu krajach cech uniwersalnych charakteryzujących okres pandemii. Należą do nich takie zjawiska jak: (1) „normalizacja" i rekonfiguracja społecznego profilu pracy wykonywanej z domu, która stała się domeną „białych kołnierzyków" i została utożsamiona dużo wyraźniej z pracą zdalną (Felstead, 2022); (2) przyspieszenie procesu „oswajania" nowych technologii w miejscu pracy (Śledziewska, Włoch, 2021), czego wyrazem jest m.in. rosnąca „transparentność", niezauważanie wprowadzania i znaczenia nowych narzędzi cyfrowych (m.in. dla kontroli pracowników); (3) rozwój potencjału postpandemicznych protestów w przypadku przynajmniej części pracowników niezbędnych w badanych branżach (Chen, Barrett, 2021; Vandaele, 2021); (4) rozwój nierówności i prekaryzacja pracy w pandemii, która wyraźnie częściej dotykała tych pracowników, którzy już przed pandemią znajdowali się na peryferiach rynku pracy, w tym osoby młode, gorzej wykształcone, pracujące w ramach umów cywilnoprawnych.

Przedstawiony powyżej układ odniesienia uzupełnimy przez hipotezy, które przyjęliśmy w fazie projektowania badania. Zostały one zapisane we wstępie („Kryzys pandemiczny a świat pracy"). Przyjęliśmy wówczas, że kryzys (post-) pandemiczny charakteryzować się będzie:

1. Wzmocnieniem nierówności społecznych oraz prekaryzacji w świecie pracy, które obecne były już przed pandemią. W tym przypadku wnioski są niejednoznaczne. Z jednej strony pandemia wyraźnie mocniej dotknęła osoby zatrudnione w ramach umów czasowych i cywilnoprawnych, które częściej traciły pracę i raportowały zmianę swojej sytuacji na rynku pracy w jej trakcie, choć niekoniecznie z powodu COVID-19. Jeśli wziąć w nawias specyficzną kategorię farmerów, osoby gorzej sytuowane materialnie i słabiej wykształcone

częściej wykonywały pracę stacjonarnie niż osoby w lepszym położeniu ekonomicznym i lepiej wykształcone, co potwierdza wnioski z istniejących badań o pracy w warunkach domowych (w pandemii: pracę zdalną) jako swoistym przywileju i nowym wymiarze nierówności społecznych. Z drugiej strony analizy przedstawione w rozdziale 5 dają inny obraz sytuacji. Zasięg zatrudnienia prekaryjnego nie okazał się znaczny. Jedynie w grupach wiekowych 16–24 lata i 25–30 lat odsetek posiadaczy stałych kontraktów był stosunkowo niski (36 i 52%), w pozostałych grupach takie kontrakty posiadało około 70% respondentów. W kategoriach ekonomiczno-zawodowych tylko robotnicy niewykwalifikowani i pracownicy fizyczno-umysłowi mieli rzadziej kontrakty stałe (40 i 59%), około 70% reprezentantów pozostałych grup również miało stałe kontrakty.

2. Kryzys sprzyjać będzie pogorszeniu jakości pracy Polaków pracujących i ich dobrostanu ogólnego. Również ta hipoteza nie potwierdziła się w pełni. Większość badanych pozytywnie oceniała perspektywy dla rozwoju kariery, możliwości łączenia pracy zawodowej i pozazawodowej, nie obawiała się utraty pracy z powodu pandemii, a w porównaniu z wynikami Europejskiego Badania Warunków Pracy (EWCS) z 2015 r. odsetek tych, którzy byli przekonani, że w przypadku utraty pracy łatwo znajdzie inną, z podobną pensją, wzrósł z 34 do 52%. Z analiz przedstawionych w rozdziale 4 wynikało, że praca „udomowiona" wpływała na wyższą ocenę wielorakich aspektów pracy, niż praca nadal wykonywana w zakładzie pracy czy miejscu wyznaczonym przez pracodawcę (tabela 4.5). Zarazem jednak badania potwierdziły, że niektóre wymiary jakości pracy, w tym w szczególności wynagrodzenie, obniżyły się w okresie pandemii w przypadku grup w gorszej sytuacji na rynku pracy przed jej wybuchem. Młodzi, gorzej zarabiający, z wykształceniem podstawowym najczęściej raportowali spadek swoich wynagrodzeń w pandemii spośród badanych grup.

3. Praca w czasach pandemii będzie wpływała na pogorszenie dobrostanu Polaków pracujących. Analizy przedstawione w rozdziale 7 kazały przyjąć hipotezę w jej ogólnym wymiarze, mówiącym, że ogólne zadowolenie z życia istotnie się obniżyło w porównaniu ze stanem sprzed pandemii (wniosek trzeba traktować ostrożnie z powodu niepełnej porównywalności danych).

4. Okres pandemii będzie wpływał na niższy poziom dobrostanu w grupach usytuowanych niżej w hierarchii stratyfikacyjnej. Tę hipotezę należy wstępnie przyjąć w odniesieniu do satysfakcji z własnego życia: najbardziej zadowoleni z życia okazali się przedsiębiorcy, przedstawiciele zarządu, wyżsi specjaliści, najmniej zaś – farmerzy samodzielni i pracownicy niewykwalifikowani. Zaobserwowaliśmy negatywną korelację między poziomem satysfakcji z życia a dochodami i wykształceniem; mniej zadowoleni byli również zatrudnieni

w ramach umów cywilnoprawnych niż umów na stałe. Dużo bardziej złożone okazały się odpowiedzi w odniesieniu do obaw o własne zdrowie, które w najmniejszym stopniu wyrażali robotnicy. Robotnicy niewykwalifikowani i farmerzy wyrażali największy stan satysfakcji ze stanu gospodarki, co wiązało się z ich silniejszym poparciem dla polityki partii rządzącej w Polsce (Prawa i Sprawiedliwości).

5. Ulegnie wzmocnieniu w normatywnych wizjach gospodarki komponent propracowniczy i jednocześnie krytyczny wobec rynku, ujawnią się oczekiwania na wzmocnienia instytucji partycypacji pracowniczej i związków zawodowych, a jednocześnie osłabi się akceptacja zasad rynku i konkurencji. Również to oczekiwanie nie spełniło się (wskazywały na to analizy ocen stosunków przemysłowych w rozdziale 4 oraz wizji gospodarki dobrze urządzonej w rozdziale 5). Porównując wyniki sprzed pandemii (2016) z wynikami z badań aktualnych, stwierdziliśmy utrzymanie się względnie zbliżonej hierarchii wyborów zasad w okresie sprzed pandemii i w aktualnym pomiarze z jesieni 2021 r. Zgodnie z założeniem pandemia COVID-19 spowodowała wzrost oczekiwań rozszerzenia zakresu opieki zdrowotnej oraz zwiększenie bezpieczeństwa pracowników na rynku pracy. Zgodnie z założeniem nastąpiło obniżenie akceptacji instytucji rynkowych w obszarze stosunków pracy, natomiast nie rzutowało to na poziom akceptacji zasady swobodnej konkurencji między przedsiębiorstwami. Wbrew założeniom nie nastąpił wzrost oczekiwań na interwencję państwa w gospodarkę ani nie nastąpił wzrost oczekiwań na zmniejszanie nierówności i zwiększanie partycypacji pracowniczej. Nie nastąpiło także wzmocnienie orientacji protekcjonistycznej (oczekiwań wzmożonej ochrony krajowych sił wytwórczych przed kapitałem zagranicznym).

Wskazane cechy mentalności miały niewątpliwie konsekwencje dla wysokiego poziomu optymizmu respondentów w badaniu sondażowym w odniesieniu do takich aspektów jakości ich pracy jak perspektywy rozwoju kariery, bezpieczeństwo zatrudnienia, równowaga między życiem zawodowym i pozazawodowym, wynagrodzenia i czas pracy.

Kończąc, przypomnijmy, że przedstawione w książce badania empiryczne opierały się na połączeniu metod i technik ilościowych (analiza reprezentatywnego sondażu na próbie ogólnopolskiej osób dorosłych) i jakościowych (analiza zogniskowanych wywiadów grupowych z pracującymi w czterech branżach – edukacji, ochronie zdrowia, pomocy społecznej i logistyce, jak również analiza dyskursu medialnego wokół tematyki „pracy niezbędnej"). W badaniach jakościowych szczególną rolę odegrała kategoria pracowników niezbędnych. Dla celów badań zdefiniowaliśmy ich jako osoby, których praca była konieczna dla reprodukcji społecznej i zaspokojenia potrzeb biologicznych i podstawowych potrzeb społecznych w warunkach pandemii. Opinie na temat jakości pracy w czasach COVID-19 były wśród pracowników niezbędnych dużo bardziej różnorodnie i zazwyczaj bardziej krytyczne niż wynikałoby to z sondażu CATI na próbie ogólnopolskiej. Symboliczne, wyrażane w mediach wyrazy wdzięczności, z którymi spotkali się oni na początku pandemii, miały charakter krótkotrwały i nie przełożyły się na systemową poprawę warunków ich pracy. Na podstawie przeprowadzonych analiz jakościowych można przypuszczać, że w połączeniu z chronicznym niedoborem pracowników krytyczna ocena jakości pracy w ochronie zdrowia, edukacji, pomocy społecznej i logistyce skutkować będzie rosnącym potencjałem niezadowolenia w tych grupach w sytuacji rozwijających się polikryzysów.

JULIUSZ GARDAWSKI, ADAM MROZOWICKI,
JACEK BURSKI, JAN CZARZASTY, MATEUSZ KAROLAK

SUMMARY: WORKING POLES DURING COVID-19

The book aims at expanding the existing body of knowledge on the impact of the COVID-19 pandemic as a specific type of health and social crisis with potentially deep and profound consequences for labour. The research presented in the book represents a worker-centred, longitudinal, and critical perspective. It emphasises workers' subjective and intersubjective processes of sense-making with regard to phenomena and processes in the sphere of work, taking into account broader socio-economic, institutional, and cultural contexts. The 'critical' aspects refer to the tradition of critical labour studies, while the longitudinal approach indicates a departure from the 'hot sociology' of the pandemic towards a more systematic view, using successive measurements as we move away in time from its origins. The book summarises the results of the early phase of research in the project "COV-WORK: Socio-economic consciousness, work experiences and coping strategies of Poles in the context of the post-pandemic crisis." The project is funded by the National Science Centre, contract number UMO-2020/37/B/HS6/00479.

The title of the book intentionally rephrases the title of the 2009 book *Working Poles and the Crisis of Fordism*, edited by Juliusz Gardawski. In the context of the tradition of research on overlapping crises in the spheres of public health, economy, politics, ecology, etc. ("polycrises", cf. Tooze, 2021), we step forward with two hypotheses. The first one assumes the transformative potential of the health crisis for Poles' socio-economic consciousness, work situation, and life strategies, which in the last instance may translate into a crisis of the entire socio-economic system based on neoliberal principles. The second hypothesis says that although we have been facing an unprecedented social crisis, the socio-economic system and the key features of socio-economic consciousness ("the normative visions of economy") show a considerable resilience. The pandemic has accelerated change and is likely to intensify phenomena already present in the pre-pandemic world for a long time, but its transformative potential has been – at least in short-term, according to our research – limited.

The empirical research presented in the book combines quantitative (a representative CATI survey on a nationwide sample of adults, N = 1400) and qualitative methods and techniques (15 focus group interviews with employees from 4 sectors – education, health care, social assistance, and logistics; as well as an analysis of the media discourse around the theme of "essential work"). The category of "essential workers" is central to the qualitative research. For the purposes of the research, we define them as people whose work is necessary for social reproduction and meeting biological and basic social needs under the conditions of a pandemic. Our focus in the book is on the experience of the pandemic crisis in Poland and we have been able to make the following, empirically-based observations. Firstly, the Polish society has had an extensive record of crisis experiences amassed over several decades, which has translated – as we argued in one of our earlier works (Mrozowicki, Czarzasty 2020) – into the "taming of uncertainty" and developing biographical resources for coping with unexpected phenomena and social breakdowns. Secondly, it can be argued that the model of economic and social life shaped in Poland as a result of the confrontation with the radical social changes of the last few decades bears features that facilitate coping with overlapping and reinforcing "polycrises." "Patchwork capitalism" (Rapacki, 2019) is characterised by internal heterogeneity, institutional ambiguity, and a lack of institutional coherence. The system developed in a cyclical manner, driven by crises – as well as its internal incoherence – was often a source of adaptability to radical changes in the external environment, including, as Gardawski and Towalski argue (2020, p. 54), pandemic shocks.

The book consists of seven chapters preceded by the introduction. Chapter 1 discusses the labour market situation in Poland at the time of COVID-19, including the impact of the pandemic on the labour-market status of Poles, the socio-demographic characteristics of those working remotely, and selected issues of the quality of work. Chapter 2 contributes to the discussion of the category of essential work, covering issues such as public perception and the media discourse around this category in Poland. Chapter 3 looks into the ways in which selected categories of essential workers perceive the future of work and their occupational group. Chapter 4 focuses on the organisational conditions of work in the COVID-19 era. Chapter 5 contains the conclusions of the analyses of the socio-economic awareness of working Poles, including, first and foremost, a diagnosis of the normative visions of the economy shared by them. Chapter 6 discusses issues related to the structural and class position of the respondents in relation to selected problems of their social consciousness. Chapter 7 summarises the analyses of the respondents' views on their well-being under the conditions of the pandemic and their opinions about the state of the economy, the state, and anti-crisis policies, as well as the characteristics of the anti-vaccine faction. The book closes with Conclusions.

The results presented in the book are locally-determined but at the same time – due to the global nature of the pandemic – they bear a number of universal features. The global, more widespread trends include: (1) the "normalisation" and reconfiguration of the social profile of work performed from home, which has become the domain of 'white collars' and has been identified with remote work much more unambiguously (Felstead, 2022); (2) acceleration of the process of coming into terms with new technologies in the workplace (Śledziewska, Włoch, 2021), which is expressed, *inter alia*, by the growing "transparency" of new digital tools; (3) the development of the prospect of post-pandemic protests in the case of at least some of the essential workers in the industries under scrutiny (Chen, Barrett, 2021; Vandaele, 2021); and (4) the development of inequalities and precarisation of work, which affect predominantly those workers who had already been on the periphery of the labour market prior to the pandemic, including young, less-educated people working under civil law contracts.

The frame of reference outlined above is supplemented by the list of hypotheses we adopted in the design phase of the study. At that time, we assumed that the (post-)pandemic crisis would be characterised by the following:

1. The reinforcement of social inequalities and precarisation in the world of work, which had already been present before the pandemic. In this case, conclusions are ambiguous. On the one hand, the pandemic clearly affected more painfully those employed under temporary and civil law contracts, as they were more likely to lose their jobs and did admit to having experienced changes in their labour-market situation during the pandemic, yet not necessarily due to COVID-19 itself. If the specific category of farmers is put aside, it was the economically-disadvantaged and the less-educated who were more likely to perform stationary (non-remote) work than those economically-better-off and better-educated. It confirms the observations from other research, namely that work at home (in the pandemic: remote work) has become a kind of privilege and a new dimension of social inequality. On the other hand, the analyses presented in Chapter 5 provide a different picture. The extent of precarious employment was not large. Only in the age groups 16–24 and 25–30 the share of holders of permanent contracts was relatively low (36% and 52%) when compared to the remaining age groups, where such contracts were held by around 70% of the respondents. In the economic-occupational categories, only unskilled workers and blue-collar workers were less likely to have permanent contracts (40% and 59%), while around 70% of representatives of the other groups also had permanent contracts.

2. The crisis will be conducive to a deterioration in the quality of work of working Poles and their general well-being. This hypothesis is not fully confirmed. The majority of the respondents were positive about the prospects for career development and work-life balance, and they did not fear losing their job

due to the pandemic, and, compared to the results of the 2015 European Working Conditions Survey (EWCS), the percentage of those confident that they would easily find another job with a similar pay if they lost their current job increased from 34% to 52%. Analyses presented in Chapter 4 make it clear that working from home manifested in better opinions about various aspects of work than those expressed by workers who are still confined to their workplace or other place assigned by the employer (Table 4.5). At the same time, however, the research confirms that some dimensions of job quality, wages in particular, deteriorated during the pandemic in groups who used to be worse off in the labour market before the outbreak of COVID-19. Among those surveyed, young, lower earners with primary education were the most likely to report decreasing wages during the pandemic.

3. Working during the pandemic will affect the well-being of working Poles. Analyses presented in Chapter 7 generally validate the hypothesis that overall life satisfaction has significantly decreased in comparison to the pre-pandemic state (the conclusion, however, needs to be treated with caution due to incomplete comparability of data).

4. The pandemic will negatively affect well-being in groups situated lower in the stratification hierarchy. The hypothesis should be tentatively accepted in relation to satisfaction with one's own life: entrepreneurs, executives, and senior professionals were the groups actually most satisfied with life, while independent farmers and unskilled workers were the least satisfied. There was a negative correlation between life satisfaction and income, and education; those employed under civil law contracts were also less satisfied. Concerns about their own health appear to be very complex in the light of the responses, and workers turned to be the least concerned. Unskilled workers and farmers appeared to be most satisfied with the state of the economy, which was coupled with their stronger support for the policies of the ruling party in Poland (Law and Justice).

5. In the normative visions of the economy, the pro-worker and market-critical components will be enhanced, and expectations of strengthening the institutions of worker participation and trade unions will grow, while support of market and competition will diminish. Those expectations did not materialise (this was indicated by the analyses of the industrial relations assessments in Chapter 4 and the visions of a well-ordered economy in Chapter 5). Comparing the data collected before the pandemic (2016) with the results from the current study, we can see a relatively similar and unchanged hierarchy of principles in the pre-pandemic period and in autumn of 2021. As had been assumed, COVID-19 translated into expectations of better healthcare coverage and increased labour market security. As expected, there was a decrease in the level of acceptance of market institutions in the area of labour relations, but the level of acceptance of free competition

among enterprises remained unaffected. Contrary to prior assumptions, there was no increase in expectations of state intervention in the economy, as well as no increase in expectations of reducing inequality and increasing employee participation. Nor was there a growth in the level of the protectionist orientation (expectations of increased protection of domestic enterprises against foreign capital).

Undoubtedly, the registered state of economic mentality had consequences and manifested through a high level of optimism of the respondents in the survey regarding aspects of their job quality such as career prospects, job security, work-life balance, wages, and working time.

In conclusion, we would like to reiterate that the empirical research presented in the book employed a combination of quantitative (an analysis of data from a representative survey of a nationwide sample of adults) and qualitative (an analysis of focus group interviews with those working in four sectors: education, healthcare, social assistance, and logistics; as well as an analysis of the media discourse around the topic of 'essential work') methods and techniques. The category of essential workers played a special role in the qualitative research. As mentioned before, for the purposes of the research, we defined essential workers as people whose work is necessary for social reproduction and providing for biological and basic social needs under the conditions of a pandemic. Opinions about the quality of work during COVID-19 varied much more and were generally more critique-oriented among essential workers than the CATI survey suggested. Symbolic expressions of gratitude that the workers encountered in the media at the early stage of the pandemic turned out to be short-lived and did not translate into any systemic, lasting improvements of their working conditions. Based on the qualitative analyses, it can be assumed that the critical assessment of the quality of work in healthcare, education, social assistance, and logistics – coupled with chronic labour shortages – is likely to result in a growing potential for discontent in the said groups as polycrises unfold.

BIBLIOGRAFIA

Adamczyk, S., Surdykowska, B. (2018). Prawdziwy koniec świata fordyzmu. Jak reprezentować zbiorowe interesy pracownicze w gąszczu robotów i mikrozatrudnionych? W: J. Czarzasty, C. Kliszko (red.), *Świat (bez) pracy. Od fordyzmu do czwartej rewolucji przemysłowej* (s. 459–494). Warszawa: Oficyna Wydawnicza SGH.

Afeltowicz, Ł., Wróblewski, M. (2020). *Socjologia epidemii. Wyłaniające się choroby zakaźne w perspektywie nauk społecznych*. Toruń: Wydawnictwo Naukowe Uniwersytetu Mikołaja Kopernika.

Agamben, G. (2021). *Where Are We Now?: The Epidemic as Politics*, przekł. V. Dani. Lanham – Boulder – Bew York – London: Rowman & Littlefield Publishers.

Alimahomed-Wilson, J., Reese, E. (2021). Surveilling Amazon's warehouse workers: Racism, retaliation, and worker resistance amid the pandemic. *Work in the Global Economy*, 1(1): 55–73.

Anacka, M., Fihel, A. (2013). Charakterystyka migrantów powracających do Polski oraz ich aktywność zawodowa na rodzimym rynku pracy. *Studia Migracyjne – Przegląd Polonijny*, 4: 57–71.

Arak, P. (2021). *Pandemonia. Czy koronawirus zakończył erę neoliberalizmu?* Warszawa: Poltext.

Baines, D., Charlesworth, S., Turner, D., O'Neill, L. (2014). Lean social care and worker identity: The role of outcomes, supervision and mission. *Critical Social Policy*, 34(4): 433–453.

Bambra, C., Lynch, J., Smith, K.E. (2021). *The Unequal Pandemic. COVID-19 and Health Inequalities*. Bristol: Bristol University Press.

Barneveld, K. van, Quinlan, M., Kriesler, P., Junor, A., Baum, F., Chowdhury, A., Junankar, P.N., Clibborn, S., Flanagan, F., Wright, C.F., Friel, S., Halevi, J., Rainnie, A. (2020). The COVID-19 pandemic: Lessons on building more equal and sustainable societies. *Economic and Labour Relations Review*, 31(2): 133–157

Binder, P. (2021). The social experiment of remote work forced by the pandemic from qualitative research perspective. *Kultura i Społeczeństwo*, 65(1): 65–86.

Blau, F.D., Koebe, J., Meyerhofer, P.A. (2021). Who are the essential and frontline workers? *Business Economics*, 56(3): 168–178.

Boulton, M., Garnett, A., Webster, F. (2022). A Foucauldian discourse analysis of media reporting on the nurse-as-hero during COVID-19. *Nursing Inquiry*, 29(3): 1–12.

Brynjolfsson, E., McAffee, A. (2016). *The Second Machine Age. Work, Progress, and Prosperity in a Time of Brillant Technologies*. New York – London: W.W. Norton & Company.

Butterick, M., Charlwood, A. (2021). HRM and the COVID-19 pandemic: How can we stop making a bad situation worse? *Human Resource Management Journal*, *31*(4): 847–856.

Carroll, N., Conboy, K. (2020). Normalising the 'new normal': Changing tech-driven work practices under pandemic time pressure. *International Journal of Information Management*, *55:* 1–6.

Chemali, S., Mari-Sáez, A., El Bcheraoui, C., Weishaar, H. (2022). Health care workers' experiences during the COVID-19 pandemic: A scoping review. *Human Resources for Health*, *20*(1): 1–17.

Chen, S., Barrett, P. (2021). Social repercussions of pandemics. *IMF Working Papers*, *2021*(021): 1.

Chorev, N. (2021). The virus and the vessel, or: How we learned to stop worrying and love surveillance. *Socio-EconomicReview*, *19*(4): 1497–1513.

Cieślińska, J. (2013). Poczucie dobrostanu i optymizmu życiowego kadry kierowniczej jednostek oświatowych. *Studia Edukacyjne*, *27:* 95–112.

Ciziceno, M. (2022). The conceptions of quality of life, wellness and well-being: A literature review. W: P. Corvo, P.C. Verde (red.), *Sport and Quality of Life* (s. 11–27). Springer.

Cohen, A.K., Cromwell, J.R. (2021). How to respond to the COVID-19 pandemic with more creativity and innovation. *Population Health Management*, *24*(2): 153–155.

Colombo, F. (2022). An ecological approach. The infodemic, pandemic, and COVID-19. W: K. Kopecka-Piech, B. Łódzki (red.), *The COVID-19 Pandemic as a Challenge for Media and Communication Studies* (s. 35–48). London – New York: Routledge.

Cox, C.L. (2020). 'Healthcare Heroes': Problems with media focus on heroism from healthcare workers during the COVID-19 pandemic. *Journal of Medical Ethics*, *46*(8): 510–513.

Crouch, C. (2019). *Will the gig economy prevail?* Cambridge: Polity Press.

Crouch, C. (2022). Reflections on the COVID moment and life beyond neoliberalism. *Transfer: European Review of Labour and Research* [first published 21.04.2022]: 1–15.

Czapiński, J. (1992). *Psychologia szczęścia. Przegląd badań i zarys teorii cebulowej.* Poznań: Oficyna Wydawnicza Akademos.

Czarzasty, J. (2009). Warunki pracy i kultura organizacyjna. W: J. Gardawski (red.), *Polacy pracujący a kryzys fordyzmu* (s. 343–417). Warszawa: Wydawnictwo Naukowe Scholar.

Czarzasty, J. (2014). Stosunki pracy w małych i średnich prywatnych przedsiębiorstwach (MŚP) w Polsce. *Problemy Polityki Społecznej. Studia i Dyskusje*, *26*(3): 135–153.

Czarzasty, J. (2020). Od stoczniowców do prekariuszy. Trzydzieści lat badań nad gospodarką dobrze urządzoną w SGPiS/SGH. W: A. Mrozowicki i J. Czarzasty, *Oswajanie niepewności: studia społeczno-ekonomiczne nad młodymi pracownikami sprekaryzo-wanymi.* (s. 73–100). Warszawa: Wydawnictwo Naukowe Scholar.

Czarzasty, J., Mrozowicki, A. (2022). Czy klasy mają znaczenie? Identyfikacje klasowe i percepcje nierówności społecznych. W: J. Czarzasty (red.), *Niepewność czyli normalność. Studia społeczno-ekonomiczne nad młodymi pracownikami sprekaryzowanymi.* Warszawa: Wydawnictwo Naukowe Scholar.

Deeker, W. (2022). The Covid generation: the effects of pandemic on youth mental health, *Horizon. The EU Research & Information Magazine*, 20 January.

Delanty, G. (red.) (2020). *Pandemics, Politics, and Society. Critical Perspectives on the COVID-19 Crisis*. Berlin – Boston: De Gruyter.

Dojwa-Turczyńska, K., Wolska-Zogata, I. (2020). *Obrazy początków pandemii w Polsce*. Wrocław: Oficyna Wydawcznicza Atut.

Domański, H. (2015). *Czy są w Polsce klasy społeczne*. Warszawa: Wydawnictwo Krytyki Politycznej.

Domański, H. (2017). Stratyfikacja klasowa w Polsce: 1982–2015. W: M. Gdula, M. Sutowski (red.), *Klasy w Polsce. Teorie, dyskusje, badania, konteksty*. Warszawa: Wydawnictwo Krytyki Politycznej.

Einboden, R. (2020). SuperNurse? Troubling the hero discourse in COVID times. *Health: An Interdisciplinary Journal for the Social Study of Health, Illness and Medicine*, *24*(4): 343–347.

Eurofound (2021). *Working Life in the COVID-19 Pandemic 2021*. Eurofound; https://www.eurofound.europa.eu/publications/other/2022/working-life-in-the-covid-19--pandemic-2021 [dostęp: 26.09.2022].

Eurofound (2022). *Working during COVID-19*. Eurofound; https://www.eurofound.europa.eu/data/covid-19/working-teleworking [dostęp: 26.09.2022].

Eurofound, EC (2021). *What Just Happened? COVID-19 Lockdowns and Change in the Labour Market Employment and Labour Markets*. Luxembourg: Eurofound and European Commission Joint Research Centre. Publications Office of the European Union.

European Commission – OECD (2021). *European Commission State of Health in the EU: Companion Report 2021*; https://doi.org/10.2875/835293 [dostęp: 26.09.2022].

Eurostat (2022). *Employed Persons Working from Home as a Percentage of the Total Employment, by Sex, Age and Professional Status (%)*; https://data.europa.eu/data/datasets/orjjzgdf3cnximvsokdfxw?locale=en [dostęp: 6.10.2022].

EWCS (2022). *Europejskie badanie warunków pracy – wizualizacja danych*. Eurofound; https://www.eurofound.europa.eu/pl/data/european-working-conditions-survey [dostęp: 26.09.2022].

Fairclough, N. (2003). *Analysing Discourse: Textual Analysis for Social Research*. London – New York: Routledge.

Fairclough, N. (2011) *Critical Discourse Analysis in a Time of Crisis*; https://www.academia.edu/3776000/Critical_Discourse_Analysis_in_a_Time_of_Crisis_2011 [dostęp: 26.09.2022].

Felstead, A. (2022). *Remote Working. A Research Overview*. New York: Routledge.

Frey, C.B., Osborne, M.A. (2017). The future of employment: How susceptible are jobs to computerisation? *Technological Forecasting and Social Change*, *114*: 254–280.

Gallie, D. (2007). *Employment Regimes and the Quality of Work*. Oxford: Oxford University Press (OUP).

Gallie, D. (2013). *Economic Crisis, Quality of Work, and Social Integration: The European Experience*. Oxford: Oxford University Press.

Gardawski, J. (1992). *Robotnicy 1991: świadomość ekonomiczna w czasach przełomu*. Warszawa: Fundacja im. Friedricha Eberta, Przedstawicielstwo w Polsce.

Gardawski, J. (red.) (1996). *Przyzwolenie ograniczone. Robotnicy o rynku i demokracji*. Warszawa: Wydawnictwo Naukowe PWN.

Gardawski, J. (2013). *Rzemieślnicy i biznesmeni. Właściciele małych i średnich przedsiębiorstw*. Warszawa: Wydawnictwo Naukowe Scholar.

Gardawski, J. (2021). *Wizje gospodarki dobrze urządzonej. Od „Robotników 1986" do polskich i niemieckich młodych prekariuszy 2016–2017*. Warszawa: Wydawnictwo Naukowe Scholar.

Gardawski, J. (red.) (2009). *Polacy pracujący a kryzys fordyzmu*. Warszawa: Wydawnictwo Naukowe Scholar.

Gardawski, J., Rapacki, R. (2021). Patchwork capitalism in Central and Eastern Europe – a new conceptualization. *Warsaw Forum of Economic Sociology*, *2*(23) Spring.

Gardawski, J., Towalski, R. (2020). Rola pandemii COVID-19 w ewolucji stosunków pracy. W: M. Próchniak, J. Gardawski, M. Lissowska, P. Maszczyk, R. Rapacki, A. Sulejewicz, R. Towalski (red.), *Ścieżki rozwojowe krajów i regionów Europy Środkowo-Wschodniej* (s. 47–53). Warszawa: Oficyna Wydawnicza SGH.

Gereffi, G., Posthuma, A.C., Rossi, A. (2021). Introduction: Disruptions in global value chains – Continuity or change for labour governance? *International Labour Review*, *160*(4): 501–517.

Gilejko, L. (2002). *Społeczeństwo a gospodarka. Socjologia ekonomiczna*. Warszawa: Oficyna Wydawnicza SGH.

Gilejko, L. (2010). Klasy i warstwy we współczesnym społeczeństwie. W: M. Jarosz (red.), *Polacy równi i równiejsi*. Warszawa: Instytut Studiów Politycznych PAN.

Glaser, B. (1978). *Theoretical Sensitivity. Advances in the Methodology of Grounded Theory*. San Francisco: University of California.

Goldin, I. (2021). *Essential Workers. Policy Brief*. New York Centre on International Cooperation; https://cic.nyu.edu/sites/default/files/essential_workers_ian_goldin_september_2021.pdf [dostęp: 6.10.2022].

Grabowska, M., Gwiazda, M. (red.) (2019). *Młodzież 2018*. Warszawa: Fundacja CBOS i Krajowe Biuro ds. Przeciwdziałania Narkomanii.

Grimshaw, D., Fagan, C., Hebson, G., Tavora, I. (2017). *Making Work More Equal: A New Labour Market Segmentation Approach*. Manchester: Manchester University Press.

GUS (2021). *Wybrane aspekty rynku pracy w Polsce. Aktywność ekonomiczna ludności przed i w czasie pandemii COVID-19.* Warszawa: Główny Urząd Statystyczny.

GUS (2022). *Wpływ epidemii COVID-19 na wybrane elementy rynku pracy w Polsce*. Warszawa: Główny Urząd Statystyczny.

Hildt-Ciupińska, K. (2014). Work-life balance a wiek pracowników. *Bezpieczeństwo Pracy: Nauka i Praktyka*, *10*: 14–17.

Hodder, A. (2020). New technology, work and employment in the era of COVID-19: Reflecting on legacies of research. *New Technology, Work and Employment*, *35*(3): 262–275.

Howe, N., Strauss, W. (2009). *Millennials Rising: The Next Great Generation*. New York: Vintage Books.

Hryniewicz, J. (2007). *Stosunki pracy w polskich organizacjach*. Warszawa: Wydawnictwo Naukowe Scholar.

Janicka, K. (1997). *Sytuacja pracy a struktura społeczna. W poszukiwaniu nowego wymiaru pozycji zawodowej*. Warszawa: Instytut Filozofii i Socjologii PAN.

Kalleberg, A.L. (2009). Precarious work, insecure workers: Employment relations in transition. *American Sociological Review*, *74*(1): 1–22.

Karolak, M. (2016). From potential to actual social remittances? Exploring how Polish return migrants cope with difficult employment conditions. *Central and Eastern European Migration Review*, *5*: 21–39.

Karolak, M. (2020). Returning for (Dis)Integration in the labour market? The careers of labour migrants returning to Poland from the United Kingdom. W: S. Hinger, R. Schweitzer (red.), *Politics of (Dis)Integration* (s. 101–120). Cham: Springer.

Karolak, M. (2022). *Pandemia, kryzys, dyskurs. Czyli kto i w czyim interesie się wypowiada?*, Blog Cov-Work; https://uwr.edu.pl/projekty-badawcze-i-patenty/projekty/cov-work/blog/pandemia-kryzys-dyskurs-czyli-kto-i-w-czyim-interesie-sie-wypowiada/ [dostęp: 6.10.2022].

Khan, Z., Iwai, Y., DasGupta, S. (2021). Military metaphors and pandemic propaganda: Unmasking the betrayal of 'Healthcare Heroes'. *Journal of Medical Ethics*, *47*(9): 643–644.

Kılıç, S. (2021). Does COVID-19 as a long wave turning point mean the end of neoliberalism? *Critical Sociology*, *47*(4–5): 609–623.

Kochanowicz, J., Mandes, S., Marody, M. (red.) (2007). *Kulturowe aspekty transformacji ekonomicznej*. Warszawa: Instytut Spraw Publicznych.

Kopycka, K. (2021). Czy jesteśmy coraz szczęśliwsi? Znaczenie wykształcenia, wieku i dochodu dla dobrostanu psychicznego w Polsce. Materiał na konferencję prasową w dniu 1 XII 2021, towarzyszącą konferencji naukowej „Harmonized longitudinal data on social structure: Polish research in a cross-national perspective". Warszawa: Instytut Filozofii i Socjologii PAN.

Kossowska, M., Letki, N., Zaleśkiewicz, T., Wichary, S. (2021). *Człowiek w obliczu pandemii. Psychologiczne i społeczne uwarunkowania zachowań w warunkach kryzysu zdrowotnego*. Sopot: Smak Słowa.

Kozek, W. (2011). *Gra o jutro usług publicznych w Polsce*. Warszawa: Wydawnictwa Uniwersytetu Warszawskiego.

Kozek, W. (2013). *Rynek pracy. Perspektywa instytucjonalna*. Warszawa: Wydawnictwa Uniwersytetu Warszawskiego.

Krastew, I. (2020). *Nadeszło jutro. Jak pandemia zmienia Europę*, przekł. M. Sutowski. Warszawa: Wydawnictwo Krytyki Politycznej.

Kubisa, J., Rakowska, K. (2021). Established and emerging fields of workers' struggles in the care sector: The case of Poland. *Transfer*, *27*(3): 353–366.

Latos-Miłkowska, M. (2020). Porozumienia zbiorowe w tarczy antykryzysowej. *Praca i Zabezpieczenie Społeczne*, *10*: 26–35.

Loustaunau, L., Stepick, L., Scott, E., Petrucci, L., Henifin, M. (2021). No choice but to be essential: Expanding dimensions of precarity during COVID-19. *Sociological Perspectives*, *64*(5): 857–875.

Lupton, D. (2022). *Covid Societies. Theorising the Coronavirus Crisis*. London – New York: Routledge.

Marody, M., Kochanowicz J. (2007). „Pojęcie „kultury ekonomicznej" w wyjaśnianiu polskich przemian". W: J. Kochanowicz, S. Mandes, M. Marody (red.), *Kulturowe aspekty transformacji ekonomicznej* (s. 13–42). Warszawa: Fundacja Instytut Spraw Publicznych.

Maslow, A.H. (1943). A theory of human motivation. *Psychological Review, 50*(4): 370–396.

Meardi, G., Tassinari, A. (2022). Crisis corporatism 2.0? The role of social dialogue in the pandemic crisis in Europe. *Transfer: European Review of Labour and Research, 28*(1): 83–100.

Mejia, C., Pittman, R., Beltramo, J.M.D., Horan, K., Grinley, A., Shoss, M.K. (2021). Stigma & dirty work: In-group and out-group perceptions of essential service workers during COVID-19. *International Journal of Hospitality Management, 93*: 102772.

Mendes, M., Bordignon, J.S., Menegat, R.P., Schneider, D.G., Vargas, M.A.O. de, Santos, E.K.A. dos, Cunha, P.R. da (2022). Neither angels nor heroes: Nurse speeches during the COVID-19 pandemic from a Foucauldian perspective. *Revista Brasileira de Enfermagem, 75*(suppl. 1).

Molęda-Zdziech, M. (1999). W poszukiwaniu „zapomnianej przeszłości". *Studia Socjologiczne, 154*(3): 193–198.

Mrozowicki, A. (2011). *Coping with Social Change. Life Strategies of Workers in Poland's New Capitalism*. Leuven: University Press Leuven.

Mrozowicki, A. (2017). Od proletariatu do prekariatu? Doświadczenie klas w biografiach robotników i młodych pracowników sprekaryzowanych w Polsce. W: M. Gdula, M. Sutowski (red.), *Klasy w Polsce. Teorie, dyskusje, badania, konteksty* (s. 41–60). Warszawa: Wydawnictwo Krytyki Politycznej.

Mrozowicki, A., Czarzasty, J. (red.) (2020). *Oswajanie niepewności: studia społeczno-ekonomiczne nad młodymi pracownikami sprekaryzowanymi*. Warszawa: Wydawnictwo Naukowe Scholar.

Mrozowicki, A., Trappmann, V. (2021). Precarity as a biographical problem? Young workers living with precarity in Germany and Poland. *Work, Employment and Society, 35*(2): 221–238.

Müller, T., Schulten, T., Drahokoupil, J. (2022). Job retention schemes in Europe during the COVID-19 pandemic – different shapes and sizes and the role of collective bargaining. *Transfer: European Review of Labour and Research: 28(2)*: 247–265

Muñoz de Bustillo, R., Fernández-Macías, E., Antón, J.I., Esteve, F. (2011). E pluribus unum? A critical survey of job quality indicators. *Socio-Economic Review, 9*(3): 447–475.

Natali, D. (2022). COVID-19 and the opportunity to change the neoliberal agenda: Evidence from socio-employment policy responses across Europe: *Transfer: European Review of Labour and Research, 28*(1): 15–30.

Neufeind, M., O'Reilly, J., Ranft, F. (2018). *Work in the Digital Age. Challenges of the Fourth Industrial Revolution.* Rowman & Littlefield Publishers.

Nowak, S. (1989). Wstęp. W: S. Nowak (red.), *Ciągłość i zmiana tradycji kulturowej.* Warszawa: Państwowe Wydawnictwo Naukowe.

OECD (2021). *Teleworking in the COVID-19 pandemic: Trends and prospects.* W: *OECD Policy Responses to Coronavirus (COVID-19)*, September.

Okabe-Miyamoto, K., Lyubomirsky, S. (2021). Social connection and well-being during COVID-19. W: J.F. Helliwell i in. (red.), *World Happiness Report* (s. 131–152). Sustainable Development Solutions Network.

Omyła-Rudzka, M. (2019). *Które zawody poważamy? Komunikat CBOS 157/2019*, https://www.cbos.pl/SPISKOM.POL/2019/K_157_19.PDF [dostęp: 26.09.2022].

Omyła-Rudzka, M. (2022). *Stosunek do rządu w lipcu 2022 r. Komunikat CBOS 96/2022*, https://www.cbos.pl/PL/publikacje/raporty/open_file.php?url=2022/K_096_22.PDF&tytul=Stosunek+do+rz;261;du+w+lipcu [dostęp: 26.09.2022].

Piasna, A., Burchell, B., Sehnbruch, K., Agloni, N. (2017). Job quality: Conceptual and methodological challenges for comparative analysis. W: D. Grimshaw i in. (red.), *Making Work More Equal: A New Labour Market Segmentation Approach* (s. 167–187). Manchester: Manchester University Press.

Polkowska, D. (2021). Przyspieszenie czy spowolnienie? Praca platformowa dostawców jedzenia w dobie pandemii SARS-COV-2. *Studia Socjologiczne, 4*(243): 109–133.

Rapacki, R. (red.) (2019). *Diversity of Patchwork Capitalism in Central and Eastern Europe*. London – New York: Routledge.

Reykowski, J. (1986). *Motywacja, postawy prospołeczne a osobowość*. Warszawa: Państwowe Wydawnictwo Naukowe.

Roach Anleu, S., Sarantoulias, G. (2022). Complex data and simple instructions: Social regulation during the COVID-19 pandemic. *Journal of Sociology*, 13 stycznia (emisja cyfrowa), https://journals.sagepub.com/doi/pdf/10.1177/14407833211066926 [dostęp: 6.10.2022].

Rokicka, E. (2014). Rozwój gospodarczy i społeczny a jakość życia. Wybrane kontrowersje teoretyczne i metodologiczne. *Przegląd Socjologiczny, 63*(1): 87–107.

Rosa, H. (2020a). *Przyspieszenie, wyobcowanie, rezonans. Projekt krytycznej teorii późnonowoczesnej czasowości*, przekł. J. Duraj, J. Kołtan. Gdańsk: Europejskie Centrum Solidarności.

Rosa, H. (2020b). *The Uncontrollability of the World 2020*. Cambridge – Medford: Polity Press.

Rothwell, J., Crabtree, S. (2021). *How COVID-19 Affected the Quality of Work*, Gallup, https://www.gallup.com/education/267590/great-jobs-report.aspx [dostęp: 6.10.2022].

Ruszkowski, P., Przestalski, A., Maranowski, P. (2020). *Polaryzacja światopoglądowa społeczeństwa polskiego a klasy i warstwy społeczne*. Warszawa: Collegium Civitas.

Ryan, R., Deci, E. (2018). *Self-Determination Theory: Basic Psychological Needs in Motivation, Development, and Wellness*. New York – London: Guilford Press.

Scott, R.W. (2008). *Institutions and Organisations. Ideas and Interests.* Los Angeles: Sage.

Seeliger, M., Sebastian, M. (2022). The influence of the Discursive Power of Unions in the Swift Re-regulation of Slaughterhouse Labour during the COVID-19 Crisis in Germany. *Global Labour Journal, 13*(3): 305–321.

Shan, X., Beheshti, M. (2021). Literature Review of COVID-19 Pandemic Impacts on Students Academic Performance. *2021 the 6th International Conference on Distance Education and Learning* (s. 233–237). Association for Computing Machinery.

Shanahan, L., Steinhoff, A., Bechtiger, L., Murray, A.L., Nivette, A., Hepp, U., Ribeaud, D., Eisner, M. (2022). Emotional distress in young adults during the COVID-19 pandemic: Evidence of risk and resilience from a longitudinal cohort study. *Psychological Medicine, 52*(5): 824–833.

Sitrin, M., Sembrar, C. (2020). *Pandemic Solidarity: Mutual Aid during the COVID-19 crisis*. London: Pluto Press.

Słomczyński, K., Kohn, M.L. (1988). *Sytuacja pracy i jej psychologiczne konsekwencje. Polsko-amerykańskie analizy porównawcze*. Wrocław: Zakład Narodowy im. Ossolińskich.

Szczepański, J. (1970). *Elementarne pojęcia socjologii*. Warszawa: Państwowe Wydawnictwo Naukowe.

Szlendak, T. (2021). Czy rezonans zarezonuje? Hartmut Rosa o gorączce przyspieszenia trawiącej nowoczesność. *Studia Socjologiczne, 3*(242): 137–153.

Śledziewska, K., Włoch, R. (2021). *The Economics of Digital Transformation. The Disruption of Markets, Production, Consumption, and Work*. Abingdon – New York: Routledge.

Thorpe, C. (2022). *Sociology in Post-Normal Times*. Lexington Books.

Tooze, A. (2021). *Shutdown: How Covid Shook the World's Economy*. New York: Viking.

Turner, S. (2021). Naked state: What the breakdown of normality reveals. W: G. Delanty (red.), *Pandemics, Politics, and Society. Critical Perspectives on the COVID-19 Crisis* (s. 43–58). Berlin – Boston: De Gruyter.

Vandaele, K. (2021). Applauded 'nightingales' voicing discontent. Exploring labour unrest in health and social care in Europe before and since the COVID-19 pandemic. *Transfer: European Review of Labour and Research, 27*(3): 399–411.

Vandenberghe, F., Véran, J.-F. (2021). The pandemic as a global social total fact. W: G. Delanty (red.), *Pandemics, Politics, and Society. Critical Perspectives on the COVID-19 Crisis* (s. 171–190). Berlin – Boston: De Gruyter.

Walby, S. (2021). The COVID pandemic and social theory: Social democracy and public health in the crisis. *European Journal of Social Theory, 24*(1): 22–43.

Weber, M. (2004), „Obiektywność" poznania społeczno-naukowego i społeczno-politycznego. W: M. Weber, *Racjonalność, władza, odczarowanie*, przekł. M. Holona (s. 133–195). Poznań: Wydawnictwo Poznańskie.

Wey Smola, K., Sutton, C.D. (2002). Generational differences: Revisiting generational work values for the new millennium. *Journal of Organizational Behavior, 23*(4): 363–382.

Wielecki, K. (2012). *Kryzys i socjologia*. Warszawa: Wydawnictwa Uniwersytetu Warszawskiego.

Wucker, M. (2016). *The Gray Rhino: How to Recognize and Act on the Obvious Dangers We Ignore*. New York: St. Martin's Press.

Zahorska, M. (2020). *Sukces czy porażka zdalnego nauczania?* Forum Idei. Warszawa: Fundacja im. Stefana Batorego.

Zeitlin, J., Nicoli, F., Laffan, B. (2019). Introduction: The European Union beyond the polycrisis? Integration and politicization in an age of shifting cleavages. *Journal of European Public Policy, 26*(7): 963–976.

Ziółkowski, M. (2000a). *Przemiany interesów i wartości społeczeństwa polskiego. Teorie, tendencje, interpretacje*. Poznań: Wydawnictwo Fundacji Humaniora.

Ziółkowski, M. (2000b). *Pozycja społeczna a cechy osobowości. O wzajemnych relacjach w okresie transformacji systemowej*. Warszawa: Wydawnictwo Instytut Filozofii i Socjologii PAN.

Žižek, S. (2020). *Pandemic!: COVID-19 Shakes the World*. Cambridge: OR Books Polity Press.

SPIS TABEL I WYKRESÓW

Indeks nazwisk

Noty o Autorach

JACEK BURSKI – doktor nauk społecznych, adiunkt w Zakładzie Socjologii Pracy i Gospodarki Instytutu Socjologii Uniwersytetu Wrocławskiego. Jego główne zainteresowania obejmują socjologię biografii, problematykę przemian rynku pracy i socjologię sportu. Autor monografii, artykułów naukowych publikowanych w recenzowanych czasopismach naukowych oraz rozdziałów w książkach poświęconych m.in. problematyce zmiany społecznej, nowoczesności czy socjologii pracy. Wykonawca w projektach naukowych NCN realizowanych na Uniwersytecie Łódzkim oraz w projekcie NCN PREWORK na Uniwersytecie Wrocławskim. Obecnie post-doc w projekcie NCN OPUS COV-WORK.

JAN CZARZASTY – doktor nauk ekonomicznych, kierownik Zakładu Socjologii Ekonomicznej Instytutu Filozofii, Socjologii i Socjologii Ekonomicznej Szkoły Głównej Handlowej w Warszawie (SGH). Zainteresowania naukowe: socjologia ekonomiczna, indywidualne i zbiorowe stosunki pracy, dialog społeczny, kultura organizacyjna oraz porównawcze studia nad współczesnym kapitalizmem. Długoletni korespondent Europejskiej Fundacji na rzecz Poprawy Warunków Życia i Pracy (Eurofound). Główny ekspert Instytutu Spraw Publicznych w Warszawie w zakresie stosunków pracy i dialogu społecznego. Współpracownik Europejskiego Instytutu Związków Zawodowych (ETUI) w Brukseli. Obecnie kierownik zespołu SGH (partner) w realizowanym w konsorcjum z Uniwersytetem Wrocławskim (lider) projekcie NCN OPUS COV-WORK.

JULIUSZ GARDAWSKI – profesor dr hab., od czasu studiów związany z SGPiS/SGH, obecnie współpracownik SGH. Począwszy od 1986 r. nieprzerwanie uczestniczy w empirycznych badaniach z zakresu socjologii ekonomicznej i polityki publicznej; kierował i współkierował ok. trzydziestoma badaniami, w tym badaniami omawianymi w monografii. Badał i wciąż bada środowiska pracowników, pracodawców sektora MŚP, związki zawodowe i organizacje pracodawców, przez ponad dziesięć lat (2002–2013) prowadził obserwację uczestniczącą instytucji Trójstronnej Komisji ds. Społeczno-Gospodarczych. Jest autorem około 200 publikacji, w tym autorem i współautorem kilkunastu książek. Członek Komitetu Nauk o Pracy PAN.

MATEUSZ KAROLAK – doktor nauk społecznych, adiunkt w Zakładzie Socjologii Pracy i Gospodarki Instytutu Socjologii Uniwersytetu Wrocławskiego.
Uczestnik i koordynator krajowych i zagranicznych projektów badawczych z obszaru socjologii pracy i migracji. W ramach Trans-Atlantic Platform (T-AP) kieruje
polskim zespołem w projekcie „ENDURE: Inequalities, Community Resilience
and New Governance Modalities in a Post-Pandemic World" (2022–2025). Sty-
pendysta ośrodków naukowych w Belgii, Niemczech, Wielkiej Brytanii oraz USA.

ADAM MROZOWICKI – doktor habilitowany, profesor uczelni, kierownik
Zakładu Socjologii Pracy i Gospodarki Instytutu Socjologii Uniwersytetu Wrocławskiego. Jego zainteresowania badawcze obejmują socjologię pracy, socjologię
gospodarki, porównawcze badania nad zbiorowymi stosunkami pracy, badania
nad prekaryzacją, krytyczny realizm społeczny oraz metodologię badań biograficznych. Autor i współautor ponad 100 publikacji naukowych, prowadził pro-
jekty badawcze finansowane ze środków 7. Programu Ramowego UE, Komisji
Europejskiej, Fundacji na rzecz Nauki Polskiej i Narodowego Centrum Nauki.
Obecnie kieruje zespołem badawczym w projekcie NCN OPUS COV-WORK.